The Welsh Peaks

Books on Wales by the same author

Companions to this volume

Plate 1 **Route 18**—Tryfan in winter raiment

W. A. Poucher Hon. F.R.P.S.

The Welsh Peaks

A pictorial guide to walking in this region and to the safe ascent of its principal mountain routes, with 250 photographs by the author, 15 maps and 56 routes.

Tenth Edition

For the tenth edition of this work, any necessary revisions to routes and some of the general and technical information were undertaken by Nigel Shepherd

Constable · London

First published in Great Britain 1962
by Constable and Company Ltd
3 The Lanchesters, 162 Fulham Palace Road
London W6 9ER
Copyright ⓒ 1962 by William Arthur Poucher
Second edition 1965
Third edition 1967
Fourth edition 1970
Fifth edition 1973
Sixth edition 1977
Seventh edition 1979
Eighth edition 1983
Ninth edition 1987 (reprinted 1994)
Tenth edition 1997
ISBN 0 09 475860 3

Printed in Hong Kong

Hillwalking and scrambling carry certain risks. If you have any doubts about your ability to conduct these activities safely you should consider engaging a qualified guide or instructor to lead you or to instruct you in the techniques required to travel safely in the mountains. Your use of this book indicates your assumption of the risks involved, and is an acknowledgement of your own sole responsibility for your safety.

Preface to the tenth edition

The Welsh Peaks was first published in 1962 and in the years that followed my father made frequent visits to the area in order to see if modifications to any of the routes were required. However, in the years before he died he was no longer able to carry out this task and since his death in 1988, I have not found it possible to visit Wales myself.

Therefore, some time ago, I agreed with Constable that they should approach someone who knew the Welsh mountain areas intimately and see if they were prepared to make a survey of all the routes, amend them where necessary, and update the more technical sections of the book. An approach was made to Nigel Shepherd, who I am delighted to say agreed to undertake this work.

Mr Shepherd is an experienced climber and an International Mountain Guide whose writings and photographs have been published widely and include *A Manual of Modern Rope Techniques*, (Constable 1990), *Rock Climbing* and *Self Rescue Techniques*. Although he has lived and worked both in New Zealand and Chamonix, he is now based on the northern fringe of Snowdonia from where he runs a Guiding business. As I think readers will realise after perusing this guide, he was an admirable choice for the task.

It should be noted that the Routes described and illustrated herein have been frequented over the years without objection, but they do not necessarily constitute a Right of Way. If in any doubt, the reader should contact the owner of the land and ask permission to cross it before embarking upon his walk. This is most important in view of the outbreak of vandalism which has swept the country in recent memory which is not only deplorable but also contrary to the accepted Country Code.

Finally, I would urge leaders of school and youth parties not to venture on these hills unless the weather is favourable, and moreover, they should always insist upon everyone wearing boots and proper clothing and carrying the various items mentioned in the 'Equipment' section that appears on pages 13 to 20. If they do this they will not only reduce the risk of accidents, but also avoid the, often needless, call for Mountain Rescue.

A suggestion for a **route card** appears opposite and its use by every walker and scrambler could help reduce the number of casualties on our peaks. Please report your route to your lodgings and do not deviate from it.

In spite of the routes having been updated, it is still possible for slight changes to appear due to erosion, rock falls and other natural causes and if such variations are noticed by a user of this guide it will be most helpful if they would let me know of these so that they can be included in any future edition of this work.

The fifteen maps are reproduced with the permission of John Bartholomew & Son Limited.

John Poucher
Cumbria 1997

After Mr Poucher's death in August 1988, at the age of 96, his son and daughter-in-law felt that as he had loved Snowdonia so much it would be appropriate for there to be some form of memorial to him in the area. So with the agreement of the Director, a memorial seat was presented to Plas y Brenin in Capel Curig, where it was placed in the gardens. The seat bears a Plaque which reads:

IN MEMORY OF
WALTER POUCHER 1891–1988
A RENOWNED MOUNTAIN PHOTOGRAPHER
WHO LOVED THE WILD PLACES

The **route card** illustrated opposite was introduced by the Snowdonia National Park some years ago. It forms the basis of sound safety practice by informing others of your plans for the day. Should an accident befall you and you fail to return as planned the information will be invaluable to Rescue teams. This route card, or something similar, should be left with someone where you are staying. Do not forget to report back if you inadvertently finish late and far away from your intended return point.

Leave word
when you go
on our hills

SNOWDONIA
NATIONAL PARK

Names and Addresses: Home Address and Local Address	Route
Time and date of departure	Bad weather alternative
Place of Departure and registered number of vehicle (if any)	
Estimated time of return	Walking/Climbing (delete as necessary)

GO UP WELL EQUIPPED – TO COME BACK SAFELY

Please tick items carried

Emergency Food	Torch	Ice Axe
Waterproof Clothing (colour:	Whistle	Crampons
Winter Clothing	Map	Polybag
(colour:	Compass	First Aid

Please complete and leave with landlady, warden etc.
Ask landlady or warden to contact Police if you are overdue

PLEASE REPORT YOUR SAFE RETURN

Contents

Introductory notes

The coastal resorts of Wales have been a treasured venue for the holidaymaker for many decades, and with the increased interest in mountain walking and rock climbing Snowdonia too has achieved an immense popularity that is second to none in this country. But the remote and wild landscape of South and Mid-Wales has for some inexplicable reason escaped this attention, despite the magnificence of the scenery, the opportunities for hill walking in comparative solitude, and the possibility of ascents of varying difficulty on its innumerable crags and cliffs. I hope the information given in these pages will lead to a more extensive exploration of the whole of the Principality. Energetic young men and women who have a special predilection for hill country may well choose Snowdonia for their first visit, and on arrival they will raise their eyes to the peaks and imagine themselves standing by one of the summit cairns, inhaling the invigorating mountain air and scanning the valleys far below, the chain of engirdling hills and the distant glimmering seas. Come what may, they lose no time in setting out to climb one of them and on reaching their objective gain that satisfaction that comes only after the ardours of the ascent. It is highly probable that Snowdon will be their first conquest, not only because it is the monarch of Wales and the countryside as far north as Scotland, but also because they believe it will disclose the finest and most comprehensive panorama on account of its dominating altitude. On achieving this ambition, they quite naturally speculate upon the merits of the views from the other high peaks in the region, and after talking over the question with friends they will in all probability continue their exploration by climbing Tryfan, or walking over the Glyders, or perhaps even traversing the fine Nantlle Ridge, on their first vacation. On returning home they will often ponder over these experiences, and especially so if they have been captivated by the spirit and mystery of the hills. The map will doubtless be unfolded at frequent intervals, and by tracing the routes thereon they will re-live these happy times. If they climbed Snowdon by the Pyg Track, their thoughts will follow that pleasant route from Pen-y-Pass with Crib Goch rising into the sky ahead, their surprise at the fine view of Lliwedd on attaining Bwlch y Moch, the tramp along the stony undulating path with Yr Wyddfa in front and the sudden appearance of Glaslyn below, the scramble up the steep zigzags to the Col where the Snowdon Railway first comes into view, the walk along the edge of the cwm with Snowdon ahead and the exhilaration of finally standing on the large cairn on the roof of Wales with a whole kingdom spread out far below.

A closer inspection of the map will suggest to our friends several other routes to this lofty peak, and curiosity will induce them to speculate upon their respective merits. Would the Miners' Track have been more interesting? Perhaps it would have been more thrilling to have made the ascent from the beautiful Vale of Gwynant by the Watkin Path, or what of the more distant approaches from the Snowdon Ranger Youth Hostel or Rhyd-ddu? Then another line of thought may develop; for they had seen a grand array of peaks engirdling the horizon from Yr Wyddfa and they will speculate again upon the merits of the panoramas from their summits, to realise with surprise that a lifetime is not too long in which to become acquainted with them all.

The cogitations of our young friends will follow a normal course and they will do exactly the same as the rest of us did in our novitiate; for they will formulate the plans for their next holiday long before it is due. Next time they may decide to stay perhaps in Mid-Wales and explore the adjacent hills; but which ones? To solve this problem they will often get out the map, and while scanning it with happy anticipation compare it with the various guide-books which describe this lovely countryside. There they will read what their authors have so lucidly written, but much will inevitably be left to their imagination.

It is here that my long experience of the Welsh Peaks will help them to solve their problems, for by consulting this volume in conjunction with my other works devoted to this region they will not only be able to choose their centre with certainty, their routes to the peaks in the vicinity in accordance with their abilities, and their subjects for their cameras if they happen to be photographers, but they will also be able to see beforehand through the medium of my camera studies precisely the type of country that will satisfy every one of their needs. The mountains, whilst seemingly harsh, are a delicate environmental mix where man attempts to live in harmony with nature and nature strives to survive the onslaught. Inevitably the surge in popularity of mountain sports has taken its toll on the fragile existence of the wild places. Paths form and others become more eroded, leaving unsightly scars, unexplored and unknown corners become inundated with people and somehow the tranquillity becomes lost.

Everyone who visits the hills in this book, or mountains anywhere, must show respect for the natural and wild habitat they choose to enter and do all that they can to prolong and enhance the delicate beauty that, in the first instance, is so attractive.

Equipment

Anyone who ventures on to the hills without being properly equipped is foolhardy. The weather in the mountains can change rapidly and even in the summertime extremes of cold and heat may be encountered whilst out in the hills.

Footwear is of paramount importance. There are a number of considerations to be borne in mind when making a choice from the vast array of walking and climbing boots available. Cost is obviously important and it usually follows that the more expensive boots are likely to provide the user with longer use and greater comfort.

Walking boots must be sturdy and have a good sole. There are a variety of styles available in addition to the classic vibram pattern. Some lay claim to a host of uses in all variety of terrain and in truth there are few that don't match up to their sales hype. Be wary though of plastic soles on cheaper models or those that are notoriously slippery when used on wet rocks and grass.

There are two main types of upper available. The most satisfactory for longevity is without doubt leather. Carefully looked after and kept clean and well dubbined leather can be perfectly water-repellent. The more seams, and therefore stitching, there is in a boot, the more difficult it is to trust to its waterproofing. Water will find its way through even the tiniest of weaknesses and often the problem will not be the boot itself but the fact that water gets in through the top and the gaps along the lacing system.

There are numerous models made with tough nylon uppers. Material such as cordura is particularly hardwearing. Often, and certainly in the more expensive variety, they will include a breathable lining such as goretex. Many boots constructed in

Plate 2

this way claim impressive water repellency properties that over a period of long and hard use dwindles considerably. Proprietary cleaners and re-proofing substances are needed from time to time to increase the life of such footwear. There is a need to tread somewhat more carefully over sharp rocks as the material is easily damaged. This type of footwear is generally unsuited to walking in snowy conditions for they do not provide sufficient warmth or the rigidity required to kick steps and use crampons successfully.

For those who aspire to things other than walking and who might go scrambling along airy ridges and buttresses or rock climbing on cliff and crag, a more rigid boot may be found more suitable for tip-toeing on tiny edges. Such boots will differ from a walking boot in that they will have a stiffener inside the sole lending varying degrees of rigidity. A three quarter stiffener is perhaps the most versatile all round and a full shank for total stiffness as might be needed by the ice climber.

Readers will no doubt encounter plastic mountaineering boots in their quest to purchase. Normally these type of boots are for serious mountaineering in harsh winter conditions, the Alps and the highest mountains of the world. For the hillwalker they are totally unsuitable being cumbersome, overly warm and harsh on feet and knees.

Be sure to take good care of your feet at all times. Many modern boots require little or no breaking in period. For those that do make sure that at the first sign of any soreness you cover the part of your foot with plaster to prevent the formation of blisters. A stoic attitude in the face of soreness is foolishness because it may mean curtailment of a long planned holiday.

Waterproof clothing is an essential requirement for all who go into the hills. Being wet will turn a great day into one of continual misery and worse, may lead to hypothermia and the necessity for rescue. Nowadays there is little excuse for not having at least reasonably good waterproof or shell clothing, for there is wide choice not simply in mountaineering shops but also in the high street.

It does follow however that the best shell clothing for the job is generally to be found in specialist shops and there are a variety of waterproof but breathable materials that serve the hillwalker admirably. Cheaper garments made from proofed nylon in varying weights are perfectly adequate for mountain wear and suffer only from the problem of condensation build up on the inside of the garment. This may lead to a little discomfort and dampness but provided that the shell is worn all the time there will be no chilling effect from the wind.

Any good waterproof jacket should be well cut and allow freedom of movement. A large and accommodating hood is a good idea and one that closes snugly around the face but doesn't restrict vision is preferable. Such hoods will normally have a wired or at least stiffened visor. Pockets should be easily accessible whilst wearing a rucksack hipbelt and a large pocket to take a map is a worthy addition. Some jackets feature zipped underarm air vents. These are very useful in steamy conditions, when it is wet but warm. The sleeve closures must be convenient and it is a good idea to check that they can be easily done up with gloved hands.

A full length zip that operates in two directions is useful in that it provides good ventilation. A storm flap inside the zip will make it more weathertight. The alternative to a jacket is a pull over the head anorak or cagoule. This type of shell is clearly a more stormproof garment but lacks the ability to ventilate efficiently. At the end of the day it is largely a matter of personal choice and how deep into ones pocket one has to delve.

Many people comment on how unnecessary a pair of water-proof trousers is. One can only assume that such people have never spent time in the mountains in really wild weather. A large proportion of body heat is lost through the thighs and once wet, this loss is exaggerated considerably. Overtrousers are essential for comfort and well being. When choosing a pair ensure that you are able to get them on over the top of your walking boots. It's a good idea to buy a pair with a short knee length zip that facilitates this and it is possible to buy trousers with a full length zip that allows the wearer to take them on and off more easily. Trousers with a 'drop-seat' are convenient for a number of good reasons.

Fleece clothing is well established as an efficient insulator. A range of products is widely available and the prospective purchaser usually has a choice of differing weights and a bewildering array of patterns and colours. Fleece has the tremendous advantage over more traditional insulation such as wool, in that it retains warmth even when wet and that it dries out very quickly. It is not however, windproof, and can only be made so by additional shell clothing or as is more popular by a pertex covering. Jackets, jumpers and trousers are all available in fleece from all the top manufacturers.

Breeches are rarely seen these days having been largely superseded by a range of cotton/polyester trousers. Lightweight but very durable and often windproof, they are a rather more sensible alternative. For colder conditions long johns can be worn underneath or it may be preferable to resort to wearing fleece trousers when conditions become extremely cold.

Microfibre undergarments will be found to be a worthwhile addition to the winter wardrobe and may even be required at other times of the year. To achieve the most from such garments they should ideally be worn next to the skin and be quite a snug fit.

Gloves or mitts ought to be carried on all but the most reliable of summer days. Again there is tremendous choice from the cheapest to the most outrageously expensive. Fleece gloves or mitts are useful for the same reasons as previously mentioned but you might consider a windproof outer being worthwhile. Gloves made from waterproof breathable fabrics are only of any use if the material is fairly heavy. Woollen mitts such as the eternal Dachstein are particularly warm even when wet or completely frozen – unfortunately it is difficult to hold things with any security. It is worth considering wearing a lighter weight inner glove which can be used on its own in all but the coldest conditions.

Hats and balaclavas are also a necessity. Here once again, fleece is an efficient insulator. An outer covering of breathable waterproof material makes a hat both windproof and water resistant. Traditional woolly bobble hats are fine and so also is the mountaineers balaclava which folds up into a hat when you no longer need full head protection.

Gaiters are a covering for the lower part of the leg. Essentially they are worn to prevent snow from getting in to the top of the boot, melting and causing wet uncomfortable feet. They are equally applicable for use in the rain and when overtrousers are worn they will stop water percolating down the leg and into the top of the boot. Ordinary proofed nylon or waterproof breathable models are available.

A **Rucksack** will be needed to carry food and spare clothing that isn't being used. There is perhaps more choice available in rucksacks than any other single item of mountaineering equipment for in addition to the more well established marques there are a huge number of cheaper makes.

A rucksack for day use need not be too large. There is a saying among mountain folk that no matter what size sack you have you will nearly always fill it. That's no good at all if you have a 60 litre sac on a day trip. Normally, something around 25 to 30 litres will be more than adequate. In this size, the range is perhaps largest and the final choice must be left to the individual purchaser. Few rucksacks are waterproof though some claim to be, and it is usually necessary to place items inside a polythene bag inside the pack. Outside pockets are useful for storing things to which quick access is required, particularly water bottles on hot days and if your chosen rucksack has a lid it is likely to have an integrated pocket.

Other essential equipment includes a **compass**. The Silva

compass is by far and away the most common though there are other makes. Whichever compass you choose it should have a large base plate which enables you to measure long distances on the map. **Maps** are available in two useful scales. For general use a 1:50000 scale is adequate and for fine detail navigation a larger scale 1:25000 will be necessary. The Ordnance Survey produce large scale maps to all of the popular mountain regions of Wales and details of those required will be found in the introduction to each region. More about the compass and map appears under the chapter on navigation.

A **whistle, emergency bivvy bag, head torch** and **first aid kit** will complete the basic equipment required for safe travel in our hills and these can be supplemented with safety equipment necessary for winter walking or for scrambling and rock climbing.

List of equipment for summer hill walking
Boots.
Waterproof shell clothing. Jacket and Trousers.
Fleece jumper and spare. Wool is an alternative.
Warm hat and gloves or mitts.
Cotton trousers or breeches with long socks.
Some food and emergency food.
A flask or if it is a hot summer's day, a water bottle.
A map, compass and whistle.
Emergency bivvy bag.
Small first aid kit.
Gaiters.
Head torch.

Winter supplement
Warm undergarments.
Mitts or gloves and spares.
Lightweight insulated jacket or waistcoat.
Balaclava.
Ice axe and crampons.

Rock climbing and scrambling

North Wales is resplendent with precipitous cliffs of sound rock that have become the treasured playground of the rock climber. Those of Clogwyn du'r Arddu, Lliwedd, Craig yr Ysfa, Cwm Silyn, Llanberis Pass, Glyder Fach and Cwm Idwal afford climbs of varying difficulty and during fine weekends and holidays are immensely popular. Climbing areas in South and Mid-Wales are fewer but no less important.

Mountain scrambling falls into a category somewhere between walking and rock climbing. It is enormously popular and much information on out of the way scrambles is available. On many scrambles it is not necessary to have recourse to use the rope but there are those that offer a high degree of exposure where the consequences of a fall might be very serious. The judicious use of a rope is to be recommended in such places and it is necessary to have some training in the most appropriate techniques.

There are thus ample opportunities for the enjoyment of this exhilarating pastime among Welsh Peaks, but a novice would be well advised not to venture forth alone without proper guidance and training. There are a number of ways to be introduced to the sport. One is to go out with friends who have a good deal of experience and another is to enrol on a course run by qualified instructors.

Details of all the courses available that are run by bona fide and qualified personnel are contained in a brochure published annually by the British Mountaineering Council. Their address is 177–179 Burton Road, West Didsbury, Manchester M20 2BB. You can also get details of courses run by members of the British Association of Mountain Guides from their office in North Wales. The address is Plas y Brenin, Capel Curig, Gwynedd LL24 0ET.

Situated in a unique and wonderful setting, Plas y Brenin is one of two National Mountain Centres in Britain. The other is in Scotland. Owned and operated by the Sports Council the facility is there for anyone to take advantage of the expertise of the instructors. A whole variety of courses are available.

Joining a club is also a good way to be introduced to the hills and many of the more famous mountaineers have graduated from such traditional beginnings. One advantage of joining a club is that you will always be able to have contact with like minded people. This is particularly useful if you live far away from the hills. Many clubs also have huts and there are innumerable club huts from the most basic to the most comfortable, in Wales. The Climbers' Club has perhaps the widest choice. Quite often clubs will have a reciprocal arrangement with other clubs who own huts in different mountain areas. Any information you would like on joining a club is available directly from the BMC under whose wing all reputable clubs are affiliated.

This book is mainly concerned with walks and easy scrambles that will not normally require a rope but you will doubtless be inspired by the steeper and more craggy places you see on your travels around Wales and perhaps one day desire to venture forth on to more airy places. . . .

The Welsh Centres

The following list outlines the principal centres from which the Welsh Peaks may be most conveniently climbed. But it should be borne in mind that strong walkers are often able to reach them from more distant places. There are numerous hostels and other types of accommodation in Wales, but only those giving reasonably easy access to the major hill ranges are mentioned here. Since this region is so vast, the centres are described under three well-defined mountain areas:

Snowdonia

Betws y Coed is the Gateway to Snowdonia for perhaps the majority of visitors, and is well situated on the River Conwy at an important road junction. It has also the advantage of a railway connection with Llandudno Junction on the main line from the rest of Britain. Most of the region can be explored by motorists based in one of its many hotels. Roads lead into the heart of the mountains and penetrate the sylvan stretches of the Lledr Valley. It is too far away to be a really convenient centre for those without a car but in the summer there is a bus service to most parts of the park.

    Capel Curig is exceptionally well placed at the road junction to Llanberis and Bethesda and is an excellent centre for the walker. There are some comfortable hotels, a couple of guest houses and a Youth Hostel. All the starting points of routes are readily accessible to the motorist and buses serve many of them too during the summer months. Moel Siabod rises almost overhead and the eastern tops of the Carneddau and Glyders are only a short step away.

    Idwal Cottage is situated at the foot of Llyn Ogwen and on the crest of Nant Ffrancon. It stands in the very shadow of the peaks and affords easy access to the Carneddau, Tryfan, Idwal and the whole of the Glyders.

Bethesda is situated at the foot of Nant Ffrancon and has an hotel. It is too far away from the main peaks for the average pedestrian, but those who wish to be near the western Glyders and the south-western Carneddau will find it a good centre.

Pen y Gwryd is perhaps the most famous centre in the whole of Snowdonia, and stands at the junction of the roads to Llanberis and Beddgelert. It is encircled by the lower slopes of Snowdon, the Glyders and Moel Siabod, and thus gives easy access to many of their peaks. The hotel has a long mountaineering history and will always be closely associated with early pioneers of the sport.

Pen y Pass is equally well known and is superbly situated on the lofty crest of the Llanberis Pass. It is the starting point for the Snowdon Horseshoe, for other favoured routes to Yr Wyddfa, for the direct ascent of Glyder Fawr and Esgair Felen, and gives easy access to Llyn Llydaw. The name of the distinguished mountaineer Geoffrey Winthrop Young will always be associated with it and also with his famous Easter parties. It is now a Youth Hostel and Restaurant and there is a large car park nearby for over one hundred vehicles.

Llanberis stands on the shore of Llyn Padarn at the foot of the Llanberis Pass and may be reached by bus from Caernarfon and Bangor. It is the starting point of the Snowdon Railway, has several good hotels and guest houses, and there is a Youth Hostel on the mountainside above the town. It is the best centre for those making the long ascent to Yr Wyddfa by the well-trodden Llanberis Path, and also gives ready access to the frowning cliffs of Clogwyn Du'r Arddu.

Beddgelert spans the Afon Glaslyn at the junction of the main roads leading to Caernarfon, Portmadoc and Capel Curig and has several comfortable hotels and guest houses. The village is surrounded by the lower slopes of Snowdon and the southern satellites of Moel Siabod, while it is almost overshadowed by the fine peak of Moel Hebog. It is also within reasonable distance of Aberglaslyn Pass, and with the paths ascending the south side of Yr Wyddfa. The Nantlle Ridge is too far away for the average pedestrian, but may be reached by car or bus. Some six kilometres up the beautiful Vale of Gwynant stands the Youth Hostel of Bryn Gwynant, splendidly situated in a delightful sylvan setting overlooking the lake, while the guest house of the Holiday Fellowship is not far distant. Both are well placed for the ascent of Snowdon by the Watkin Path.

The **Snowdon Ranger** is a Youth Hostel and is pleasantly situated on the shore of Llyn Cwellyn. The path to Yr Wyddfa, well known as the Snowdon Ranger, starts from its very door and may be the oldest route on this mountain. It is also well placed for access to the Nantlle Ridge and to Mynydd Mawr, which rises on the other side of the lake. It may be conveniently reached by bus from Caernarfon or Beddgelert. There is a small car park opposite the starting point.

Mid-Wales

Dolgellau is centrally situated amid this vast area of peaks, which are so widely spread that those who stay here must use a car to reach them. It has some good hotels and there is a smaller one at Cross Foxes. The Youth Hostel of Kings is six kilometres away in the direction of Arthog. The town is well placed for the ascent of Cadair Idris by the famous Foxes' Path, for the rock traverse of the shattered ridge of Cyfrwy, and also gives easy access to the Precipice and Torrent Walks, two of the scenic gems in this district.

Tal y Llyn is the most romantically situated centre in Mid Wales and its two small but comfortable hotels stand at the foot of a sequestered lake that is completely enclosed by hills. It is the ideal starting point for the ascent of Cadair Idris by way of Cwm Cau, one of the wildest in the Principality, and also for the ascent of the Pencoed Pillar, a nice problem for the rock climber.

Dinas Mawddwy has one hotel and is the only convenient centre for pedestrians wishing to make the most interesting ascent of the Arans. The key to this walk is the hamlet of Abercywarch, about 1.5 kilometres to the north of the town, from where Cae Peris is reached by a narrow and twisting farm road giving access not only to the path to the two peaks but also to Craig Cywarch a well known crag of interest to the rock climber.

Bala occupies a splendid position at the northern extremity of Llyn Tegid, but its hotels and guest houses are rather distant from the Arans and Arennigs, although strong walkers may attain the summits of either group in a long day. Those who can find accommodation in Llanuwchllyn, a village at the southern extremity of Bala Lake, will be better placed for the ascents of both ranges and especially so for Aran Benllyn, which is the nearer of the two.

Harlech is the nearest centre with adequate hotel accommodation and a Youth Hostel for those wishing to explore the Harlech Dome. It is a rugged backbone of bare mountains in the hinterland, in which the Roman Steps and the Rhinogs afford the toughest and most attractive walking. Those having a car at their disposal may drive along the road to Barmouth and turn off to the left at Llanbedr, where a narrow and twisting lane gives access to one or other of the starting points that will be indicated later in this volume.

Llanbedr is a better centre for pedestrians undertaking the above expeditions, and there is a small hotel in the village.

Barmouth is an attractive seaside resort lying at the base of the southern slopes of the Harlech Dome, but is too far distant for the ascent of these peaks unless a car can be used for the long approach. The local scenic highlight is the famous Panorama Walk, which reveals fine views of the Mawddach Estuary below, backed by the precipitous front of Cadair Idris.

The Devil's Bridge is some nineteen kilometres to the east of Aberystwyth and has a splendidly situated hotel overlooking the deep wooded stretches of the Rheidol Valley, from which it may be conveniently explored. It is a good though distant centre for the ascent of Plynlimon, when transport is desirable to reach the starting points of this walk. But pedestrians may secure accommodation at the Dyffryn Castell Inn which lies at the foot of this immense sprawling mountain and the well marked track to its summit is five and a half kilometres in length. Accommodation may also be found at Eisteddfa Gurig for the shorter route of ascent and there is a good hotel in Ponterwyd and a Youth Hostel at Ystumtuen.

South Wales

Abergavenny has hotels and guest houses and is a convenient centre for motorists who wish to penetrate the deep valleys of the Black Mountains. Their bare, whaleback ridges afford excellent walking country to the north of the town. There is a Youth Hostel at Capel y Min.

Crickhowell also has hotels, and some motorists may prefer to stay here for these pleasant drives. There is a Youth Hostel in the town.

Talgarth has one hotel and is the nearest town to the lofty Gadair Ridge which dominates the Black Mountains. Its crest may be most easily attained from the tiny adjacent hamlet of Pen y Genfford.

Hay on Wye lies in the Wye Valley to the north of the range and has two small hotels which are rather distant for the average pedestrian.

Brecon is the only centre with hotel accommodation near the Brecon Beacons, and a car is useful for those who wish to make the complete traverse of the lofty ridge that is dominated by Pen y Fan, the most picturesque peak in this range. There is a Youth Hostel at Ty'n y Caeau, to the east of the town.

Storey Arms is the nearest starting point for Pen y Fan and is some 14 kilometres from Brecon. It stands on the crest of the mountain road connecting this town with Merthyr Tydfil and may be reached from either by bus. The nearest accommodation is a Youth Hostel at Llwyn y Celyn, three kilometres distant.

Trecastle has the nearest hotel to Carmarthen Fan and there is a Youth Hostel at Llanddeusant. The starting point of the ascent is 32 kilometres from Brecon which has ample accommodation.

Glossary of Welsh place-names

Readers who do not speak the Welsh language may have some difficulty in understanding the various place-names given to the different topographical features of the Principality. I hope, therefore, the translation of some of them as set out below will be useful to travellers and climbers in this delectable country.

Aber, a river mouth
Ach, water
Aderyn, a bird
Ael, a brow or edge
Afon, a river
Allt, a wooded slope
Aran, a high place
Arddu, a black crag

Bach, little
Bala, a lake outlet
Ban, peak, crest, beacon
Bedd, a grave
Ber, a hilltop.
Bera
Bere ⎭ beak, top, point
Betws, a chapel
Beudy, a byre or cowhouse
Blaen, the head of a valley
Boch, a cheek
Bod, a home or abode
Bont, a bridge
Braich, an arm or branch
Bran, a crow

Bras, thick or fat
Brith, speckled
Bron, the slope of a hill
Brwynog, marshy
Bryn, a hill
Bwlch, a pass
Bychan, small

Cadair, a chair or throne
Cae, an enclosed field
Caer, a camp or fortress
Cafn, a trough
Canol, middle
Capel, a chapel
Carn, a cairn or heap of stones
Carnedd, a cairn
Carreg, stone
Caseg, a mare
Castell, a castle or fortress
Cau, a hollow
Cefn, a ridge
Celyn, holly
Cidwm, a wolf

Clogwyn, a cliff or precipice
Clwyd, a gate
Clyd, a shelter
Cnicht, a knight
Coch, red
Coed, a wood
Congl, a corner
Cors, a bog or swamp
Craig, a rock or crag
Crib, a ridge or jagged edge
Cribin, the small crest of a hill
Croes, a cross
Crug, a mound
Cwm, a hollow or coombe
Cwn, dogs
Cymer, a confluence

Dau, two
Dinas, a natural fortress
Dol, a dale or meadow
Drosgl, a rough hill
Drum, a ridge
Drws, a door
Du or *ddu*, black
Dwr, water
Dyffryn, a wide valley
Dysgl, a dish or plate

Eglwys, a church
Eigiau, a shoal of fish
Eira, snow
Erw, an acre
Eryri, a highland
Esgair, a shank or limb

Fach, small
Faes, a field or meadow
Fan, peak, crest, beacon
Fawr, large
Felin, a mill
Ffordd, a road
Ffynnon, a well or fountain
Foel, a bare or bald hill
Fyny, upwards

Gaer, a camp
Gafr, a goat
Gallt, a slope
Ganol, middle
Gardd, a garden
Garn, an eminence
Garth, an enclosure
Gawr, a torrent
Glas, blue-green
Gludair, a heap
Glyn, a deep valley
Goch, red
Golau, a light or beacon
Golwg, a view
Gors, a swamp
Grach, scabby
Groes, a cross
Grug, heather
Gwastad, a plain
Gwern, an alder coppice
Gwyn, white
Gwynt, wind

Hafod, a summer dwelling
Hebog, a hawk

Helgi, a hunting dog
Helyg, willows
Hen, old
Heulog, sunny
Hir, long
Hydd, a stag

Isaf, lower

Las, blue-green
Llan, a church
Llech, a flat stone
Llefn, smooth
Llithrig, slippery
Lloer, moon
Llwyd, grey
Llwyn, a grove
Llyn, a lake
Llys, a hall
Lon, a lane

Maen, a block of stone
Maes, a field or meadow
Man, a place
Mawr, large
Meirch, horses
Melin, a mill
Melyn, yellow
Mign, a bog
Min, lip or edge
Mir, fair
Moch, pigs
Moel, a bare or bald hill
Mor, sea
Morfa, flat seashore – sea fen

Mur, a wall
Mynach, a monk
Mynydd, a mountain

Nant, a brook
Newydd, new

Oer, cold
Og, harrow
Ogof, a cave
Oleu, light
Onn, an ash tree

Pair, a cauldron
Pant, a hollow
Parc, an enclosure
Pen, a peak or top
Penrhyn, a promontory
Pentre, a village
Perfedd, centre
Perth, a hedgerow bush
Pistyll, the spout of a
    waterfall
Plas, a mansion
Poeth, hot
Pont, a bridge
Porth, a port, gateway
Pwll, a pool

Rhaeadr, a waterfall
Rhiw, hill or slope
Rhyd, a passage or ford
Rhyn, a cape

Saeth, an arrow
Sarn, a causeway

Silin, spawn
Sych, dry

Tal, end
Tan, under
Tir, soil
Tomen, a mound
Traeth, sandy shore
Tref, a town
Tri, three
Trum, a ridge
Twll, a cavern
Twr, a tower
Ty, a house
Tyddyn, a small farmstead

Uchaf, upper or higher

Un, one

Waun, moorland
Wen, white
Wern, an alder swamp
Wrach, a witch
Wrth, near

Y – Yr, the
Yn, in
Ynys, an island
Ysfa, a sheep walk
Ysgol, a ladder
Ysgubor, a barn
Ystrad, a street or sale
Ystum, a curve or bend
Ystwyth, winding

The Welsh Peaks

Routes of ascent

The Snowdon Group Map 1

The Glyders Group Map 2

GLYDER FAWR

y garn and foel goch

The Arenigs Map 10

The Arans Map 11

Plynlimon Map 12

The Black Mountains Map 13

The Brecon Beacons Map 14

Carmarthen Fan Map 15

Heights of the principal Welsh Peaks

Arranged in order of altitude, in metres and feet above sea level, with their mountain group.

1	Yr Wyddfa	1085	3559	Snowdon
2	Crib y Ddysgl	1065	3494	Snowdon
3	Carnedd Llywelyn	1064	3490	Carneddau
4	Carnedd Dafydd	1044	3426	Carneddau
5	Glyder Fawr	999	3277	Glyders
6	Glyder Fach	994	3261	Glyders
7	Pen yr Ole Wen	978	3208	Carneddau
8	Foel Grach	976	3202	Carneddau
9	Yr Elen	962	3156	Carneddau
10	Y Garn	947	3106	Glyders
11	Foel Fras	942	3091	Carneddau
12	Elidir Fawr	924	3031	Glyders
13	Crib Goch	923	3028	Snowdon
14	Tryfan	915	3002	Glyders
15	Aran Fawddwy	905	2969	Arans
16	Lliwedd	898	2946	Snowdon
17	Pen y Gadair	893	2929	Cadair Idris
18	Pen y Fan	886	2906	Brecon Beacons
19	Aran Benllyn	885	2903	Arans
20	Yr Aryg	876	2875	Carneddau
21	Corn Du	873	2864	Brecon Beacons
22	Moel Siabod	872	2860	Moel Siabod
23	Mynydd Moel	863	2831	Cadair Idris
24	Arenig Fawr	854	2801	Arenigs
25	Llwytmor	849	2785	Carneddau
26	Pen yr Helgi-du	833	2732	Carneddau
27	Foel Goch	831	2726	Glyders
28	Carnedd y Filiast	821	2693	Glyders
29	Mynydd Perfedd	812	2664	Glyders
30	Waun Fach	811	2660	Black Mountains
31	Nameless	805	2641	Glyders

32	Bannau Brycheiniog	802	2632	Carmarthen Fan
33	Pen y Gadair Fawr	800	2624	Black Mountains
34	Pen Llithrig y Wrach	799	2621	Carneddau
35	Cribyn	795	2608	Brecon Beacons
36	Moel Hebog	782	2565	Moel Hebog
37	Elidir Fach	782	2564	Glyders
38	Craig Cywarch	779	2557	Arans
39	Drum	770	2526	Carneddau
40	Moelwyn Mawr	770	2526	Moel Siabod
41	Gallt yr Ogof	763	2503	Glyders
42	Y Llethr	756	2480	Harlech Dome
43	Pen Plynlimon Fawr	752	2468	Plynlimon
44	Diffwys	750	2460	Harlech Dome
45	Moel Llyfnant	751	2463	Arenigs
46	Yr Aran	747	2450	Snowdon
47	Craig Cwm Silyn	734	2408	Nantlle Ridge
48	Craig Eigiau	733	2411	Carneddau
49	Drysgol	730	2397	Arans
50	Moel Eilio	726	2381	Snowdon
51	Rhinog Fawr	720	2362	Harlech Dome
52	Pen Allt Mawr	719	2358	Black Mountains
53	Rhinog Fach	712	2335	Harlech Dome
54	Moelwyn Bach	710	2329	Moel Siabod
55	Trum y Ddysgl	709	2326	Moel Hebog
56	Garnedd Goch	700	2296	Moel Hebog
57	Mynydd Mawr	698	2290	Moel Hebog
58	Allt Fawr	698	2290	Moel Siabod
59	Cnicht	689	2260	Moel Siabod
60	Arenig Fach	689	2260	Arenigs
61	Creigiau Gleision	678	2224	Carneddau
62	Moel Druman	676	2217	Moel Siabod
63	Moel Cynghorion	674	2211	Snowdon
64	Tyrau Mawr	661	2168	Cadair Idris
65	Mynydd Tal y Mignedd	653	2142	Nantlle Ridge
66	Moel yr Ogof	655	2148	Moel Hebog

67	Moel yr Hydd	648	2125	Moel Siabod
68	Gyrn Wigau	643	2109	Carneddau
69	Moel Lefn	638	2094	Moel Hebog
70	Y Garn II	633	2076	Nantlle Ridge
71	Pen y Castell	620	2034	Carneddau
72	Gallt y Wenallt	619	2030	Snowdon
73	Tal y Fan	610	2001	Carneddau

The principal Welsh lakes

This list includes the more important lakes viewed from the routes to the peaks. They are in alphabetical order under each mountain group and their height in metres and feet above sea level is given, together with their approximate position.

Snowdon

Bwlch Cwm Llan	510	1673	Col between Yr Aran & Bwlch Main
Coch	519	1705	Cwm Clogwyn
D'ur Arddu	579	1901	Cwm Brwynog
Fynnon y Gwas	420	1381	Cwm Treweunydd
Glas	652	2139	Cwm Glas
Glas	519	1705	Cwm Clogwyn
Glaslyn	600	1971	Cwm Dyli
Gwynant	66	217	Vale of Gwynant
Llydaw	431	1416	Cwm Dyli
Nadroedd	519	1705	Cwm Clogwyn
Teyrn	377	1237	Cwm Dyli

Glyders

Bochlwyd	550	1806	Between Tryfan & Y Gribin
Caseg Ffraith	742	2434	Above Cwm Tryfan
Cwm y Ffynnon	382	1254	N of Pen y Pass
Y Cwn	711	2280	S of Devil's Kitchen
Idwal	372	1223	Cwm Idwal
Padarn	256	840	N of Llanberis
Peris	256	840	E of Llanberis

Carneddau

Cowlyd	355	1165	N of Capel Curig
Crafnant	183	603	NE of Capel Curig

Dulyn	532	1747	Cwm Griafolen E of Carnedd Llewelyn
Eigiau	371	1219	N of Capel Curig
Ffynnon Llyfant	830	2725	E of Carnedd Llewelyn
Fynnon Lloer	650	2085	N of Llyn Ogwen
Fynnon Llugwy	544	1786	N of Helyg
Geirionydd	187	616	NW of Betws y Coed
Melynllyn	638	2094	Cwm Griafolen
Ogwen	299	984	Crest of Nant Ffrancon

Moel Siabod

Yr Adar	571	1874	NE of Cnicht
Y Biswail	570	1871	N end of Cnicht Ridge
Croesor	520	1706	N of Moelwyn Mawr
Cwm Corsiog	540	1771	N of Lyn Croesor
Dinas	53	176	Vale of Gwynant
Diwaunydd	368	1208	SE of Pen y Gwryd
Edno	547	1797	N of Cnicht
Y Foel	535	1756	E of Moel Siabod
Llagi	377	1238	N of Cnicht
Mymbyr	179	588	Capel Curig
Pen y Gwryd	271	890	Pen y Gwryd

Moel Hebog

Cwellyn	141	464	E of Mynydd Mawr
Cwm Silyn	336	1105	W end of Nantlle Ridge
Dywarchen	234	770	NW of Rhyd Ddu
Y Gadair	182	598	S of Rhyd Ddu
Nantlle Uchaf	98	322	W end of Drws y Coed

Cadair Idris

Y Cau	473	1552	S of Pen y Gadair
Y Gadair	560	1837	N of Pen y Gadair
Tal y Llyn	80	270	S of Dolgellau

Harlech Dome

Arddyn	313	1029	E of Llawr Llech
Y Bi	450	1476	S of Rhinog Fach
Bodlyn	379	1245	E of Diffwys
Cwm Bychan	184	605	Below Roman Steps
Du	520	1706	N of Rhinog Fawr
Dulyn	540	1771	S of Y Llethr
Gloyw	390	1279	NW of Rhinog Fawr
Hywel	540	1771	S of Rhinog Fach
Morwynion	410	1345	Bwlch Tyddiad
Perfeddau	470	1542	NW of Y Llethr

Arrenigs

Arenig Fawr	404	1326	S of Llyn Celyn

The Arans

Tegid (Bala)	161	530	N of Aran Benllyn
Creiglyn Dyfi	579	1900	E of Aran Fawddwy

Plynlimon

Llygad Rheidol	500	1640	Due N of summit

Black Mountains

Grwyn Fawr	495	1627	NE of Gadair Ridge

Brecon Beacons

Cwm Llwch	570	1870	NW of Corn Du

Camarthen Fan

Llyn y Fan Fawr	600	1968	E of summit
Llyn y Fan Fach	500	1640	W of summit

Mountain photography

I have already written and lectured extensively on this fascinating branch of photography, and in my *Snowdon Holiday* I included copious notes on its application to the mountains of North Wales. But since this work has been out of print for many years, it may be useful to deal more fully with the subject herein than I did in its companion volume, *The Lakeland Peaks*. These notes are written largely for the benefit of keen photographers with an interest in both black and white and in colour photography.

1 **The ideal camera for the mountaineer** is undoubtedly the modern miniature owing to its compact form, quick manipulation, great depth of focus, variable zoom lenses and lightness in weight. While these instruments are represented in their very best and most expensive type by the Leica, Pentax and Nikon series, it does not follow that other less costly makes will not give good photographs. Many of these cheaper cameras will give perfectly good results for those who require their camera to provide them with pictures of the most poignant moments of their holiday. The great joy of such equipment is that it is foolproof in use and so long as you remember to keep your finger away from the lens you will have good pictures. For the more discerning photographer, those who require greater flexibility in choosing aperture and shutter speed, an SLR camera with a zoom lens or a variety of fixed focus lenses is essential. Here too it is possible to obtain fully automated cameras that require little more than a point and click technique – the winding on of the film frame is even done for you. Such cameras are heavily reliant on battery power and in the event of battery failure may not work at all.

2 **The lens** is the most important feature, and the best of them naturally facilitate the perfect rendering of the subject. A wide aperture is not essential, because it is seldom necessary to work out of doors at anything greater than F/4.5. It is advisable to use the objective at infinity in mountain photography because overall sharpness is then obtained, and to stop down where required to bring the foreground into focus. It is in this connection that the cheaper camera, which of course is fitted with an inexpensive lens, falls short of its more costly competitors; for the latter are corrected for every known fault and the resulting photographs are then not only more acceptable for enlarged reproduction but also yield exhibition prints of superlative quality. Three lenses are desirable in this branch of photography: 1. a 28mm or 35mm wide angle; 2. a standard 50mm which is usually supplied with most cameras; and 3. a long focus lens such as a 135mm or even a 200mm. These cover every likely requirement: the wide angle is most useful when on a mountain or lofty ridge; the 50mm encompasses the average scene, such as hill and valley; and the long focus is an advantage when the subject is very distant. An analysis of their use in the photographs in this book is as follows:

Wide angle 50 per cent

Standard 40 per cent

Long focus 10 per cent

It is possible to obtain extremely high quality zoom lenses that incorporate all of the above focal lengths. This is quite obviously an advantage in that it not only means carrying less weight and bulk but that it also facilitates the accurate framing of the picture without having to change lenses.

3 A **lens hood** is an indispensable accessory, because it cuts out adventitious light and increases the brilliance and clarity of the picture. Many people have the illusion that this gadget is only required when the sun is shining and that it is used to keep the direct rays out of the lens when facing the light

source. While its use is then imperative, they often overlook the fact that light is reflected from many points of the hemisphere around the optical axis, and it is the interception of this incidental light that is important.

4 A **filter** is desirable, especially for the good rendering of skyscapes. For black and white photography a pale orange yields the most dramatic results, providing there are not vast areas of trees in the landscape in which all detail would be lost. It is safer to use a yellow filter, which does not suffer from this defect, and with autumn colours a green filter is very effective. The exposure factors do not differ materially, and in view of the wide latitude of modern black-and-white film the resulting slight differences in density can be corrected when printing.

For colour work a skylight filter is essential for reducing the intensity of the blues and for eliminating haze. Many people also like to use a polarising filter which can enhance a picture by making light waves vibrate in a single plane. This is particularly useful when there is light from many directions such as reflections off water or more obviously, from snow.

5 The choice of **film** is wide. For straightforward colour print photography a film with an ASA rating of 100 will be sufficient for almost everything that you need. For more dreary light faster speeds up to 400ASA may be useful. Transparency, or slide, film yields excellent results and there is again, a wide choice. Some films such as Kodachrome and Fujichrome include processing in the price whereas there are others that do not. Processing for such films is by the E6 process and if this is your chosen medium you should try to find a company that produces excellent results for they do vary.

Black and white film is available in similar ratings and those that work with this medium will appreciate the subtleties that it offers both in the latitude of the film and in the creation of pictures in the darkroom.

A basic point to remember about any film, is that the faster the ASA rating the more 'grainy' a picture becomes. Though this factor will not be noticeable on a small scale, it will become all too apparent the larger a picture is blown up.

6 **Exposure** is important when taking a picture but is not relevant to those cameras where the photographer has no control over the aperture and shutter speed.

A slow shutter speed will necessitate holding the camera very steady. If you are using a long or heavy lens it may be preferable to put it on a tripod. A fast shutter speed will capture images and freeze them even though it may be a moving object. A minimum shutter speed of 125/sec is a yardstick from which to work.

The aperture determines how much of the scene will be in focus. The smaller the aperture is the more you will have of the picture in focus. If you are taking pictures of far away scenes it is not so important to consider the aperture. If however, you would like to take a picture that includes some close foreground detail, such as your companion, you will require a greater depth of focus and a smaller aperture will be necessary. (In photography terms this is called Depth of Field). An aperture of F/8 is a versatile minimum to work with.

The most successful pictures are the result of a carefully considered combination of shutter speed and aperture.

7 **The best time of year** for photography among the Welsh Peaks is the month of May. A limpid atmosphere and fine cumulus are then a common occurrence and less time is wasted in waiting for suitable lighting. Colour work at this time is also satisfactory because the landscape still reveals the reds of the dead bracken, which, however, disappear in June with the rapid growth of the new fresh green fronds. Nevertheless, the most dramatic colour pictures are obtained during the last week in October because the newly dead bracken is then a

Plate 3 Cloud over the Glyders and Tryfan, seen from Clogwyn Mawr

fiery red, the grass has turned to golden yellow, and the long shadows increase the contrast between peak and valley.

8 **Lack of sharpness** is a problem that causes disappointment and though one is often apt to blame the lens, the complaint is in fact due to camera shake. It is one thing to hold the instrument steady at ground level with a good stance and no strong wind to disturb the balance, while it is quite another problem in the boisterous breezes on the lofty ridges of Wales. When these conditions prevail, it is risky to use a slow shutter speed and maximum stability may be achieved by leaning against a slab of rock or, in a terrific gale of wind, by lying down and jamming the elbows into the spaces between the rocks; but foreground should never be sacrificed on this account. In calm weather a light tripod may be used, but in all other conditions it is too risky to erect one and have it blown over a precipice!

9 **Lighting** is the key to fine mountain photography, and the sun at an angle of 45 degrees, over the left or right shoulder, will yield the required contrasts. These conditions usually appertain in the early morning or the late evening. If possible avoid exposures at midday with the sun overhead when the lighting is flat and uninteresting. Before starting on any outing, study the topography of your mountain so that full advantage can be taken of the lighting. Moreover, never be persuaded to discard your camera when setting out in bad weather, because the atmosphere in the hills is subject to the most sudden and unexpected changes, and sometimes wet mornings develop into fine afternoons, with magnificent clouds and limpid lighting. If your camera is then away back in your lodgings, you may live to regret the omission.

10 **The Sky** is often the saving feature in mountain photographs since cloudless conditions or a sunless landscape seldom yield a pleasing picture. See plate 3.

11 **Haze** is one of the bugbears in this branch of photography, and these conditions are especially prevalent among the Welsh Peaks during July and August. If an opalescent effect is desired, this is the time of year to secure it, but while such camera studies may be favoured by the purist, they seldom appeal to the photographer who prefers to see the detail he or she knows exists in the subjects.

12 **Design or composition** is the most outstanding feature of a good camera study; that is, one that not only immediately appeals to the eye, but rather one that can be lived with afterwards. Everything I have so far written herein on this subject comes within the scope of technique, and anyone who is prepared to give it adequate study and practice should be able to produce a satisfying picture. But to create a picture that far transcends even the best snapshot requires more than this and might well be described as a flair, or if you like, a seeing eye that immediately appreciates the artistic merits of a particular mountain scene. And strangely enough those who possess this rare gift usually produce a certain type of picture which is indelibly stamped with their personality; so much so that it is often possible to name the photographer as soon as the work is displayed. And, moreover, while this especial artistic trait may be developed after long application of the basic principles of composition, the fact remains that it is not the camera that really matters for it is merely a tool, but the person behind the viewfinder, who, when satisfied with the design of the subject, ultimately and quite happily releases the shutter.

To the painter, composition is relatively easy, because it can be made to conform to the basic principles of art by moving a tree to one side of the picture, or by completely removing a house from the foreground, or by inducing a stream to flow in another direction, or by accentuating the real subject, if it happens to be a mountain, by moving it or by increasing or decreasing its angles to suit their tastes. Photographers on the other hand have to move themselves and the camera here and there in order to get these objects in the right position in the viewfinder. When you move to one side to improve the position of one of them, another is thrown out of place, or perhaps the lighting is altered. In many cases, therefore, a compromise is the only solution, because if too much time is spent in solving his problem the mood may change, and the opportunity could be lost. It is just this element in mountain photography that brings it into line with sport, and, like golf, it can be both interesting and exasperating. Of course, the critic can sit in a comfortable chair by a warm fire at home and pull a photograph to pieces. He or she may not, perhaps, realise that the person taking the picture may have been wandering about knee-deep in a slimy bog, or that a bitterly cold wind was sweeping across a lofty ridge and making the teeth chatter, or that the light was failing, or that they had crawled out on a rocky spur with a hundred-foot drop on either side to get the subject properly composed.

Assuming, therefore, both lighting and cloudscape are favourable, what are the essential features of good composition? In the first place, you must select a pleasing object that is accented by tonal contrast as the centre of interest; in the second, you must place this object in the most attractive position in the frame or picture space: and in the third, you must choose a strong and appropriate foreground. Or, in other words, when the weather is favourable the success or failure of your photograph will depend entirely upon the viewpoint.

Thus, if your subject happens to be Snowdon, I may be able to help you with a few hints about five of the illustrations in this book. It is generally agreed that the eastern aspect of this mountain is the finest and it looks its best up to noon on a sunny morning with cloud drifting overhead. But you must first decide whether you wish to make a picture of the majestic peak itself, or of the whole range; if the former, there is one

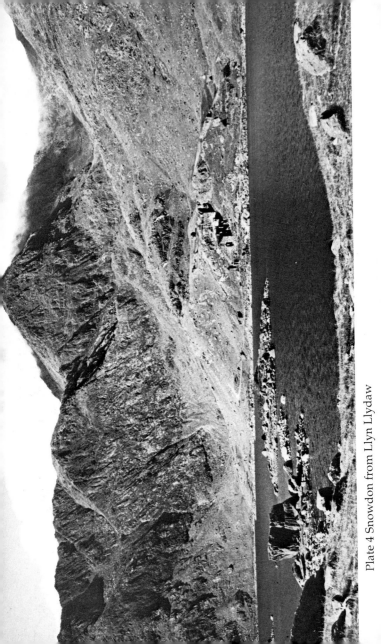

Plate 4 Snowdon from Llyn Llydaw

Plate 5 The Snowdon Group from Garth Bridge

Plate 6 Snowdon from the Royal Bridge, Capel Curig

Plate 7 Snowdon from the Pinnacles of Capel Curig

matchless viewpoint, whereas if the latter, there are at least three and each one of them has a different type of foreground. Let us begin with the peak itself, whose tonal contrast will be enhanced by side lighting; whose strongest placing in a vertical frame will be in the centre of the picture space, as in a horizontal frame in the upper right-hand third as in plate 4; and whose most appropriate foreground will be Llyn Llydaw. Now, you must remember that it is always the foreground that leads the eye into a picture, and the treatment of the lake is therefore of the utmost importance. In the first place, the distant shore must never form a horizontal line above the lower third; for if you place it in the centre it will cut the picture into two halves. Moreover, some bold rocks on the near shore will add strength and interest to the whole study, and if you have a friend with you, ask them to stand near the shore to impart scale to the picture. The beauty of the graceful lines of the Snowdon group always delights the eye and one of the nearest viewpoints that reveal them to advantage is Garth Bridge, above the little waterfall that enters the western end of Llynnau Mymbyr. The turbulent stream above the bridge, dappled with rocks and embellished by a single tree on the right, makes an excellent foreground for this photograph, as shown in plate 5. If you retreat farther from the range you will find another charming foreground in the Royal Bridge at the foot of Llynnau Mymbyr, but since Snowdon is now some ten miles distant its imposing character will be diminished if you do not use a long-focus lens. This allows the group to fill the frame completely and in your picture it will assume a similar magnitude to that seen by the eye, as seen in plate 6. A higher viewpoint has certain advantages and you will find one by walking up to the Pinnacles of Capel Curig. From the lowest of them you will secure a splendid photograph in which the twin lakes and Plas-y-Brenin yield a satisfactory foreground which leads the eye in one vast sweep to this magnificent mountain range, as shown in plate 7. Finally, whenever you take a shot of any of the

Welsh Peaks, remember that it will be improved not only by placing a lake, a stream, a bridge a figure or a group of climbers in the foreground, but also on occasion by introducing a tree or cottage or some object whose size, if known, will impart both interest and scale to your picture.

Note

1. In case readers are interested in the photographic equipment used by my father, I can disclose that on the many occasions he was asked this question, his reply was 'Since the availability of 35mm film I have always used Leica cameras, replacing them as new models appeared.' In his last years he used an M2 with 35, 50 and 90mm lenses for monochrome with Kodak Plus X film; for colour work he used a Leicaflex with 28, 50, 90 and 135mm lenses, plus a 45/90mm zoom, in conjunction with his favourite Koachrome 25.

2. Some years before my father died he presented the collection of black and white negatives he had amassed over a period of more than half a century to the Royal Photographic Society and they now form part of their archive. They wish it to be known that prints from these can be supplied for an appropriate fee.

John Poucher

Photography in the different groups

The best pictorial views of the group
The eastern aspect of Snowdon
(a) From Llyn Llydaw before noon. SL 1; SH 52; EH 203; WP 4 & 18.
(b) From Crib Goch before noon. SH 57; EH 208; WP 12.
(c) From Garth Bridge before noon. WP 5.
(d) From Llynnau Mymbyr any time of day. LS jacket; EH 1; EH 176.
(e) From the Royal Bridge before noon. SL 5; EH 169; WP 6.
(f) From the Pinnacles of Capel Curig before noon. WP 7.

The western aspect of Snowdon
(a) From Y Garn II after 2 p.m. SH 43; WP 184 & 187.
(b) From Craig y Bera and Mynydd Mawr after 2 p.m. WP 202

The northern aspect of Snowdon
(a) From the Glyders before noon. SL 34, WP 79.
(b) From Llyn Padarn after 4 p.m. WP 55.
(c) From Y Garn after 4 p.m. WP 109.

Crib Goch
(a) From Pen y Pass before 11 a.m. SL 51; EH 207.
(b) From Crib y Ddysgl after 2 p.m. SL 53; WP 13.
(c) From Cwm Glas after 3 p.m. SH 1; WP 62.

Lliwedd
(a) From Llyn Llydaw before 10 a.m. SH 66.
(b) From the Snowdon Horseshoe after 4 p.m. SH 68; EH 213; WP 11.

Yr Aran
From Llyn Gwynant before 11 a.m. SL 42; WW 202; WP 33.

The Glyders
From upper Nant Ffrancon after 4 p.m.

Tryfan
(a) From Helyg before 11 a.m. SL 14; SH 76; Sunset SL 61; WP 85.
(b) From Caseg-fraith Ridge before 11 a.m. SL 27; WP 1 & 86.

Bristly Ridge
From Llyn Caseg-fraith before 11 a.m. SL 28; WW 188; EH 192; WP 89.

Cwm Idwal
From Pen yr Ole Wen after 5 p.m. summer. SL 23; WP 147.

Y Garn
From head of Llyn Ogwen before 11 a.m. WP 106.

Carneddau
(a) From the Pinnacles of Capel Curig before noon. SL 12.
(b) Craig yr Ysfa from Cwm Eigiau before 11 a.m. SH 7; WP 134.
(c) Black Ladders from Carnedd Dafydd after 4 p.m. WP 143.

Moel Siabod
(a) From near the Ugly House before noon. SL 10.
(b) From the path to Llyn Crafnant before 11 a.m.
(c) From Crimpiau 4 p.m.

Cnicht
From Tan Lan after 3 p.m. EH 187; SH 35; WP 160.

The Moelwyns
From the Afon Glaslyn after 3 p.m. ww 178; wp 174.

Moel Hebog
(*a*) From Llyn Dinas before noon. sl 44.
(*b*) From the Afon Glaslyn before noon. eh 198.
(*c*) From Pont Cae'r-gors after 5 p.m. sh 33.
(*d*) Y Garn II and Craig y Bera from Llyn y Gadair before 11 a.m. wp 185.
(*e*) Craig y Bera from Llyn y Dywarchen before noon. wp 199.
(*f*) Mynydd Mawr from the Snowdon Ranger before 11 a.m. wp 48.
(*g*) Mynydd Mawr from Waun-fawr after 3 p.m. wp 204.

Cadair Idris
(*a*) From the north after 5 p.m. summer, ww 104; wp 205.
(*b*) Craig y Cau from the east before 11 a.m. ww 106; wp 207.
(*c*) Pen y Gadair from Cyfrwy after 3 p.m. ww 109; wp 211.

The Harlech Dome
(*a*) From the east before 11 a.m. ww 154; wp 213.
(*b*) Rhinog Fach from Llyn Hywel after noon. ww 161; wp 216.

The Arenigs
From the north-west after 4 p.m. ww 148.

The Arans
(*a*) From Bala Lake after 5 p.m. ww 135.
(*b*) Aran Benllyn from Drysgol before noon. ww 125; wp 223.

Plynlimon
(*a*) From the south any time of day. wp 227.
(*b*) From Eisteddfa Gurig before noon. ww 91; wp 230.

The Black Mountains
From Skirrid Fawr before 11 a.m. ww 24; wp 231.

The Brecon Beacons
(*a*) From the Golf Course at Cradoc in late afternoon. wp 235.
(*b*) Pen y Fan from Cribyn before noon. ww 24; wp 237.

Carmarthen Fan
(*a*) Eastern escarpment from the Standing Stone in the morning. wp 240.
(*b*) North Western Cwms from Spot Height 458 in the afternoon.

The most striking views from the groups
Snowdon
(*a*) The Glyders and Crib Goch up to 3 p.m. sl 54; wp 14.
(*b*) Lliwedd and Llyn Llydaw after 4 p.m. sh 65; wp 15.

Crib Goch
(*a*) The Horseshoe before noon. sh 57; wp 12.
(*b*) The Ridge and Pen y Pass up to 3 p.m. sh 61.
(*c*) Llyn Glas and the Llanberis Lakes up to noon. sh 62.

Clogwyn station
Llanberis Pass any time of day. wp 57.

Yr Aran
(*a*) The South Ridge of Snowdon up to 2 p.m. ww 201; wp 34.
(*b*) Moel Siabod and Llyn Gwynant about noon. ww 203; wp 37.
(*c*) Mynydd Mawr and Llyn Cwellyn before noon. ww 204; wp 36.

The Glyders

(a) Tryfan from Llyn Caseg-fraith before noon. WP 88.

(b) Snowdon and the Castle of the Winds before 11 a.m. SL 43; WP 79.

(c) The Devil's Kitchen from above after 4 p.m. SL 39; WP 102.

(d) Cwm Glas from Esgair Felen after 4 p.m. SH 46; WP 98.

(e) The Glyders from Y Garn after 2 p.m. WP 110.

Carneddau

(a) Sunset from Carnedd Llywelyn, 5 p.m. onwards. SL. 26; WP 138.

(b) Snowdon and Cwm Idwal from Pen yr Ole Wen after 5 p.m. summer. WP 147.

(c) Tryfan and Llyn Ogwen from Pen yr Ole Wen after 3 p.m. SL 24; WP 146.

(d) Ogwen Valley from Crimpiau before noon. WP 117.

(e) Llyn Crafnant from Crimpiau all day. SL 4: WP 116.

Moel Siabod

(a) Western panorama comprising Moel Hebog and Snowdon before noon. WP 156.

(b) Cwm Dyli from Clogwyn Bwlch-y-maen in the morning.

(c) Snowdon Horseshoe from Llyn Edno up to 2 p.m. SH 21; WP 162.

(d) Snowdonia panorama from Cnicht any time of day. WP 164, 165 & 166.

Moel Hebog

(a) Beddgelert and the Vale of Gwynant up to 3 p.m. SH 32; EH 197; WP 182.

(b) Snowdon from y Garn II after 2 p.m. SH 43; WP 184 & 187.

(c) Snowdon from Craig y Bera after noon. WP 202.

(d) Nantlle Ridge from Craig Cwmsilin any time of day. WP 194.

Cadair Idris
(a) Snowdon and the Harlech Dome from Cyfwry all day. ww 110; wp 209.
(b) Mawddach Estuary from Cyfrwy all day. ww 111; wp 210

The Harlech Dome
(a) The Ridge from Rhinog Fawr after 2 p.m. ww 159; wp 214.
(b) Y Llethr from above Llyn Hywel after 2 p.m. ww 163; wp 218.

The Arenigs
Panorama of Snowdonia and Mid-Wales all day.

The Arans
Cadair Idris from Aran Fawddwy before noon.

The Brecon Beacons
(a) Corn Du from Pen y Fan in the morning. ww 36; wp 238.
(b) Llyn Cwm-llwch from Corn Du in the morning. ww 37; wp 239.

Carmarthen Fan
(a) The Brecon Beacons in the afternoon. wp 246.

Notes on the Routes

I have divided the Welsh Peaks into *twelve Mountain Groups* for the sake of convenience and easy reference. They commence with Snowdon because it is the highest mountain in the Principality and its ascent the most esteemed. The groups in this particular part of the region follow each other in clockwise sequence and end with the Moel Hebog range. *The Routes* to the dominating peak in each group are also arranged clockwise wherever possible so that they fit into the general scheme and thus avoid undue cross reference. This arrangement facilitates the choice of those routes which are more or less adjacent, as for instance the Rhyd Ddu Path and the Snowdon Ranger, where one of them can be ascended and the other descended. But I have purposely omitted any description of the *Descents* because when the ascents are reversed they obviously answer this requirement. *The Panorama* from the reigning peak in each group is always described at the termination of its first ascent. Many of the routes involve the traverse of subsidiary tops and the conspicuous features revealed from them are noted in passing, despite the fact that there may be a similarity in the views when the peaks are near together.

Farther south, however, I have not been able to follow this scheme because the ranges are more scattered. I have therefore first given details of Cadair Idris since it is the most popular peak and terminated the descriptions with that of Carmarthen Fan, which is one of the least known mountains in Wales.

Many of these attractive ranges have been sadly neglected by walkers, perhaps because they are less spectacular than those in North Wales. I have therefore described and illustrated only the route which discloses the finest topography in each group, but in many of them the terrain is relatively easy and other ways of reaching the summits may be worked out on the spot with little risk.

Mountain navigation

The skills required to navigate safely and accurately are won only after long apprenticeship. Like many aspects of the mountaineers craft you would be well advised to seek expert instruction in techniques by going on a course or by going out with experienced friends.

The basic tools required are a map and compass. The map is the single most important for without it a compass is worth little. Time should be spent studying the map and learning how mountain features are interpreted by the map makers. Contour lines are the most complex to understand for they show shape and form of the hills, the steepness and height above sea level. Learning to read contour lines will help you to create an image in your mind's eye of what the mountains will look like. Once out in the field apply your interpretation to what you actually see and discover whether or not the two match up.

When using the map to identify features you should try to work with it set so that if the map was true to life size you could lie it over the ground and all features would match both on the ground and the map. This is called *orientating the map*. Inevitably this will entail reading the map upside down or even from the side but it will make it considerably easier to understand.

You must also familiarise yourself with the various ways in which roads and footpaths, lakes and rivers and all manner of other things are shown. There are two scales of map that are of interest to the walker. One is the 2cm to 1 kilometre scale OS Landranger series (1:50000) and the other the 4cm to 1 kilometre (1:25000) OS Outdoor Leisure series. The latter scale, being somewhat larger, affords the mountain navigator much more detail both in contour and crag features and also by showing walls and fences.

The compass is an integral part of the toolkit and the most commonly used, by far, is the Silva type 4. For the compass to be of any use it should have a long baseplate with a metric measuring scale and a device called a roamer which splits grid squares on the map into tenths enabling the user to work out grid references accurately. The magnetic needle of the compass is contained in the compass housing – a circular housing marked off in degrees from 0 to 360 and correspondingly marked N, S, E and W. The compass housing must also have a set of parallel lines underneath that are called orientating lines. A small magnifying glass incorporated into the base plate is a useful extra tool for identifying vague features on the map.

In order to take a bearing from one point to another you must follow some basic steps. **STEP 1** Line up an edge of the compass along the intended direction of travel. The compass housing should be at the starting end of the journey with the direction of travel arrow pointing to where you want to go. **STEP 2** Hold the compass firmly in place and turn the compass housing until the red orientating lines on the base of the housing are parallel with the grid lines that run vertically up the map (the Eastings). There is an arrow joining the middle two lines and this should point to the top of the map. **STEP 3** Take the compass off the map and add on the magnetic variation. In N Wales in 1996 it was 4.5 degrees. It decreases by about 0.5 degree every four years. **STEP 4** Hold the compass in front of you and turn until you line the red part of the magnetic compass needle up with the North mark on the compass housing rim. The direction to walk in is the one where the direction of travel arrow points.

This is a very basic explanation of the technique and if you are unsure of how to operate it you must seek expert advice before you can expect to rely on it in a life or death situation.

It is not enough simply to be capable of performing the previously mentioned tasks. Successful navigation relies on what can best be described as 'mountain sense'. This is a feeling and an awareness for the things that are around you combined with sensible and logical thought processes and close attention to detail.

You will also need to know how to measure distances along the ground. This is most accurately done by pace counting. An average person will take about 60–65 double paces to 100 metres over easy walking ground. The rougher it is the more you might take. Learning the skill of pacing can only be done through a great deal of practice but it can become a reliable aid to successful navigation. Pacing and timing go together though the latter, due to countless stops to check map and compass, can be difficult to use accurately and is at best a rough guide.

To work out how long it will take to cover a certain distance you must consider both the length of the journey and the height gained. If no height is gained you normally would only consider the distance. However, if the going is rough it may occasionally take more time to descend than it would to ascend.

As a foundation from which to work take an average walking pace of 1 kilometre every 12 minutes (1.2 minutes per 100 metres) and add 1.5 minutes for every 10 metre contour line crossed in ascent. Thus, if you have a section of your journey to cover that is 1500 metres long and goes from the 200 metre contour to the 360 metre contour, you have;

Distance 15 x 1.2 t 18 minutes

Height gain 16 x 1.5 t 24 minutes

Total time for the section = 42 minutes

In terms of measuring the distance whilst walking one would multiply ones own average number of paces per 100 metres by 15. It is always better to count in units of 100 metres because it is difficult to keep track of the running total when a large figure is involved. Pebbles or a special click counter are useful aids to remembering how far you have gone.

If you become lost or dis-orientated, which you inevitably will sometimes, try not to become too flustered. There are some important basics to staying safe. Do not follow streams or ravines over steep ground and try to avoid having to find your way down ground interspersed with crags and cliffs. Open grass slopes are much safer.

Since this book will be read by men and women of all ages, these figures may be discouraging to those in advancing years so it may be useful to give an account of a trip around the Snowdon Horseshoe on May 8th 1956. I was in my sixty-fifth year and at 10 am a young friend and I left Pen y Pass after a previous day of heavy rain. It was a cold sunny invigorating morning and we never hurried anywhere but reached Bwlch y Moch in an hour and Crib Goch at noon. We left the cairn half an hour later and stood on the summit of Snowdon at 2pm where we spent a lazy hour in resting and refreshment. We passed the stony top of Lliwedd at 4pm and were back at our starting point at 6pm. Thus taking eight leisurely hours for this wonderful walk. I already possessed a good collection of photographs of the Horseshoe, but on this occasion took a further twenty four shots in monochrome and a similar number in colour, all of which involved time spent in discovering unusual viewpoints. So, to those of you in your sixties and seventies, I say, Have a Go!

MOUNTAIN RESCUE

If you or your companion sustains an injury that is incapacitating seek shelter at the earliest opportunity. Here your emergency clothing, survival bag and spare food will come in useful. Try to identify your position on the map and mark it down. You could accost passing fellow walkers to fetch help but if you need to leave anyone behind to go for help yourself make sure you know where the rescue team can find them. Go to a telephone box and dial 999 and ask for mountain rescue. If you decide that it is foolish to move you can try to attract attention by using the International Distress signal which is six long flashes or whistle blasts followed by a minute's pause and then repeated. The reply is similar but flashes or blasts are only three.

Detailed Directions for 56 Routes
The Snowdon Group

Yr Wyddfa	1085 metres	3559 feet
Crib y Ddysgl	1065 metres	3494 feet
Bwlch Glas (zigzags)	993 metres	3258 feet
Crib Goch	923 metres	3028 feet
Lliwedd	898 metres	2946 feet
Bwlch Coch	858 metres	2816 feet
Bwlch y Saethau	820 metres	2691 feet
Yr Aran	747 metres	2450 feet
Moel Eilio	726 metres	2381 feet
Moel Cynghorion	674 metres	2211 feet
Gallt y Wenallt	619 metres	2030 feet
Bwlch y Moch	586 metres	1925 feet
Bwlch Cwm Brwynog	495 metres	1625 feet

OS Map: Landranger 115 Snowdonia
Outdoor Leisure 17 Snowdon & Conwy Valley

It is only right and proper that Snowdon should assume pride of place in the following pages, not so much because it is the dominating peak of Wales, but more especially as its elevation is perhaps the finest in the Principality and most of the routes to its summit admit of little variation. All of them are clearly defined throughout and five traverse lofty ridges for part of the way. It is scarcely surprising that the most popular starting point is Pen y Pass, since Routes 1 and 4 together form the famous Horseshoe, a ridge "walk" that is full of interest all the way and reveals the mountain at its best. The Llanberis Path is usually regarded as the easiest, those of the Snowdon Ranger and Watkin Path are a little harder, and that from Pen y Pass by way of Crib Goch is the steepest of them all. All the routes

Plate 8 Crib Goch from Pen y Pass. Starting point of **Routes 1, 2, 3, 4 and 10**

Map 1
The Snowdon Group

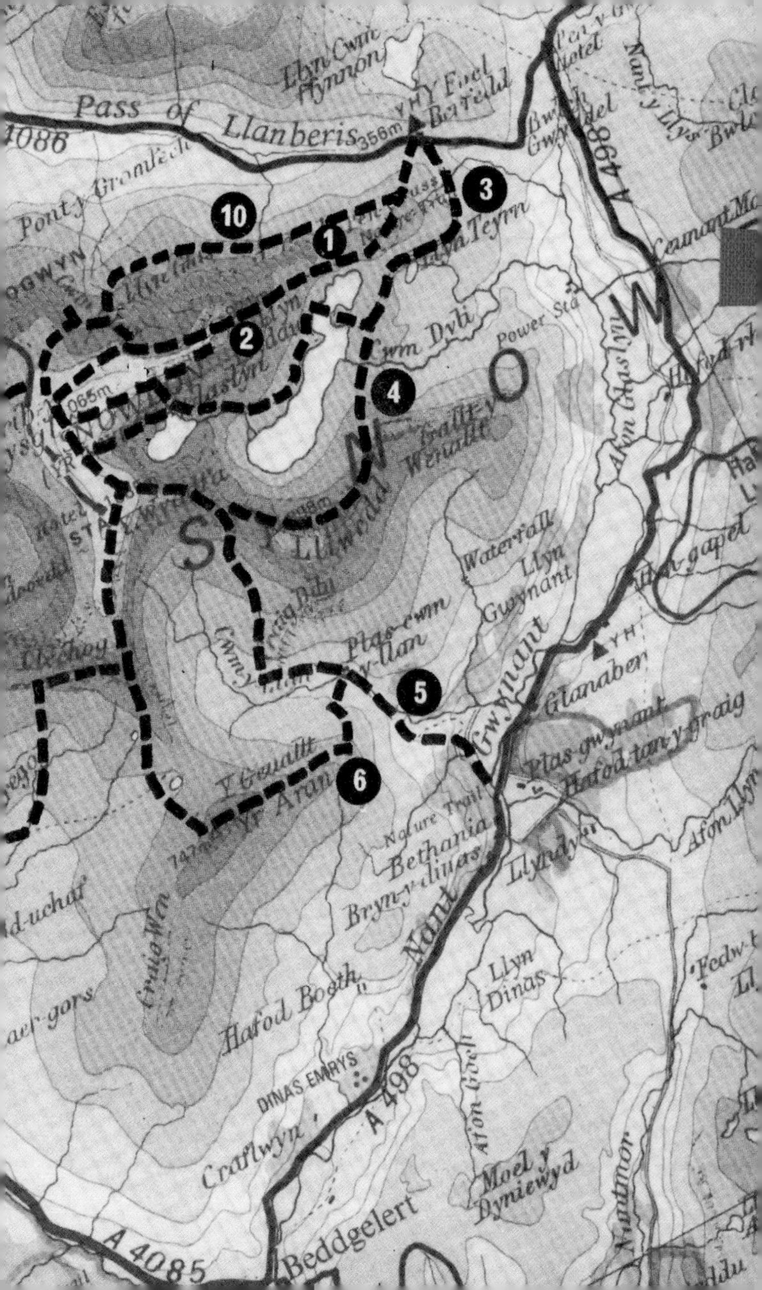

Pass of
Llanberis
1086
Llyn Cwm
Ffynnon
Pont y Gromlech
Y Hy Foel
356m
Bwlch y Moch
Y Grug
Penras Pass
Cariad y G
Hotel
Bwlch
Gwyddel
Nant y Llyn
Cle
Bwlc

⑩ ① ③ ②

Cwm Dyli
Power Sta
Glaslyn

④

Allt-y
Wenallt

Trallt-y
Wenallt

Llynedd

⑤

Waterfall
Llyn
Gwynant

Cwm

⑥

Plas-cwm
y-llan

Y Grwallt
Yr Aran

Nature Trail
Bethania
Bryn-y-diuas

Gwynant

Glanaber

Plas gwynant
Hafod tan y graig

Afon Llyn

Nant

Llyn
Dinas

Craig Wen

Hafod Booth

DINAS EMRYS
A 498
Craflwyn

Beddgelert

A 4085

Moel y
Dyniewyd

described and illustrated herein are so well trodden that even in misty weather they should present no great difficulties. Whereas in snow and mist they should be left severely alone by all but the most experienced winter walkers, especially so if snow lies on ice as this treacherous condition is often the cause of accidents in the most unsuspected places.

Snowdon Route 1. Pen y Pass and Crib Goch. Leave the car park below the crest of the Llanberis Pass GR 647555 and follow the higher track which starts under the electricity pole, as waymarked; it rises along the northern flanks of the *Last Nail in the Horseshoe* right up to Bwlch y Moch. After passing through a collection of gigantic boulders it swings round left into a shallow valley. This is the junction for the rather indistinct path over to the right which eventually leads into Cwm Glas (see route 10). Ahead rises the broad, stony track to Bwlch y Moch, with Crib Goch towering overhead all the way. On attaining the pass GR 634553 the route forks; the left branch is the Pyg Track and the right branch our route to Crib Goch. At this point there is a fine view into Cwm Dyli, with Lliwedd on its far side and Llyn Llydaw below. Our well-trodden path now steepens and while gaining height winds in and out of several rocky outcrops until, with the disappearance of grass, it begins to rise sharply. Ahead there is one tricky bit that is almost vertical, but reliable hand-holds and footholds give sufficient pull to pass this hazard safely. Beyond it well travelled marks lead upwards to the rocky staircase which eventually emerges by the cairn on our first summit.

The spacious prospect from Crib Goch is electrifying in its magnificence; for ahead the narrow rock ridge undulates as far as the Pinnacles which are crowned by the noble cone of Yr Wyddfa. To the L of the reigning peak the ridge falls to Bwlch y Saethau and then rises again to Lliwedd whose cliffs descend steeply to Llyn Llydaw far below. To the R, and beyond the Pinnacles, the ridge rises in steps from Bwlch Coch to Crib y

Ddysgl, with the zigzags on its L and the Parson's Nose below on its R. Farther to the R there is a bird's-eye view into Cwm Glas, with its tiny lake cupped in the base of the hollow, and beyond it a distant view of the Llanberis Lakes. Still farther to the R rise the chain of the Glyders, separated from this lofty perch by the deep Llanberis Pass, whose road may be perceived as a thin white line far below.

Some 400 yards of knife edge leads to the Pinnacles, but those with a steady head will experience no difficulties in crossing it in calm weather. These obstacles may be traversed by means of ample hand and footholds, but those who prefer to avoid them may pass below the sharp crest. Bwlch Coch is soon encountered, with views on the L of Glaslyn at the foot of Yr Wyddfa. Route 10 arrives at this point from Llyn Glas down to the R. From here the track rises along the crest of the ridge, ascends an easy chimney on the R, and emerges immediately below Crib y Ddysgl. There are several paths on this broad shoulder, but do not take the one on the right because it leads to the top of the Parson's Nose, a cliff only suitable for experienced rock climbers. Beyond the summit of Garnedd Ugain the track descends gently and swings round to the left to the large finger stone at Bwlch Glas, the exit of the zigzags, and here the railway is encountered and followed to the summit of Snowdon. On a clear day the immense panorama unfolded from the large cairn on Snowdon is one of the finest in Britain, and despite the fact that it is possible to pick out the coast of Eire, the Isle of Man and Scafell Pike, in Lakeland, these objects are too far away to hold the gaze of the walker, and unconsciously ones eye is drawn to the more attractive and closer detail of the landscape in the shape of the spurs of Snowdon itself. Of these it is perhaps the sheer cliffs of Lliwedd that first attract the eye, but since the sun is always on the wrong side of this peak for its full appraisal, it is only natural to turn to view the ridge just traversed enclosing the blue-green waters of Glaslyn far below. It may well be that Crib

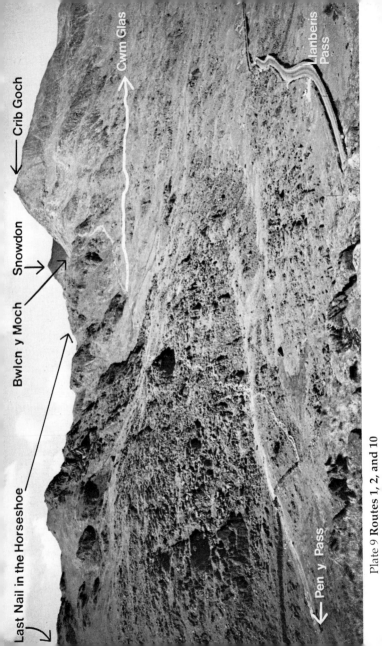

Last Nail in the Horseshoe

Bwlcn y Moch

Snowdon

Crib Goch

Cwm Glas

Llanberis Pass

Pen y Pass

Plate 9 Routes 1, 2, and 10

Plate 10 **Routes 1 and 2**

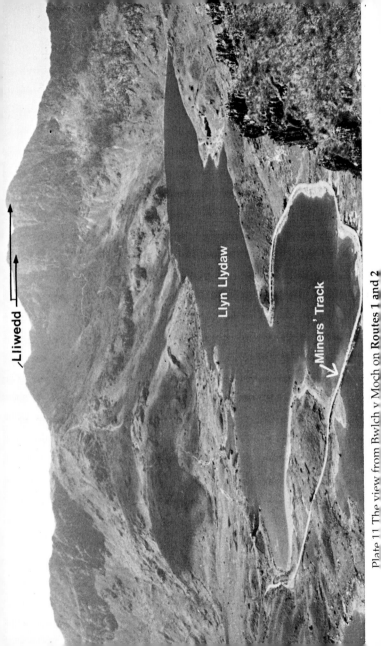

Plate 11 The view from Bwlch y Moch on **Routes 1 and 2**

Goch will rivet your attention by reason of its diminutive appearance, as it looks a long way below although there is a difference in altitude of barely 200 metres. Beyond the ridge rising to Crib y Ddysgl the solitude of the Glyders appears tremendous and beyond them again there is a glimpse of Carnedd Llywelyn and Pen yr Ole Wen. To the east the twin Capel lakes catch the light at the foot of Moel Siabod, and on swinging round to the south the cliffs of Cadair Idris stand out on the far horizon. Nearer at hand and in the south-west Moel Hebog is prominent, and the ridges of this group trail away to the north to end with the bold and compact form of Mynydd Mawr. The circle is completed with the glint of light on Llyn Cwellyn, R of which Moel Eilio leads the eye to the flat expanse of Anglesey and the sea. It is always inspiring to stand on the highest peak south of Scotland and to scan the vast scenes described here, with the ground falling away at one's feet, but I never experience the same thrill here as I do on Crib Goch. On the latter I have the impression of complete detachment, coupled with the prospect of a higher peak ahead which has still to be conquered and I look up. Here, however, on Yr Wyddfa, the peak has been won, the pendant ridges far away and I look down. Moreover, there is the constant reminder of other human beings, augmented during the summer season by the crowds that have not come up the hard way, and if you feel as I do, dear reader, walk over the Snowdon Horseshoe on a sunny day in early spring or late autumn when the profound solitude of this lofty ridge will act as a balm to your soul.

Crib y Ddysgl

Bwich Glas

Zig – Zagsl

Bwich Coch

To Cwm Glas

Route 10

Crib Goch

Plate 12 **Route 1** The Snowdon Horseshoe from Crib Goch

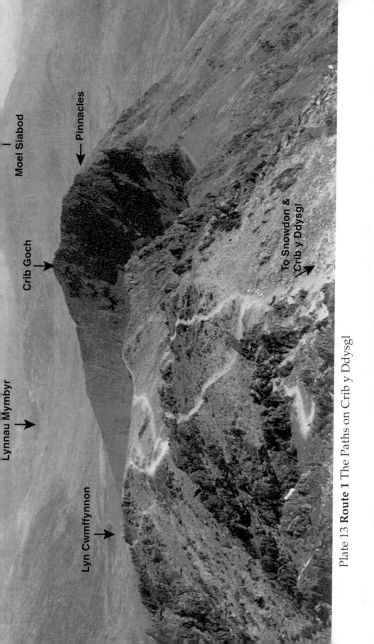

Lynnau Mymbyr

Moel Siabod

Pinnacles

Crib Goch

Lyn Cwmffynnon

To Snowdon &
Crib y Ddysgl

Plate 13 **Route 1** The Paths on Crib y Ddysgl

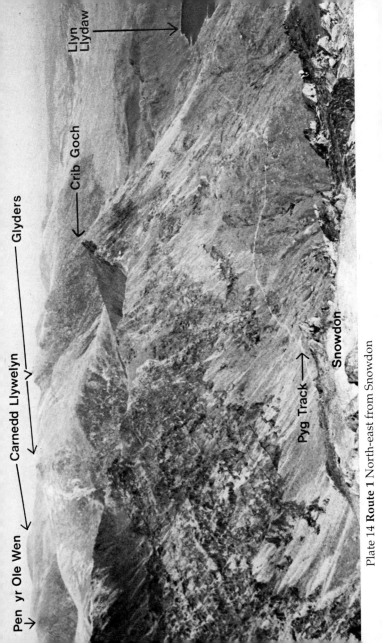

Pen yr Ole Wen

Carnedd Llywelyn — Glyders

Crib Goch

Llyn Llydaw

Pyg Track →

Snowdon

Plate 14 **Route 1** North-east from Snowdon

Plate 15 **Route 1** South-east from Snowdon

Route 2. The Pyg Track. Follow Route 1 as far as Bwlch y Moch where the path forks and take the left branch which undulates slightly across the southern flanks of Crib Goch. It is well defined throughout and one of the most popular routes to Snowdon, and, moreover, it has the advantage of disclosing on the L one of the most dynamic views of the majestic cliffs of Lliwedd beyond Llyn Llydaw. Yr Wyddfa towers into the sky ahead until a prominent cairn is reached above Glaslyn and it reveals this blue lake below at the foot of its precipices. At this point the track goes to the R and is joined by the Miners' Track coming up from this lake, whence the steep ascent of the zigzags leads to the skyline at Bwlch Glas, where Route 1 is joined and followed to the summit of the reigning peak. A seven foot free standing monolith marks the point of emergence of this track on Bwlch Glas, and in descent will be a most useful indication of the exact point at which to leave the ridge, invaluable in snow, mist and bad weather.

Route 3. The Miners' Track. Leave the car park at Pen y Pass by the old road leading to the Copper Mines. It is a well cared for track and rises at a gentle gradient with views on L of Moel Siabod and the sylvan Vale of Gwynant. It contours round the south-eastern slopes of the *Last Nail in the Horseshoe*, and at a sharp turn to R reveals Lliwedd, Snowdon and Crib Goch towering ahead. The route now takes a direct line for the peaks and passes round and above Llyn Teyrn on L, whose shore is marked by derelict buildings, and thereafter bears R until Llyn Llydaw is reached. This is a superb viewpoint because it unveils one of the classic and most majestic prospects of Yr Wyddfa, while on L of it there is also a good view of Lliwedd. Keeping the lake on L, the broad track crosses its lower end by a causeway, which very occasionally is flooded and then necessitates a detour to the R. The path winds along the shore of Llyn Llydaw, passes some derelict mine buildings which are a legacy of the days when copper was mined in these hills, and

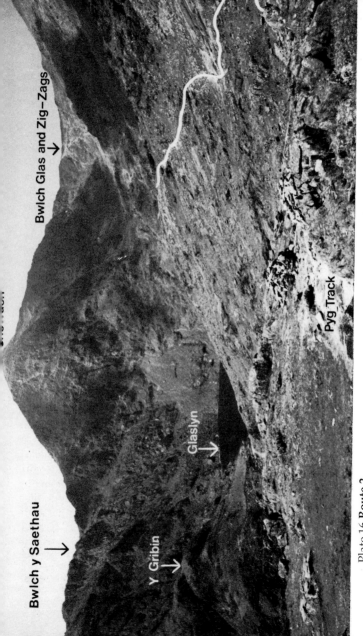

Bwlch y Saethau

Y Gribin

Glaslyn

Bwlch Glas and Zig–Zags

Pyg Track

Plate 16 **Route 2**

Bwlch Glas →

Zig–Zags

Snowdon

Plate 17 **Route 2 and 3 ascend the Zig-Zags**

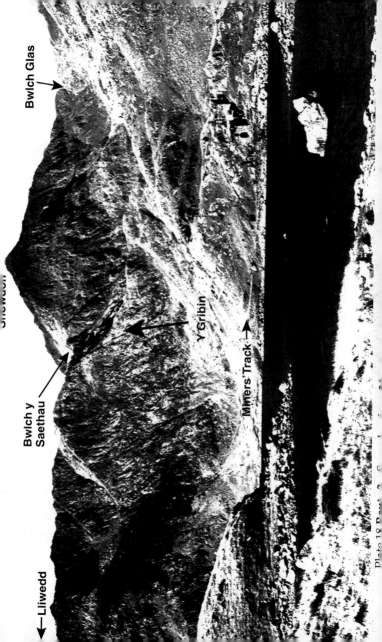

Snowdon

Bwlch Glas →

Bwlch y Saethau

Y Gribin

Miners' Track →

← Lliwedd

Plate 19

Llyn Llydaw

Causeway

Miners' Track

Plate 19 **Route 3**

Bwlch—   Lliwedd   W. Peak

Llyn Llydaw

Miners' Track

Plate 20 **Route 3**

Snowdon

Miners' Track

Plate 21 **Route 3**

then turns sharp R when the first considerable rise is encountered. The path mounts to the R of the stream coming down from Glaslyn, with Yr Wyddfa towering into the sky ahead, and later reaches the outflow of this sombre lake. Thence the level path rims its north shore, passes mine workings which should be avoided and more derelict buildings, until an eroded steep scree track on R rises to join the Pyg Track, where Route 2 is followed to the summit of Snowdon.

Route 4. Lliwedd and Bwlch y Saethau. Follow Route 3 to Llyn Llydaw and bear L on reaching the lake. The track rises gently at first, but do not take the rather indistinct branch on the R at the fork because this is used by rock climbers making for the cliffs of Lliwedd. After this the path deteriorates and becomes very rough as it rises steeply to the Col between Gallt y Wenallt on the L and Lliwedd Bach on the R. There is a prominent cairn on the ridge that is a useful landmark in mist. Now turn south-west and keep to the crest of the ridge, with sensational drops on the R, first over the lesser eminence of Lliwedd Bach and thereafter over the East Peak of Lliwedd, where the precipices on the R disappear into space, with Llyn Llydaw far below. There is a slight fall to the little Col ahead and then a rise to the West Peak of Lliwedd, where the grand retrospect is worthy of attention as it is one of the most dramatic scenes on the Horseshoe. Still keeping to the edge of the cliffs, the well-marked track descends over tricky rock and boulders, and care is needed here as a slip on the R would be fatal. The path levels out on the approach to Bwlch y Saethau and is joined by the Watkin Path coming up on the L from Cwm Llan. The last section, rising diagonally over scree to Yr Wyddfa, is the most trying part of this ascent, and while this most used track slants to the L across the shattered flanks of the peak to join the Rhyd Ddu path above Bwlch Main, some people may prefer to make a direct attack upon it and emerge on the skyline on the east shoulder of Snowdon below the

Plate 22 **Route 3**

Plate 23 **Routes 2 and 3**

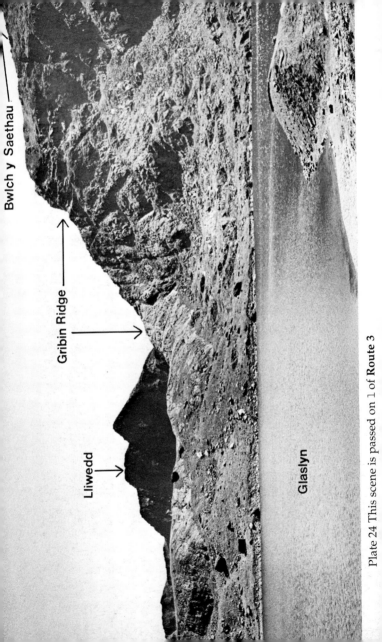

Bwlch y Saethau

Gribin Ridge →

Lliwedd →

Glaslyn

Plate 24 This scene is passed on 1 of **Route 3**

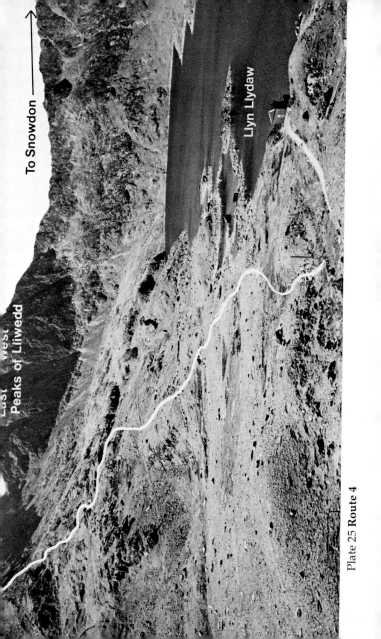

To Snowdon →

Peaks of Lliwedd

Llyn Llydaw

Plate 25 **Route 4**

Lliwedd   East Peak

Plate 26 Retrospect of **Route 4** from the West Peak

cairn. This is not recommended as a line of descent owing to exposure and causing considerable erosion.

Route 5. The Watkin Path. This popular ascent leaves the main road threading Nant Gwynant opposite the car park at Pont Bethania GR 627506. A cattlegrid gives access to the road leading to Hafod y Llan farm, but after some 500 metres it bears L through the rhododendrons along the old miners' road and emerges above the stream coming down from Cwm Llan. A charming waterfall is passed on the R and above it an almost level stretch passes some derelict mine buildings on R, goes over a wooden bridge to Plas Cwm-Llan GR 621521 also on R, and with a view high up on the L of the summit of Yr Aran. This one-time pleasant residence was used during the Second World War as a target for Commandos and is now an unsightly ruin. From here the track passes close to the Gladstone Rock on L, where a tablet commemorates the opening of this path by Gladstone then eighty-four years of age, on September 13th 1892. The yawning mouth of Cwm Llan now opens up ahead and is entered by a shaly path leading to a deserted slate quarry but turn sharp R before reaching the roofless buildings and climb steadily with Bwlch Main towering on L and Craig Ddu rising on R. A little rock gateway appears on the skyline ahead and this reveals the most shattered front of Snowdon, from where the path meanders round to the R and ultimately joins Route 4 on the crest of Bwlch y Saethau. The view from this pass comes as a surprise; for it discloses Glaslyn below and the full length of Llyn Llydaw beyond to the R, between which a rough rock spur, known as Y Gribin, affords a greasy and exposed scramble for those wishing to reach Route 3.

Route 6. Yr Aran and Bwlch Main. Follow Route 5 to Plas Cwm Llan but just before reaching it take the grassy path on the L which rises gently to cross the old mine railway line,

Plate 27 **Route 5**—A waterfall beside the Watkin Path

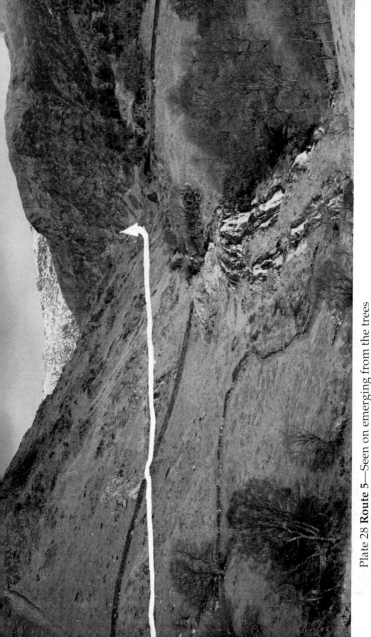

Plate 28 **Route 5**—Seen on emerging from the trees

Plate 29 **Route 5**—The ruins of Plas Cwm-Llan

Yr Aran

To Snowdon

Gladstone
Rock

Plate 30 **Routes 5 and 6**

Plate 31 **Route 5**—Tablet on Gladstone Rock

Plate 32 The terminal stretches of **Route 5**

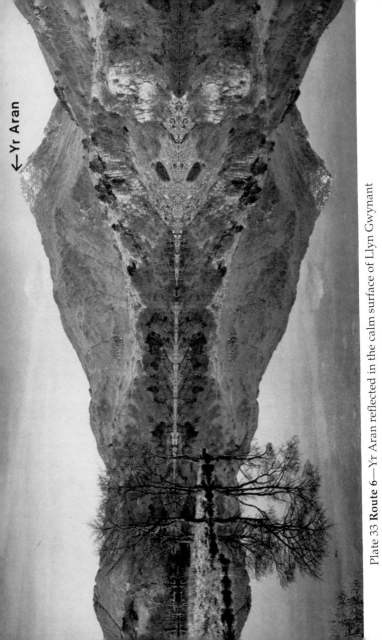

← Yr Aran

Plate 33 **Route 6**— Yr Aran reflected in the calm surface of Llyn Gwynant

bends L and R at an easy gradient and passes a derelict mine building on L before rising towards old mine workings on L GR 615516 (keep clear of these as the excavations are deep). From this point, scramble up the grassy bank to the ridge where you turn R and follow a dry stone wall along its crest, crossing it before the steepest section of the path rises to the summit cairn; it opens up splendid prospects in all directions; with a fine vista to the north-west of Mynydd Mawr and Llyn Cwellyn, and a grand view slightly north of east, of Moel Siabod with a glimpse of Llyn Gwynant below. But the magnificent perspective of the South Ridge of Snowdon will rivet the gaze and its crest affords the final section of this route to Yr Wyddfa. There is at first, a sharp descent to Bwlch Cwm Llan, where a rock-bound pool on the R and an almost round little tarn on the L will charm the eye. Thereafter the collar work begins: keep to the edge of the sharp drops on R and on attaining the saddle the Rhyd Ddu Path comes in on the L from Llechog, GR 605537 and from here ascend the clearly marked track along Bwlch Main to attain the cairn on the summit of the peak.

Route 7. Rhyd Ddu and Llechog. This easy ascent is one of the neglected delights of the group and incidentally most reward-ing to photographers. There are two starting points: that nearest Beddgelert is preferable for those without a car and the other, just outside the hamlet of Rhyd Ddu, is preferred by motorists because South Snowdon Station, GR 571525, on the long-disused Welsh Highland Railway, has become a spacious car park and is quite close to the gate giving access to the main route. The key to the former is Pitt's Head GR 576515 on the Beddgelert Caernarfon road. Turn R here for the sequestered farm of Ffridd Uchaf, easily recognised by its embowering shield of conifers; pass it on L and follow the grassy track until it merges with the quarry road coming up from Rhyd Ddu. The key to the latter is an iron gate from which the disused

Plate 34 **Route 6**

Craig Cwm Silyn   Nantlle Hills   Y Garn II

Llyn y Gadair

Plate 35 **Route** 6—South-west from Yr Aran

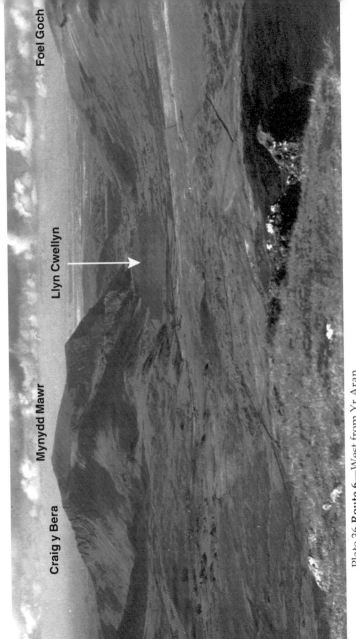

Foel Goch

Llyn Cwellyn

Mynydd Mawr

Craig y Bera

Plate 36 **Route 6**—West from Yr Aran

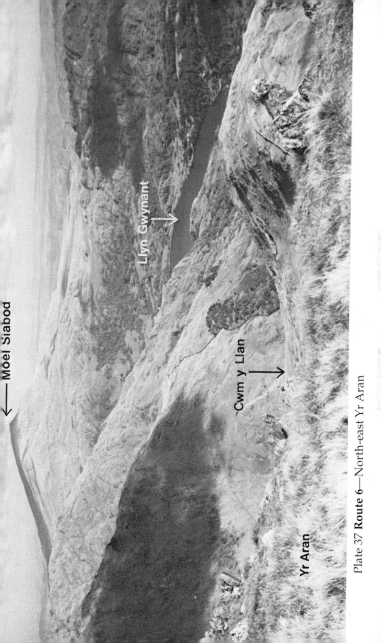

Plate 37 **Route 6**—North-east Yr Aran

← Snowdon

Plate 38 Bwlch Main Final stretch of **Routes 6 and 7**—note train and hotel

quarry road goes due east. Pass a deep quarry on R, conspicuous by the V-shaped opening in its far wall, and follow the road as it contours round the hillside until some bold rocks are encountered on L. This is a splendid viewpoint for the appraisal of Llyn Cwellyn, enclosed on L by Mynydd Mawr and on R by Foel Goch. A few steps ahead pass through another gate and circle the crag opposite for the next turn in the track which otherwise might be missed. There is an iron gate on L situated at the point of mergence with the Beddgelert track. Walkers who are familiar with this route could vary it by continuing along the old quarry road past the iron gate with fine views ahead of Yr Aran. This leads to the old South Snowdon mine buildings from where Bwlch Cwm Llan GR 605522 can be easily reached and Route 6 followed to the summit of Snowdon. Our route now takes a direct line for Llechog, well seen on the skyline with Yr Wyddfa on R, and it winds its way uphill in and out of rocky outcrops, eventually to reach another gate in a substantial stone wall, with a large sheepfold on the other side. This is a good near-viewpoint for Yr Aran, and also for the many tops of the Moel Hebog range in the distant south-west. The path is unmistakable and soon crosses a level green clearing containing the ruin of a hut, long ago used as a place of refreshment, after which it rises more steeply over rock and scree ultimately to thread the boulders scattered in profusion on the broad crest of Llechog. This is a revealing coign of vantage, since its steep slabs fall into the vast basin of Cwm Clogwyn, embellished by several twinkling tarns, and on R to the conspicuous shoulder and serrated ridge of Bwlch Main. Farther to the R there is a grand array of the peaks crowning the Moel Hebog group, below which Llyn y Gadair and Llyn Cwellyn reflect the afternoon light. Now climb the broad stony track to the saddle and here join Route 6 for the summit of Snowdon, meanwhile enjoying the enchanting views on R of Cwm-Llan and of Moel Siabod above Bwlch y Saethau.

Pitt's Head →   Moel Hebog →

Plate 39 Kev to **Route 7**

Plate 40 Start of **Route 7** for walkers from Beddgelert

The Saddle

Snowdon

Llechog

Ffriod Uchaf

Pitt's Head

Snowdon

Rhyd–ddu Path

Plate 41 Early stage of Route 7 from Rhyd Ddu

Plate 42 **Route 7**

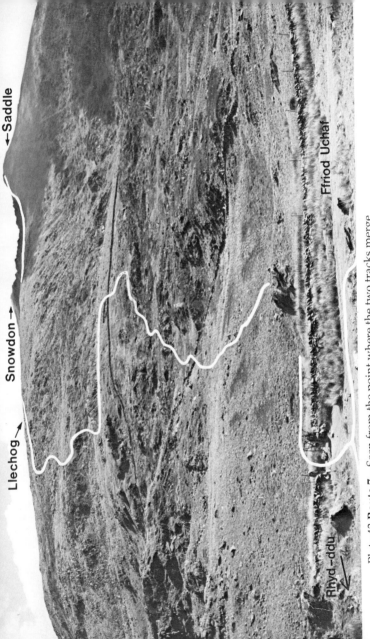

Plate 43 **Route 7**—Seen from the point where the two tracks merge

Labels on image: Llechog, Snowdon, Saddle, Ffriod Uchaf, Rhyd-ddu

Plate 44 Retrospect from **Route 7**

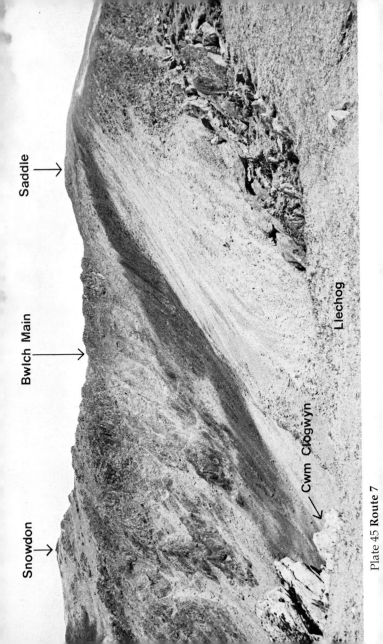

Snowdon   Bwlch Main   Saddle

Cwm Clogwyn

Llechog

Plate 45 **Route 7**

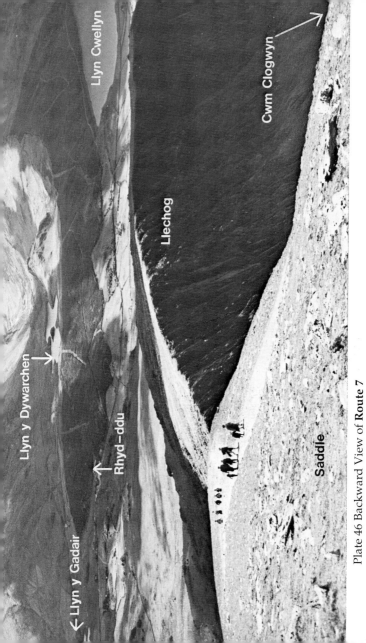

Plate 46 Backward View of **Route 7**

Snowdon Ranger Hostel

Snowdon Ranger

Plate 47 Starting point of **Route 8**

Route 8. The Snowdon Ranger. This could well be the oldest route to Snowdon and is named after its first guide who may have lived in or near the present Youth Hostel which faces the rippling waters of Llyn Cwellyn. It yields a very pleasant approach to Yr Wyddfa and is seldom crowded, save on those rare occasions of public holidays when it is invaded in force. Leave your car in the park opposite GR 564551 and start the ascent by crossing a stile to the L of the Hostel and make for the farm farther up the green hillside. Then zigzag through the pastures above it and go through a gate in a stone wall. This gives access to a wide grassy path, with a wonderful retrospect of Mynydd Mawr and Llyn Cwellyn, and farther on of the Nantlle Ridge and Moel Hebog. Go through a small iron gate and then tread the gradually rising moorland path, with a grand prospect ahead of Cwm Clogwyn, enclosed on L by the slopes of Clogwyn Du'r Arddu, on the R by the cliffs of Llechog, and dominated by Yr Wyddfa.

The well-trodden path passes below Bwlch Cwm Brwynog, but walk up to it on L and rest awhile to enjoy the fine retrospect of the Moel Hebog range on the other side of the valley behind you. Then, instead of rejoining the path on R, keep carefully to the crest of Clogwyn Du'r Arddu, and from a safe viewpoint look down its beetling precipices, which are the playground of the expert rock climber, to the stygian waters of Llyn Du'r Arddu, cradled in a wilderness of boulders at the foot of the crags. From the top of this eminence note the view of the Snowdon Railway near Clogwyn Station, backed by the shapely tops of the Glyders. Thereafter, return to the track on R and follow it to the summit of Snowdon, of which the section below the fork comes up from Llanberis.

Note – *An alternative approach starts at Bron Fedw Isaf GR 568546 and is waymarked to join the original track higher up the hillside.*

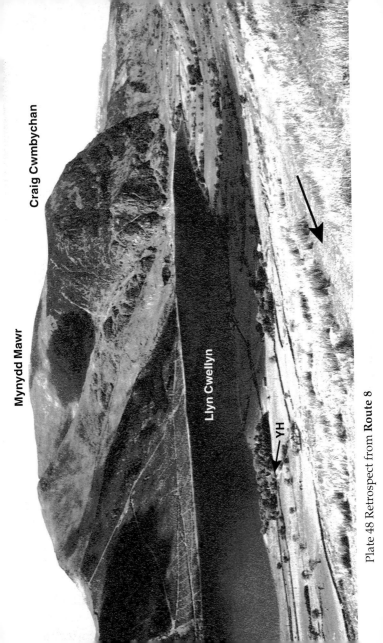

Mynydd Mawr

Craig Cwmbychan

Llyn Cwellyn

YH

Plate 48 Retrospect from Route 8

Nantle Ridge ← **Y Garn II**

Llyn Cwellyn

Plate 49 View r of **Route 8**

Moel Hebog Moel Ogof Moel Lefn

Llyn y Gadair

Plate 50 View ahead of **Route 8**

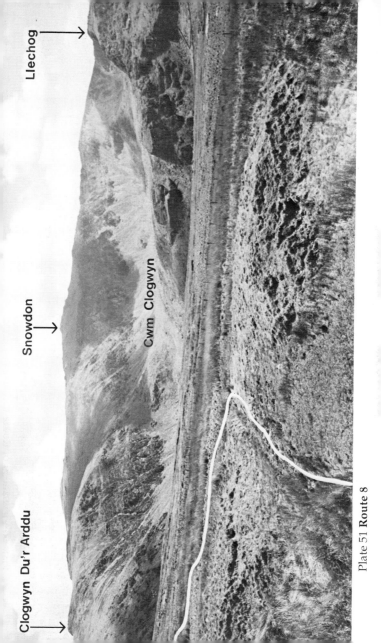

Clogwyn Du'r Arddu   Snowdon   Llechog

Cwm Clogwyn

Plate 51 **Route 8**

Snowdon

Clogwyn Du'r Arddu

Plate 52 **Route 8**—Point of divergence

Plate 53 Bird's-eye view of Llyn Du'r Arddu from **Route 8**

Llyn Padarn and Llanberis

Clogwyn Du'r Arddu

Llyn Du'r Arddu

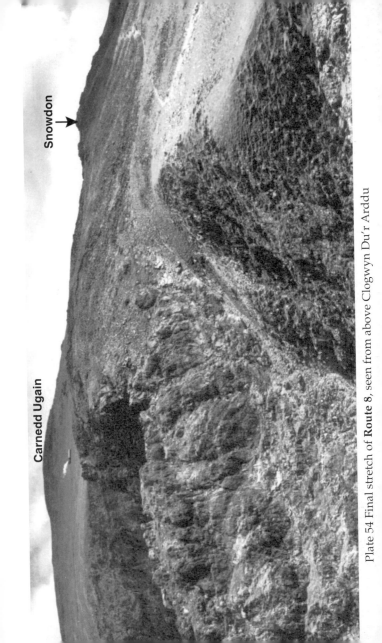

Plate 54 Final stretch of **Route 8**, seen from above Clogwyn Du'r Arddu

Route 9. The Llanberis Path. This is the longest, least arduous and most popular route to Snowdon, it involves a walk of about eight kilometres over a gently graded path. The key to this route is the square at the end of the first side road above the Snowdon Railway Station, where a gate gives access to a mountain by-road, with the railway on R GR 584597. Walk along the road to Cader Ellyll GR 582588 and turn L, the path continues to rise, passes under the railway, and then levels out right up to the Halfway House. The majestic cliffs of Clogwyn Du'r Arddu are now revealed and they appear on R until the path rises above them after passing Clogwyn Station. Here-abouts is the real reward of the ascent; for by going over to the spur nearby, the most dramatic view is obtained of the Llan-beris Pass, far below and hemmed in by the steep slopes of Snowdon and the Glyders. Continuing the ascent, the path goes under the railway and keeps beside it and below the dome of Crib y Ddysgl all the way to the end of the line, whence the large cairn just above the cafe crowning Yr Wyddfa is quickly attained.

Warning. Although Route 9 is the easiest ascent of Snowdon, winter conditions can transform it into one of the most danger-ous. For in deep snow the path disappears and walkers tend to keep to the railway or what can be seen of it. The most dangerous section is between Clogwyn Station and Bwlch Glas, where a shelf which carries the line fills up with snow that lasts much of the winter. It becomes hard and icy and very difficult to traverse safely. And since several fatal accidents have occurred here all walkers should pay particular heed.

Route 10. Cwm Glas. This sporting route is seldom used, save by the connoisseur who can revel in the solitude and wild grandeur of Cwm Glas, which is decked with Alpine flora in the spring and graced by a lovely tarn that opens up a surprising view of the Glyders. Follow Route 1 to the shallow

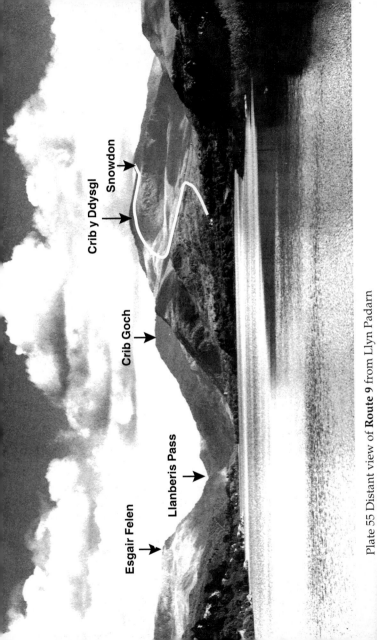

Plate 55 Distant view of **Route 9** from Llyn Padarn

Esgair Felen

Llanberis Pass

Crib Goch

Crib y Ddysgl

Snowdon

Plate 56 Railway and **Route 9** run side by side

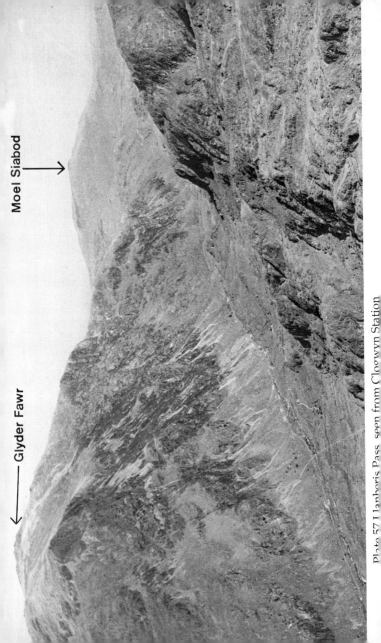

Plate 57 Llanberis Pass, seen from Clogwyn Station

Moel Siabod

Glyder Fawr

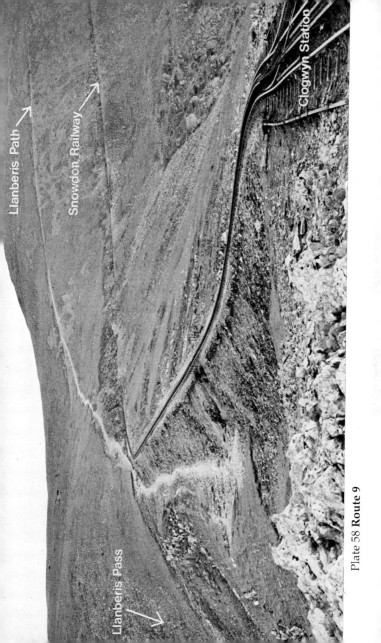

Plate 58 **Route 9**

valley after the jumbled boulders GR 641554 and then bear R over a grassy shoulder to a small knoll GR 636556 that is the only sure key to the path. The path goes below Craig Fach and is cairned but rather indistinct in places, contours round the slopes below Bwlch y Moch, and then ascends over stony ground to a cairn perched on the northern spur of Crib Goch, above Dinas Mot GR 624560. The Cwm is now revealed ahead and is enclosed by mural precipices in which the Parson's Nose, a prominent cliff popular with rock climbers, is centrally situated. The path skirts the western flanks of the spur and then continues along a grassy shelf, to end where the stream falls from Llyn Glas. A short step uphill brings it into view. This is a remote and delightful spot in which to soliloquise on a warm sunny day; for the rocky shelf holding the lake in its grip cuts off all sound of traffic in Llanberis Pass below, and the only sign of life is the occasional person wending their way across the lofty ridge of Crib Goch on the southern wall of the Cwm. There are two exits from here: the first and easiest and most amenable is to walk up beside the stream feeding the tarn in the direction of the Pinnacles, and then to climb the scree on R to Bwlch Coch; from here continue along route 1 over Crib y Ddysgl and Garnedd Ugain. The second option is to go R of the Parson's Nose, pass a tiny lake cupped in bare rock, Llyn Bach. From this lake take a long diagonal ascending line out R to the ridge leading to Gyrn Las GR 612558 and pick a route carefully among the shattered rocks and slippery vegetation. On attaining the ridge you will arrive a little way above Clogwyn station on route 9 and that route is followed to the summit.

This second option out of Cwm Glas is not at all pleasant and in winter conditions presents a formidable undertaking only to be attempted by those with experience and training in the use of ice axe and crampons. The gully directly at the back of the corrie is known as Parsley Fern and is a Grade 1–2 winter climb often sporting a large and sometimes unstable cornice.

Key Knoll

Pyg Track

Plate 59 **Route 10** begins at this point on **Routes 1 and 2**

Northern Spur of Crib Goch

Dinas Mot

Plate 60 **Route 10**

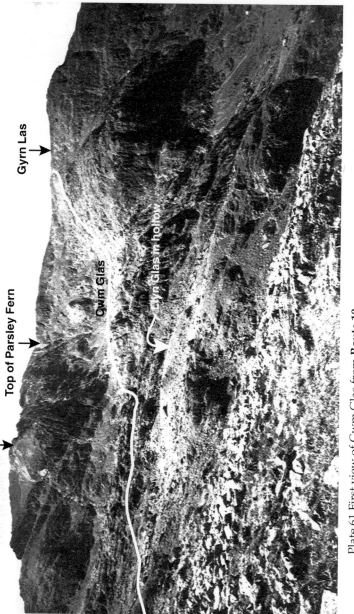

Gyrn Las

Top of Parsley Fern

Cwm Glas

Gyn Glas m hollow

Plate 61 First view of Cwm Glas from **Route 10**

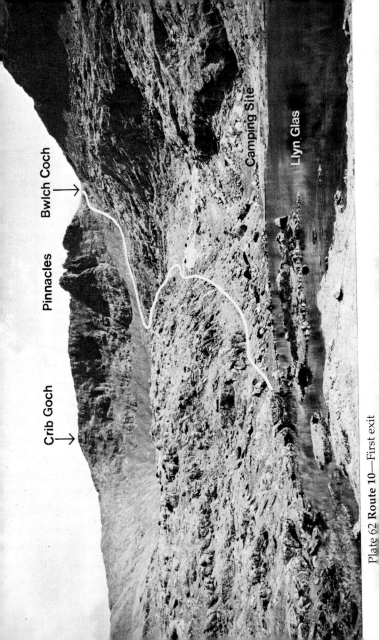

Plate 62 **Route 10**—First exit

Clogwyn y Person
(The Parson's Nose)

Top of Parsley F

Llyn Glas

Plate 63 **Route 10**—Second exit

The Glyders Group

Glyder Fawr	999 metres	3277 feet
Glyder Fach	994 metres	3261 feet
Y Garn	947 metres	3106 feet
Elidir Fawr	924 metres	3031 feet
Tryfan	915 metres	3002 feet
Foel Goch	831 metres	2726 feet
Carnedd y Filiast	821 metres	2693 feet
Mynydd Perfedd	812 metres	2664 feet
Nameless Peak	805 metres	2641 feet
Bwlch Caseg Fraith	788 metres	2588 feet
Elidir Fach	782 metres	2564 feet
Esgair Felen	762 metres	2500 feet
Gallt yr Ogof	763 metres	2503 feet
Bwlch Tryfan	716 metres	2350 feet

OS Map: Landranger 115 Snowdonia
Outdoor Leisure 17 Snowdon & Conwy Valley

When seen from the south and west, the range of hills dominated by Glyder Fawr looks comparatively uninteresting as it merely displays a succession of vast grassy slopes interspersed here and there with outcropping rocks that are crowned by the sharp little top of the Castle of the Winds. The only notable exception is that of the single spur of Esgair Felen, whose reddish broken cliffs catch the eye and overhang the craggy declivities confined to this one point on this side of the group, bordered by the Llanberis Pass.

But when seen from the north this aspect changes dramatically and comes as a complete surprise; for one savage cwm follows another from east to west, all of them hemmed in by striking mural precipices. The range is further enhanced by the beautiful isolated peak of Tryfan, and amid the whole stands Ogwen Cottage, the hub of the many ascents from this side of the group. Moreover, the summit ridge of the Glyders is unique in Wales and characterised by a grand display of chaotically arranged boulders whose desolate aspect vies with that of the main ridge of the Cuillins, in the Misty Isle of Skye, for pride of place in wild Britain.

In view of these remarkable features it is not to be wondered at that the range draws legions of walkers, and there are so many routes up and over the group that many days can be spent in their exploration. All the important ascents are dealt with in the following pages, any or all of which may be ascended by persons in fit and vigorous condition. In snow, even on a clear day, climbing in the Glyders requires the utmost care when ice axe and crampon experience is absolutely essential.

Glyder Fawr
Route 11. Ogwen Cottage and the Devil's Kitchen. There are a number of car parks in the valley, all are well placed for ascents of the routes described. The main parking areas are below the Milestone Buttress, another half way to Ogwen Cottage and a commodious third between the Cottage and Youth Hostel. GR 649604. It is here that our route begins, and later on keeps well above the marshy ground eventually to turn sharp R for Llyn Idwal. On arriving at the lake there is a double stile over the boundary fence of the Cwm Idwal National Nature Reserve, which opens up a revealing view of the first section of the route ahead, with the great cleft of the Devil's Kitchen on the skyline. Keep the lake R, pass Idwal Slabs L, and ascend the well-marked path which bears R and eventually threads the immense boulders below the Kitchen. The retrospect from the mouth of the cavern is magnificent, with Llyn Idwal below, Llyn Ogwen in the middle distance and the Carneddau in the background, dominated by the

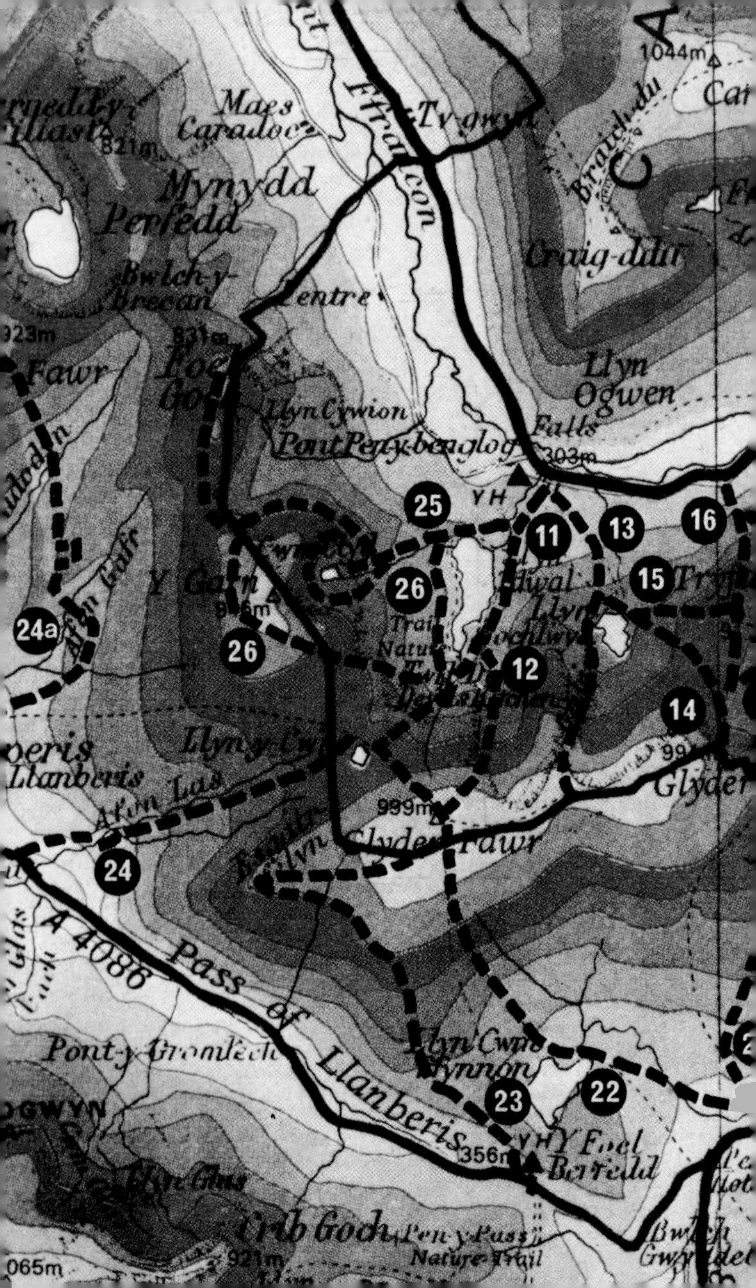
1044m
Maes Caradoc
Mynydd Perfedd
Bwlch-y-Brecan
923m
831m
Fawr
Llyn Cywion
Pont Pen-y-benglog
Falls
303m
YH
Llyn Ogwen
Craig-ddu
Y Garn
Trail
Nature
Llyn-y-Cŵn
Llanberis
Afon Las
999m
Glyder Fawr
A 4086
Pass of Llanberis
Pont-y-Gromlech
Llyn Cwm Ffynnon
356m
YH
Crib Goch
921m
065m
Pen-y-Pass
Nature Trail
11
12
13
14
15
16
22
23
24
24a
25
26

Map 2
Glyders Group

Plate 33 and 25-26, and 11 at 15, 11 plate 6D of Aus.

shattered front of Pen y Ole Wen. Now turn L and climb the steep, boulder-strewn shelf to the skyline where a prominent cairn marks the route. Continue ahead towards Llyn y Cwn R, GS 6358, and then L to mount the twisting scree path which ultimately emerges on the broad summit of Glyder Fawr. This is one of the most desolate spots in Snowdonia, and a peculiarly spike-shaped eminence dominates this rocky top of the highest peak of the group.

The panorama from this stony wilderness is extensive, but restricted by the plateau-like top of the mountain. The view to the east along its wide ridge may first catch the eye, since its forlorn aspect suggests what might well be the surface of the moon. The Castle of the Winds GR 654582 appears below the great heap of stones that characterise Glyder Fach, about a kilometre and a half distant, on L of which rises the summit of Tryfan. To the south Snowdon and Crib Goch present a serrated skyline, and to the west Mynydd Mawr tops the ridge enclosing the Llanberis Pass, while to the north the vast bulk of the Carneddau stretches away in the distance, crowned by the prominent summits of Carnedds Dafydd and Llywelyn. This coign of vantage stands at the head of four valleys, but to see them on a clear day involves a stroll round the rim of the plateau. They are: Nant Ffrancon to the Menai Straits; the Conwy Valley to the sea near the Great Orme; Nant Gwynant to Harlech and the sea and Llanberis Pass to Caernarfon.

When this Route is used for the descent to Ogwen, it is a worthwhile detour to pick up the stream from Llyn y Cwn and to follow it to the top of the Devil's Kitchen, see plate 102. To regain the path it is preferable to retrace your steps to the lake.

Route 12. Cwm Idwal and the Nameless Cwm. Follow Route 11 to Idwal Slabs, but bear L up the grassy slopes before reaching them. When the Nameless Cwm opens up R, ascend the ridge above Idwal Slabs to the skyline, from where you head due south-west up to the cairns on Glyder Fawr. This is

Plate 65 **Route 11**—Idwal Slabs

Devil's Kitchen

Idwal Slabs

Llyn Idwal

Plate 66 **Route 11**

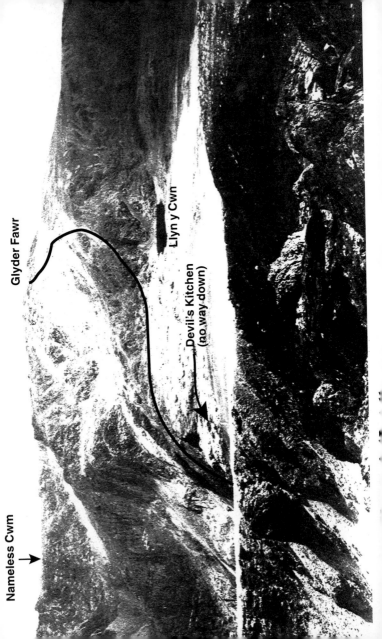

Glyder Fawr

Nameless Cwm

Llyn y Cwn

Devil's Kitchen
(no way-down)

Plate 68 Eastern prospect from Glyder Fawr

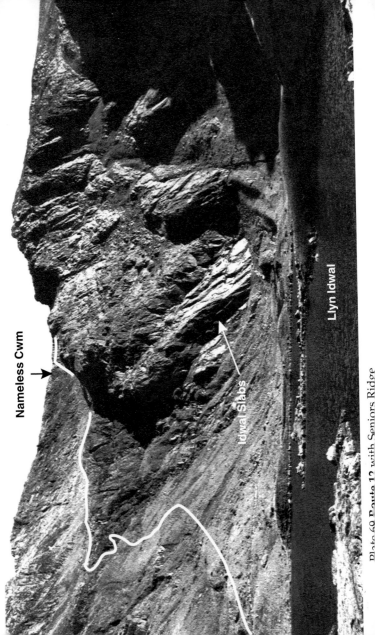

Nameless Cwm

Idwal Slabs

Llyn Idwal

Plate 60 **Route 17** with Seniors Ridge

known as The Seniors Ridge and can present some interesting and difficult scrambling propositions by its most direct ascent.

Route 13. The Gribin. Leave Ogwen Cottage by Route 11, and on arriving at the first sharp turn to the right continue straight, along the path to Llyn Bochlwyd. On arriving in the Cwm turn R along the lower grassy slopes of the Gribin. GR 651592. On attaining the crest of the Gribin, Tryfan and Llyn Bochlwyd are seen to the east, where the blue of the lake, surrounded by its green carpet of grass, contrasts strongly with the pale stony declivities of the mountain. The ridge rises gently at first over grass, with glimpses R of the Devil's Kitchen and Y Garn, and eventually changes abruptly to rock. Climb carefully until its top GR 650583 is attained and you will see ahead and slightly L the disintegrated slabs of the Castle of the Winds, which fall precipitously into the cwm. Turn R on the ridge, pass the forlorn hollow of the Nameless Cwm R, and follow the path through the stones and strange collections of crags to the summit of Glyder Fawr.

Nameless Cwm

Y Gribin

Castle of
The Winds →

Glyder Fach →

Bristly Ridge →

Bwlch Tryfan →

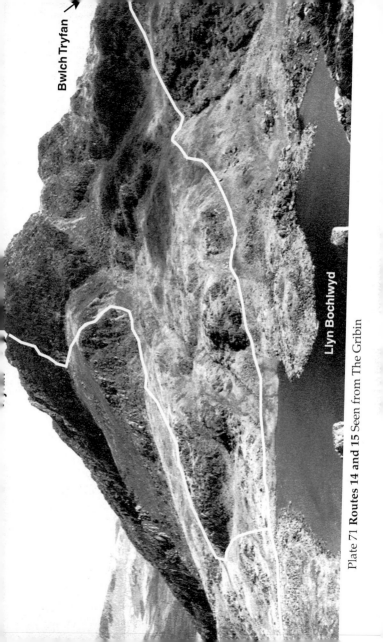

Plate 71 **Routes 14 and 15** Seen from The Gribin

Y Gribin →   Y Garn →   Elidir Fawr →   Carnedd y Filiast →

Plate 72 **Route 13** Seen from Tryfan

← Castle of The Winds

Glyder Fach

Plate 73 **Route 13** Top of the Gribin

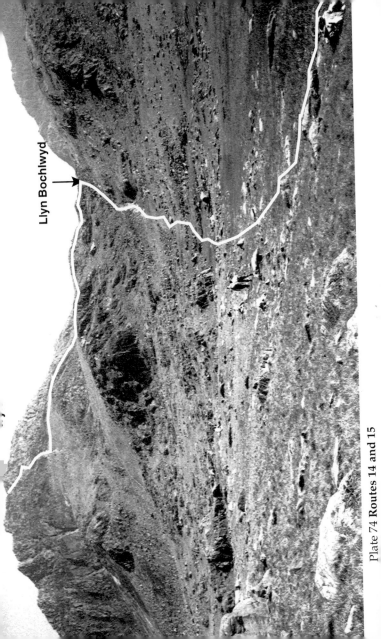

Plate 74 Routes 14 and 15

Llyn Bochlwyd

Route 14. Llyn Bochlwyd, Bristly Ridge and Glyder Fach.
Follow Route 13 to the stream coming down from Llyn
Bochlwyd. Climb beside it until this sombre lake comes into
view and rest awhile by its shore to contemplate its wild
situation. It is enclosed L by Tryfan and R by the Gribin, while
ahead rise the cliffs supporting Glyder Fach which are a
favourite playground for the rock climber. Proceed by keeping
the lake R and tread the gradually rising path which bears L
by this wedge-shaped mountain to arrive at Bwlch Tryfan
GR 661587. Go over the stone wall by a stile and turn R where
the route to the Bristly ridge is plainly visible since it bears the
scratchmarks of thousands of people who have passed this
way. On reaching the base of the crags the track rises steeply
and twists in and out of buttress and pinnacle. Most of the
difficulties can be overcome by turning them on the right but
those with a steady head will find little difficulty in keeping a
more direct ascent. You emerge finally on a broad stony ridge.
Now turn south-west and go over to inspect the Cantilever L,
a great slab poised securely on vertical crags, whose top may
be reached by an easy scramble. Then continue ahead to Glyder
Fach R whose massive pile of boulders is a conspicuous
landmark hereabouts. Scramble to the top if you feel like it,
but be careful, and then go over to the Castle of the Winds.
Beyond is a fine prospect of Snowdon and a view of the
gradually rising plateau ending at Glyder Fawr. It is better to
climb straight over the Castle rather than take the circuitous
course L round its base, and descend carefully through the
maze of vertical slabs on its far side. Walk down to the Col and
there join Route 13 for the summit of the reigning peak of the
group.

Plate 75 **Route 14**—Llyn Bochlwyd

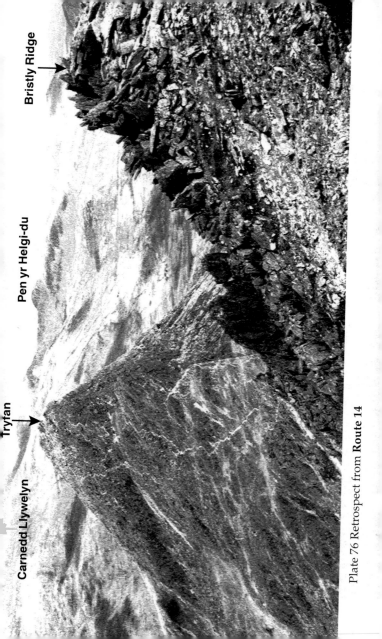

Bristly Ridge

Pen yr Helgi-du

Tryfan

Carnedd Llywelyn

Plate 76 Retrospect from **Route 14**

Plate 77 **Route 14**—The Cantilever

Plate 78 **Route 14**—Glyder Fach

Top of Y Gribin

Glyder Fawr

Castell y Gwnt

Crib y Ddysgl

Snowdon

Crib Goch

Photo 79 Route 14

Route 15. Ogwen Cottage and Tryfan Scree Gully. Follow Route 14 to Llyn Bochlwyd. Turn L at the lake and ascend grassy slopes until directly below the conspicuous scree gully that emerges to the L of the summit of Tryfan. This arduous route is difficult, with many loose boulders.

Route 16. The North Ridge of Tryfan. This is one of the most interesting and entertaining scrambles in all Wales and the usual starting point is near the head of Llyn Ogwen, but the lower shoulder of the mountain may also be reached by a direct ascent from the other side of the ridge. Go through a gate L of the Milestone Buttress GR 664603 and climb the long twisting staircase that first mounts beside a wall R and later in the shadow of the Buttress itself. Below the buttress turn L and eventually the track emerges on the shoulder which is covered with deep heather and has a cairn marking the meeting of several paths GR 667599; it might even be called the Piccadilly Circus of Tryfan for tracks radiate and rise sharply up the North Ridge. The alternative approach from the east comes in here, and it is the point of departure for Heather Terrace which rises diagonally across the eastern flanks of the peak below its three prominent buttresses. This landmark may be avoided by walkers who do not object to the ascent of a long scree slope, for one goes up from the bend in the track some 200m below this cairn. From this point there are so many variations in the route to the next shoulder that it is a matter of personal taste as to which of them is chosen, but that centrally situated can be most easily followed. Many parts of it are steep and slippery, and there are a few tricky bits where a conveniently placed handhold assists the passage. It rises diagonally R round speculative corners and past the "Cannon", a huge leaning rock that is well seen from Ogwen, until eventually the second shoulder is attained. This platform calls for a halt, if only to scan the horizon which has widened enormously as height was gained. At this stage perhaps the most striking prospect is that

Cairn

To Milestone Buttres

This stile no longer exists

Plate 80 The lower reaches of **Route 16**. The stile no longer exists.

Bwlch Tryfan

Plate 81 **Route 16** seen from Pen yr Ole Wen

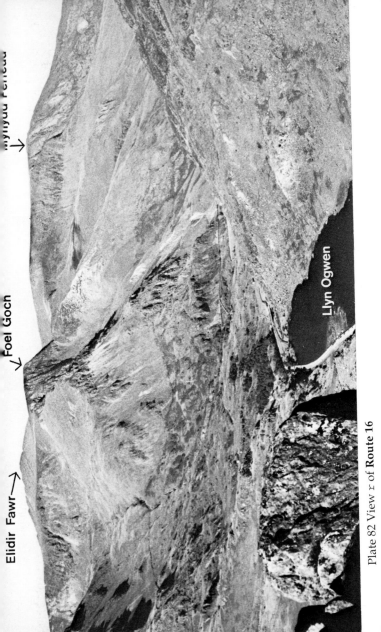

Mynydd Perfedd →

Foel Goch ↓

Elidir Fawr →

Llyn Ogwen

Plate 82 View r of **Route 16**

of Llyn Ogwen, now far below, which even on sunny days looks bleak and forbidding against its brightly coloured engirdling hill slopes.

Ahead rises the last obstacle in this sporting course and since it consists entirely of rock it is best to tackle it direct from the point where the track ends against the cliff. However, there is an alternative L, where a faint path leads eventually into the North Gully which is jammed with boulders and slabs to afford an enclosed variation to the other more exposed route. Both routes merge at the Col between the North Peak and the summit and it is only a short step to Adam and Eve, the two conspicuous upturned boulders that crown the summit of Tryfan.

On a sunny day it is usual to find a number of fellow enthusiasts gathered round this lofty perch: for it is a pleasant spot on which to eat lunch, to tackle the spectacular and risky "step" from Adam to Eve and to enjoy the spacious panorama. The vista R and L along the valley extending from Capel Curig to Bethesda is of course attractive and divided by Llyn Ogwen far below. It is bounded on the north by the vast green slopes of the Carneddau whose broad ridges culminate in Carnedd Llywelyn. But their smooth flanks do not attract the eye so strongly as the immediate landscape of the Glyders themselves, where Llyn Idwal and Llyn Bochlwyd sparkle on the floor of the rockbound cwms stretching westwards. Bristly Ridge forms a broken wedge to the south, and the eye wanders R over the ridge to the crags supporting the Gribin, passing centrally the very tip of Snowdon which will be missed even on a clear day by those who do not possess an alert and discerning eye! Farther R the skyline rises gently to Glyder Fawr, and then after a fall to the Devil's Kitchen rises again to Y Garn and continues westwards in an almost flat line to Foel Goch above which the curving ridge of Elidir Fawr will draw the eye. It then passes over Mynydd Perfedd, finally to merge with the rising slopes of Pen yr Ole Wen.

Plate 83 **Route 16**—Adam and Eve

There is still a long way to go to Glyder Fawr and in consequence you must not linger too long on this airy seat; so begin the descent by crossing the crest that leads to the South Peak and glance back at the summit of Tryfan to grasp more clearly its isolated situation. Then carefully descend the twisting track which passes in and out of gaps between the boulders and eventually reaches a little Col separating the main peak from its shapely satellite, on top of which L lies a charming rock-bound pool reflecting the colour of the sky. GR 664592, Spotheight 830. Now bear R and wander down the clearly marked path to Bwlch Tryfan, there to join Route 14 to the crowning peak of the group.

Y Garn

Llech Ddu

Foel Fras

Plate 84 **Route 16** West from Tryfan

Route 17. Heather Terrace. If you come by car, park it at the farmhouse of Gwern-y-Gof-Uchaf, GR 674605, which stands back from the road L just above the head of Llyn Ogwen. Heather Terrace is clearly revealed as a diagonal line rising across the face of Tryfan. Leave the back of the farm and pass L some inclined slabs which are used as a practice ground by rock climbers. Then join the path R which crosses some marshy ground and later rises over scree to the cairn noted in Route 16. Now proceed L in and out of a collection of boulders that stand amid thick heather and bilberries to gain the Terrace, which is followed upwards past the base of the three buttresses and their adjacent gullies, all of which rise into the sky right up to the summit of Tryfan and afford one of the most treasured playgrounds of the rock climber. At the termination of the Terrace ascend R and go over a low stone wall to the col, at which point join Route 16, near the rock pool described in the descent to Bwlch Tryfan, for the remainder of the ascent.

Route 18. Bwlch Caseg-ffraith. The ridge rising to this pass from the Ogwen Valley is one of the most revealing and least used in this group of hills. It is a paradise for the photographer, and as long ago as 1941 I gave an account of it in my *Snowdonia through the Lens*, when a friend came with me from Helyg to Pen y Pass over the Glyders in superb Alpine like conditions. Yet, although I have since ascended it on several occasions I have never encountered another walker or photographer with whom I could share the rare beauty of the magnificent scenes it unfolds.

The key to this route is the farmhouse of Gwern-y-Gof-Isaf, GR 685601, which nestles at the very root of the ridge on the south side of the Afon Llugwy, almost opposite Helyg. Those who come by car may park their vehicle near the farm. The ridge rises in grassy steps, interspersed with crags which become more plentiful as height is gained; it is enclosed R by Cwm Tryfan and L by Nant yr Ogof. About half-way along its

Plate 85 **Route 17** Seen from Helyg

crest there is a grand prospect of Tryfan across the cwm, and from this height the peak assumes its true elevation and under snow assumes the splendour of an Alpine giant. The ridge steepens and later flattens out on a lofty plateau rimmed with crags, on which repose Llyn Caseg-fraith, GR 670583, and two smaller pools. They are priceless gems in a sombre setting and on a calm day reflect the upper buttresses of Tryfan to perfection. There is also a splendid view of Bristly Ridge L, whose pinnacles and buttresses are clearly delineated by the sunlight before noon. A rather indistinct track threads the soft marshy ground hereabouts, and on leaving the platform it crosses the Miners' Track which comes up from Pen y Gwryd and over to Bwlch Tryfan beneath the crags of Bristly Ridge. Thereafter our route skirts the rim of Cwm Tryfan and eventually joins Route 14 at the top of Bristly Ridge.

Route 19. Gallt yr Ogof. This rounded craggy eminence is the first of the Glyder group to come into view L when proceeding westwards along the Holyhead road from Capel Curig. It may be reached conveniently by walking along the old road from this village where a car may be parked. But a nearer approach for those arriving by car is to park at the farm as for Route 18. At the farm turn L to walk a short distance along the old road to the base of the mountain, whence a nice scramble up a conspicuous diagonal gully places you on the skyline. Here you turn L for the summit and then bear R for the Nameless Peak whose far side slopes down to Llyn Caseg-fraith. At the lake you join Route 18 for the ascent to Glyder Fawr.

Plate 86 **Route 18**—Buttresses of Tryfan. Heather Terrace is plainly obvious. **Route 17**

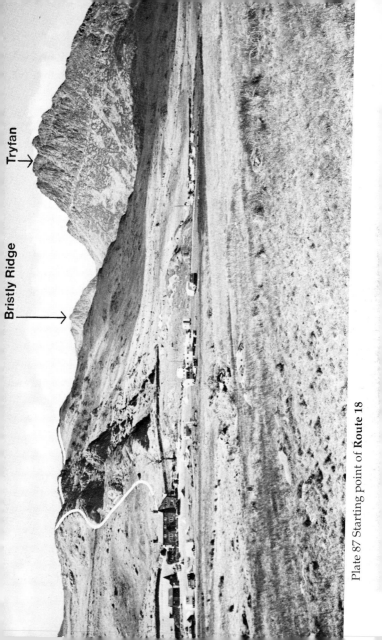

Tryfan

Bristly Ridge

Plate 87 Starting point of **Route 18**

Plate 88 Tryfan from **Route 18**—Bwlch Caseg-ffraith

Plate 89 Bristly Ridge seen from **Route 18**

Plate 90 Llyn Caseg-fraith—Retrospect from **Route 18**

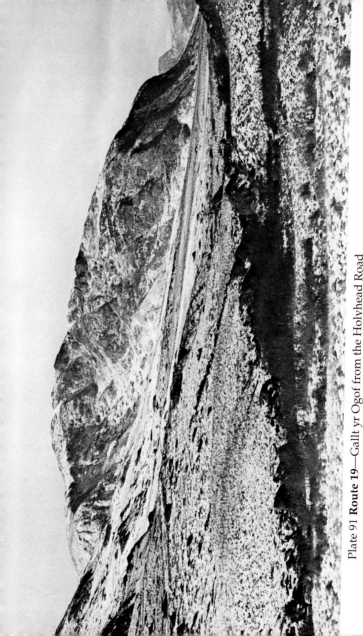

Plate 91 **Route 19**—Gallt yr Ogof from the Holyhead Road

To the farm

Cave

To Capel Curig

Plate 92 **Route 19**

Route 20. The Ridge from Capel Curig. The long and lofty ridge of this group begins almost at the very doors of the village and its complete traverse, followed by the descent from Glyder Fawr to Ogwen Cottage, requires good weather and a long day. The best approach to it is by the lane L of the Post Office and General Store in Capel Curig. Parking is available just across the bridge over the noisy cataract of the Afon Llugwy. Follow the old Ogwen road to the derelict barn beyond the last cottage whence bear L along the rising path until the higher ground is attained. If a direct line along its crest is taken several craggy eminencies will be encountered, and it may be desirable to turn them on L or R. In due course pass round the rim of Nant y Gors R and make for the Nameless Peak to join Route 19 for the remainder of the long tramp.

Car Park

Rte 22 Route 20 mm along the ridge from Capel Curig

Route 21. Pen y Gwryd and the Miners' Track. This popular path begins at a stile below the hotel GR 661558 and at a bend in the road opposite Llyn Lockwood. It takes a more or less direct line for the end of a stone wall running uphill R, which is reached after crossing the stream coming down over bare slabs from Llyn Cwmffynnon. The ground hereabouts is very boggy and even when walking beside the wall several very wet patches are encountered. These terminate on passing through a gap in the wall, near a sharp corner L. Thence a cairned track slants uphill R through rock and heather, and at the end of this steep section it is worthwhile to look back at the fine vista down the Vale of Gwynant, and R to the Snowdon Horseshoe. Now continue the ascent at an easier gradient, past a waterfall L until a break in the rock ridge overhead gives access to vast areas of marshy ground on the summit plateau. Go forward until Llyn Caseg-fraith appears ahead. Here join Route 18 to Glyder Fawr L, or if proceeding to Ogwen Cottage follow the well-marked track that contours round the head of Cwm Tryfan, below the crags of Bristly Ridge to Bwlch Tryfan and the reverse of Route 14.

Plate 94 Vale of Gwynant from **Route 21**

Plate 95 The Glyders from Pen y Gwyrd

Plate 96 Starting point of **Routes 21** and **22**

Route 22. Pen y Gwryd and Llyn Cwmffynnon. This is the most direct route from the south to the reigning peak of the group. Cross the stile below Pen y Gwryd and walk uphill L to reach the outflow of the lake. Continue R round its shore and on reaching the stream, entering it from the Glyders, walk by its banks and take the L branch which rises through the wide opening of Heather Gully. The going is very rough but not as steep as it looks from afar, and the route terminates quite suddenly by the cairns on Glyder Fawr. If the main stream is followed it will lead to the col below the Castle of the Winds, but by bearing L on reaching the grassy slopes the summit of Glyder Fawr may be attained.

Route 23. Pen y Pass and Esgair Felen. Walk round the western end of the Youth Hostel GR 647556 and cross the wall by a stile. Ascend the well marked stony track and on reaching the skyline it opens up a comprehensive view of Llyn Cwmffynnon and the Glyders. Turn L up the long grassy shoulder of Glyder Fawr, past a remarkably perched boulder L, and when near the top of the slope bear L for the conspicuous red precipitous crags of Esgair Felen. This is a magnificent coign of vantage for the appraisal of the Crib Goch – Crib y Ddysgl section of the Horseshoe, for the view into Cwm Glas opposite with the stream falling steeply to the pass below, and for the long vista down the Llanberis Pass to the twin lakes at Llanberis. Having savoured this wonderful panorama turn around and ascend the broad ridge northeastwards that terminates on the summit of Glyder Fawr.

Glyder Fawr

Castell y Gwynt

Llyn Cwmffynon

Plate 98 **Route 23** Llanberis Pass from Esgair Felen

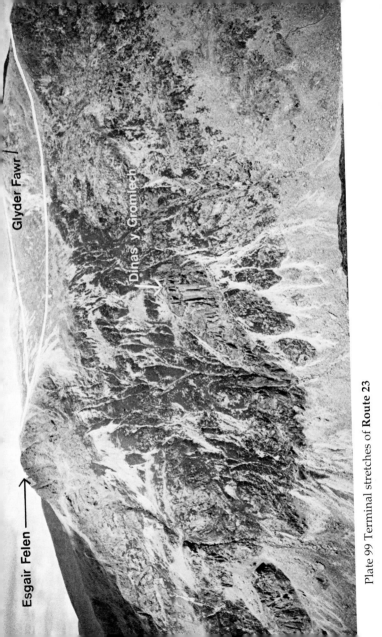

Plate 99 Terminal stretches of **Route 23**

Esgair Felen →

Glyder Fawr

Dinas y Gromlech

Route 24. Nant Peris and Llyn y Cwn. Motorists may park in a large car park in Nant Peris GR 607584 for the start of this fine walk. Go to the bus stop at Gwastadnant in the Llanberis Pass GR 614576 which is about a kilometre above the church in Nant Peris, and there turn L along the stony walled path. This passes a traditional stone cottage and then goes through a small gate beside a larger one to follow the wall on the L towards a second cottage. Here a wooden stile gives access to a waymarked path which crosses a field to the Afon Las. Now turn R and ascend the steep true L bank of the stream and higher up cross a second stile. Keep to the wall running uphill for some 60–70 metres, then take a diagonal course to the R where the eroded track appears ahead. Keep to the R of the cascading stream and also the waterfall on the skyline, whence the gradient becomes easier and is well cairned through Cwm Cneifio where boggy ground leads straight to Llyn y Cwn. Here turn R and ascend the final stages of Route 11 to Glyder Fawr.

If you are bound for Ogwen Cottage by the latter route, it is worthwhile to first bear L beyond the tarn and pick up the stream that leads to the Devil's Kitchen, GR 637587 and there observe the striking view of Llyn Idwal and Llyn Ogwen through the vertical walls of the chasm (Plate 102). Do not attempt to descend the Kitchen which is the strict preserve of the properly equipped rock climber.

It is essential that all walkers adhere strictly to this route as it was closed some time ago before being reopened and waymarked by the National Park warden service.

Plate 100 **Route 24** from Gwastadnant

Plate 101 **Route 24** passes R of the waterfall

Plate 102 **Route 24** Looking down the Devil's Kitchen

Elidir Fawr.

This peak is one of the more westerly of the Glyders group and presents a fine wedge shaped elevation when seen from Carnedd Llywelyn. It is often climbed from Ogwen by way of Y Garn when the distance to be covered is almost 16 kilometres, whereas if ascended from Nant Peris it is considerably less. This approach has received some attention by the Warden Service, due to the popularity of Elidir Fawr as one of the fourteen peaks, of which details are as follows:

Route 24a. Nant Peris and Elidir Fawr. Park all vehicles in the main car park at Nant Peris GR 607584 and walk into the village, turn R just beyond the Vaenol Arms pub by a chapel and follow the tarmaced road which rises gently round to the L to a gate. Pass through it and continue along the cart track leading to Fron Farm GR 605590, but just before reaching a second gate, near a small cottage, break over a field to the R up to a wall and the stile set over it. A stone barn appears ahead and the path goes through a gate on its R and then begins to zigzag over grass to gain height. Around the 350 metre contour it bears L and takes a gently rising line into Cwm Dudodyn on the R which is a public right of way. But on reaching an iron footbridge over the chattering Afon Dudodyn you cross it and the real collar work begins. It is a stiff climb all the way to the summit of Elidir Fawr, and to facilitate the crossing of a high mountain wall higher up its grassy slopes stiles have been erected . This lofty coign of vantage opens up a wide panorama round the western arc, and includes Anglesey and unusual prospects of the Snowdon Range.

Elidir Fawr

Plate 103 **Route 24a** starts from the gate to Fron Farm

Plate 104 **Route 24a** — Retrospect from the zig-zags: Fron Farm on the R

Plate 105 **Route 24a**—The footbridge in Cwm Dudodyn where the collar work begins!

Y Garn and Foel Goch
Route 25. Ogwen Cottage and Llyn Clyd. These two mountains make a picturesque backdrop to the western prospect from the head of Llyn Ogwen, and when seen by morning light a dark shadow is cast into the wild cwm immediately below the summit of Y Garn, in which repose, out of sight from this viewpoint, the small tarn of Llyn Clyd and a placid pool just above it. The direct ascent of this peak is tough and unyielding, and there are two well-defined tracks: the fishermen's route is if anything less steep and rises to the L of the stream to end at Llyn Clyd; the other route is some distance R and takes a direct line to the grassy ridge hemming in the cwm.

Follow Route 11 to Llyn Idwal and bear R along its shore, crossing the bridge over the stream that flows from the lake. Pass round a boggy hollow and then ascend one or other of the alternative tracks already mentioned. Keep to the well-trodden path which rises along the crest of the north-east ridge all the way to the cairn on Y Garn, and meanwhile note the wild prospect of the cwm below L. The isolated summit of Y Garn is a grand viewpoint and to the south unfolds a grim prospect of Snowdon and its satellites, with R views of Llanberis and the sea on a clear day. But it is the Glyders themselves that will hold the gaze, for their rocky cwms are disclosed to perfection across the void. Tryfan and Llyn Ogwen will catch the eye to the east and the riven declivities of Pen yr Ole Wen on the other side of Nant Ffrancon to the north contrast strangely with the smooth green slopes of the Carneddau in the background. Now walk in a north-westerly direction and keep to the rim of the cwm R all the way to Foel Goch, whose cairn is scarcely as revealing as that of Y Garn. This tramp, together with the return descent, is enough for the average pedestrian's day, but strong walkers should continue along the lofty ridge to Mynydd Perfedd which opens up a striking prospect of Elidir Fawr L, with Marchlyn Mawr below. Those bound for Llanberis may traverse Elidir and descend to Nant Peris by reversing Route 24a.

Plate 106 **Route 25**—Y Garn from Llyn Ogwen—alternative starts

However, those who wish to shorten their route may descend direct to the Nant Peris valley from Foel Goch by way of Esgair y Ceunant to the south-west, where a stile has been erected over the high mountain wall.

Route 26. Ogwen Cottage and the Devil's Kitchen. Follow Route 25 to the boggy hollow and pick up the track L that skirts Llyn Idwal with splendid views of Idwal Slabs L. Then continue its ascent through the boulders to the Kitchen, and bear L to climb the shelf which emerges on the Llyn y Cwn plateau – as for Route 11. Here turn R and scale the grassy slopes of Y Garn, making sure you keep to the marked path to avoid further erosion, and on encountering craggy ground on the edge of the ridge, glance down to Llyn Clyd before attaining the cairn on the summit of this peak.

Llyn Clyd

Plate 107 **Route 25**—Wild Cwm on Y Garn

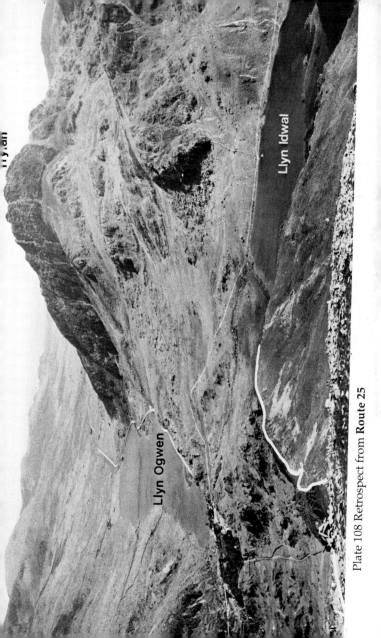

Llyn Idwal

Llyn Ogwen

Plate 108 Retrospect from **Route 25**

Lliwedd   Crib Goch   Snowdon   Crib y Ddysgl   Clogwyn Du'r Arddu

Esgair Felen   Cwm Glas

Plate 109 **Route 25**—Snowdon from Y Garn

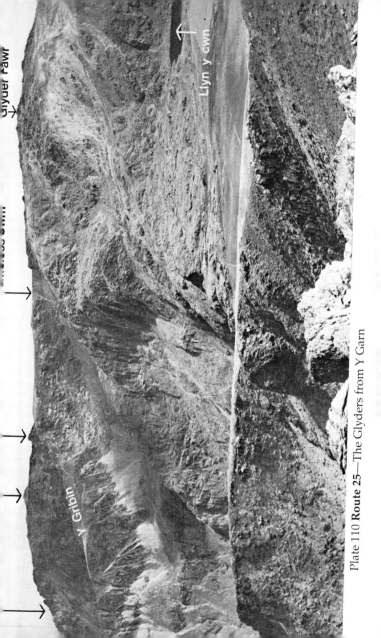

Glyder Fawr

Llyn y cwn

Y Gribin

Plate 110 **Route 25**—The Glyders from Y Garn

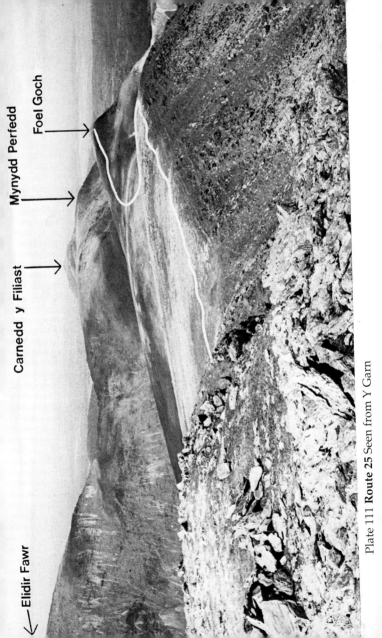

Elidir Fawr ↓   Carnedd y Filiast   Mynydd Perfedd   Foel Goch

Plate 111 **Route 25** Seen from Y Garn

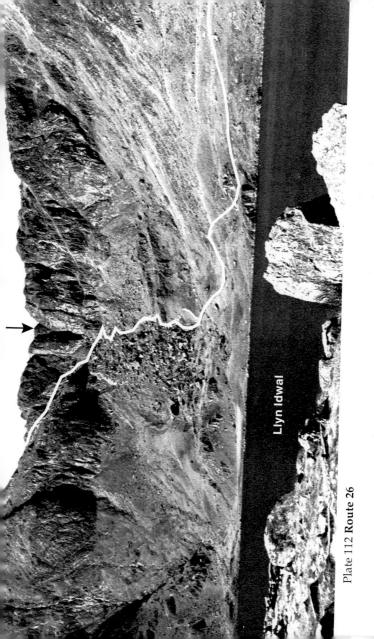

Llyn Idwal

Plate 112 **Route 26**

Plate 113 Idwal Slabs from **Route 26**

The Carneddau

Carnedd Llywelyn	1064 metres	3490 feet
Carnedd Dafydd	1044 metres	3425 feet
Pen yr Ole Wen	978 metres	3208 feet
Foel Grach	976 metres	3202 feet
Craig Llugwy	970 metres	3184 feet
Yr Elen	962 metres	3156 feet
Foel Fras	942 metres	3090 feet
Yr Aryg	866 metres	2875 feet
Llwytmor	838 metres	2749 feet
Pen yr Helgi-du	833 metres	2732 feet
Pen Llithrig y Wrach	799 metres	2621 feet
Drum	770 metres	2526 feet
Craig Eigiau	735 metres	2411 feet
Creigiau Gleision	678 metres	2224 feet
Pen y Castell	623 metres	2043 feet
Tal y Fan	610 metres	2001 feet
Crimpiau	457 metres	1500 feet

OS Map: Landranger 115 Snowdonia
Outdoor Leisure 16 & 17 Snowdonia & Conwy Valley

The Carneddau comprise the largest group of hills in Snowdonia and consist mainly of broad grassy ridges, scantily interspersed with outcrops of rocks, save the well known cliffs of Craig yr Ysfa, Black Ladders and the steep shattered southern front of Pen yr Ole Wen.

They afford excellent walking country, free from major problems, but the distances to be covered in their exploration are misleading to the eye, and, moreover, the vast plateau-like summit of Carnedd Llywelyn is one of the mistiest spots in the group.

Map 3
Carneddau—South

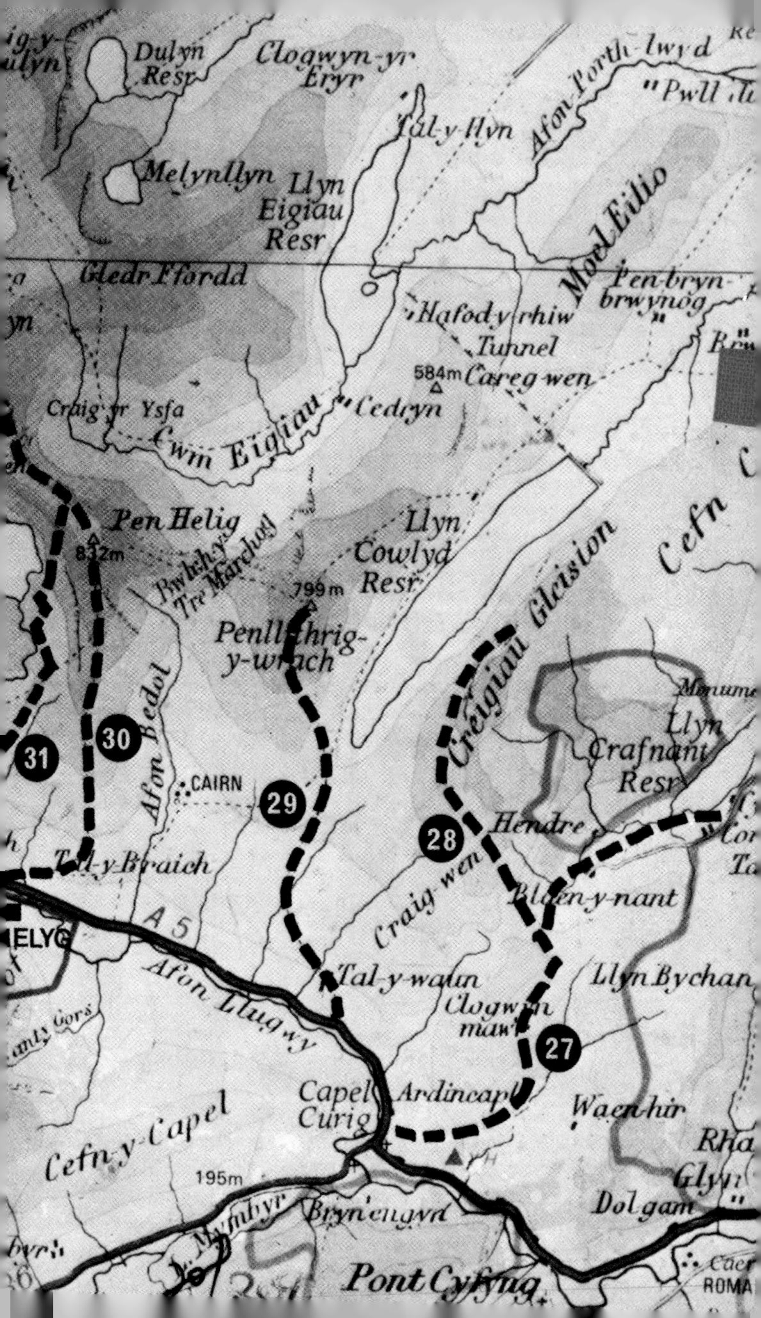

Dulyn Resr
Clogwyn-yr Eryr
Afon Porth-lwyd
"Pwll
Tal-y-llyn
Melynllyn
Llyn Eigiau Resr
Moel Eilio
Gledr Ffordd
Pen-bryn-brwynog
Hafod-y-rhiw
Tunnel
584m
Careg-wen
Craig yr Ysfa
Cedryn
Cwm Eigiau
Pen Helig
832m
Bwlch-y-Tre Marchog
Llyn Cowlyd Resr
Cefn
799m
Penllithrig-y-wrach
Creigiau Gleision
Afon Bedol
30
31
CAIRN
29
28
Llyn Crafnant Resr
Hendre
Tal-y-Braich
Craig wen
Blaen-y-nant
A 5
Afon Llugwy
Tal-y-waun
Llyn Bychan
Clogwyn mawr
27
Capel Curig
Ardincaple
Waen-hir
Cefn-y-Capel
195m
Dolgam
Bryn'engyd
Pont Cyfyng
ROMA

In extremely bad conditions walkers may go on to the small stone shelter some fifty to seventy five metres north east of the nearby Foel Grach summit GR 688659. Moreover, in this immense area it is easy to get lost in bad weather, and I therefore advise all to descend by one or other of the routes described herein if they wish to reach the valley safely.

The enormous whale-back ridges, though in places well cairned, can be difficult in mist owing to the absence of well defined landmarks, and in bad weather walks should be confined to the ascent of one or other of the peaks within easy reach of the Ogwen Valley. To make a successful traverse of the range in these conditions requires expert use of map and compass, together with long experience of the hills as a whole, but on clear days few difficulties should be encountered.

The following routes include most of the popular ascents, but in view of the vast distances from the well-known centres most of the northerly tops have been omitted from this work.

Unhappily, however, it will come as a great surprise and disappointment to all who are bound for Craig yr Ysfa when they find this cherished wilderness has been invaded by the Central Electricity Generating Board. For they have replaced the old straight track from Helyg which penetrated into the heart of the Carneddau with a road that ends at the dam constructed at Ffynnon Llugwy. The purpose of this 2.5 kilo-metre road is to service the reservoir which is part of the Dinorwic Pump Storage Scheme. This piece of vandalism in the Snowdonia National Park will always be an eyesore to every lover of this delectable part of Wales.

Route 27. Llyn Crafnant and Crimpiau. The easy walk to this lovely lake through a charming wild valley is one of the delights enjoyed by every visitor who stays in Capel Curig GS 7258 and if desired may include Llyn Geirionnydd GS 7660 on the return journey. However, the former may also be reached by car from Trefriw and the latter by turning off at the Ugly House. Hence, by combining walking with driving this enchanting corner of the Carneddau can be seen with the minimum of effort.

The route for pedestrians leaves Capel by the stile opposite the Post Office. Follow the path past the conspicuous Pinnacles R, then cross a stream where the ground is often damp, and go through another gate into some woods at the foot of a rocky eminence L. On emerging from the trees walk over the flat stones laid throughout in damp places, then cross another stream and continue uphill at an easy gradient until the valley comes into view ahead. Now pass round a vast stretch of marshy ground L and later bear R into the upper reaches of the valley which is hemmed in L by the craggy ridge that culminates in Crimpiau GR 733595. Continue ahead through rock and heather until the watershed is reached, whence pass through a wall and stroll downhill to the sylvan shore of Llyn Crafnant.

Crimpiau appears on the skyline L from the highest point of the path. GR 738595. Bear L here by a less distinct track and on reaching rougher ground keep R until a cairn is encountered in thick heather. Then zigzag more steeply through the scattered crags, taking whichever way is fancied, and eventually bear L to attain the little plateau whose summit cairn is conspicuous at its western end. The vista along the Ogwen Valley suddenly bursts upon the eye and will doubtless come as a great surprise. Looking round the great arc from L to R the panorama reveals: Moel Siabod and the Llynnau Mymbyr, Moel Hebog and part of the Snowdon Group, the immense mass of the Glyders, Tryfan, Foel Goch and the Carneddau from Pen yr Ole Wen to Creigiau Gleision. There is also a bird's-eye view of Llyn Crafnant.

Plate 114 Capel Curig Post Office **Routes 27 and 28** start here

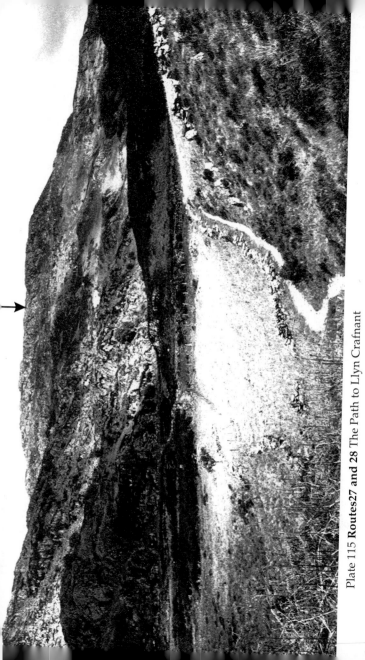

Plate 115 **Routes27 and 28** The Path to Llyn Crafnant

Llyn Crafnant

Path

Plate 116 **Route 27** Lake and path from slopes of Crimpiau

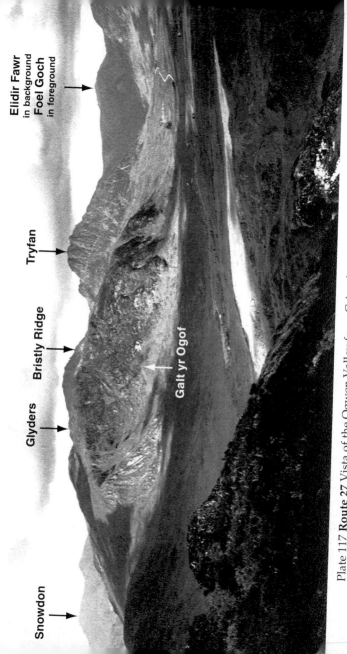

Snowdon

Glyders

Bristly Ridge

Tryfan

Elidir Fawr in background **Foel Goch** in foreground

Galt yr Ogof

Plate 117 **Route 27** Vista of the Ogwen Valley from Crimpiau

Route 28. Creigiau Gleision. This lofty ridge is nearly three miles due north of Capel Curig and the most easterly peak in the Carneddau over 600 metres in height. It is supported by a long line of broken crags, its crest is over a mile in length, and on the west its slopes fall steeply to Llyn Cowlyd. On the south east, however, its gradient is easier but dappled with crags, beneath which plantations of conifers descend to the shore of Llyn Crafnant.

Follow Route 27 to Crimpiau, pass the cairn and descend steep grass on its north side. Cross a wall at its highest point and pick up the track beyond it which leads to a large sheepfold GR 729599 immediately at the foot of Craig Wen, a prominent rocky eminence conspicuous in the view from Crimpiau. Continue along the now less distinct track keeping all craggy outcrops well R passing by Moel Defaid and Craiglwyn and on skirting the last of the knolls at spotheight 678m, the summit of Creigiau Gleision GR 733623 comes into view. The cairn stands on the highest section of the long ridge with steep drops to the northwest and opens up extensive views to the east, in which the blue of several tarns and lakes will catch the eye. To the west, however, views of the Carneddau are restricted by Pen Llithrig y Wrach on the other side of Llyn Cowlyd, but the south-western arc discloses Moel Siabod, the Glyders, Tryfan and Y Garn to advantage. Creigiau Gleision may also be reached by diverging R when Llyn Cowlyd comes into view during the ascent of Route 29.

Plate 118 Retrospect of **Route 28**

Creigiau Gleision

Plate 119 Last stretch of **Route 28**

Plate 120 **Route 28**—The summit of Creigiau Gleison

Plate 121 **Route 29**—The view from Tal y Waun

Route 29. Pen Llithrig y Wrach. This pointed peak is the last sentinel on the ridge descending to the south-east from the dominating peak of the group, and is a conspicuous object when seen from Capel Curig. Park behind the post office GR 720581 and walk along the Holyhead road from the village and after passing Bron Heulog go through a narrow gate R and follow the track past Tal y Waun L. GR 717594. The direction across the moor was formerly indicated by some conspicuous power lines which have now been removed. In dry weather this was the most direct route, but as the terrain hereabouts is notoriously wet and boggy, it is better to bear L beyond the cottage, cross a low wall on the L of a deep pool and pick up a line of posts which later veer R to join the more direct route. A leat is eventually encountered, and although the more athletic walker may spring across it and land on a muddy bank, it is advisable to turn L until a bridge appears ahead. After crossing the bridge bear R over a stile, GR 717609, where the path opens up a fine prospect of Llyn Cowlyd below, enclosed by Pen Llithrig L and by Creigiau Gleision R. Now cross another plank L over a stream and make for a clearly marked grassy depression that terminates on the skyline, crossing several rocky outcrops en route. Then bear north over steep grass until the cairn surmounting Pen Llithrig appears on the skyline. The vast panorama round the south-western arc is revealing and includes all the familiar peaks from Moel Siabod to Carnedd Llywelyn, with below the latter a good view of Craig yr Ysfa R of the grassy Pen yr Helgi-du.

Plate 122 **Route 29**—Pen Llithrig y Wrach from the Moor

Plate 123 The view of Llyn Cowlyd from **Route 29**

Plate 124 **Route 29**—Last stretch to the summit

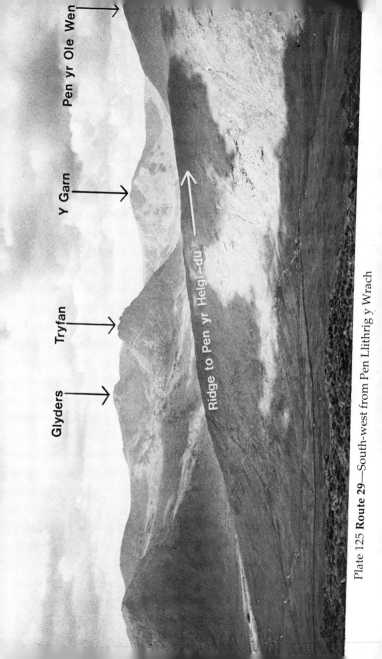

Plate 125 **Route 29**—South-west from Pen Llithrig y Wrach

Pen yr Ole Wen

Y Garn

Tryfan

Glyders

Ridge to Pen yr Helgi-du

Carnedd Dafydd   Pen yr Helgi-du   Craig yr Ysfa   Carnedd Llywelyn

Plot 126 **Route 29** West from Pen Llithrig

Route 30. Pen yr Helgi-du. This is the culminating point of the grassy ridge that takes root at Tal y Braich, and its cairn is about 3 kilometres north of the Holyhead road. Parking is only possible at the farm of Gwern Gof Isaf GR 685601. It may be conveniently approached from Helyg, by taking the side road to Tal y Braich on the L of which is a conspicuous stile. Cross it and follow the grassy track to the north-west corner of the field where a bridge GR 700606 spans the leat which carries water from the hillside to Llyn Cowlyd R. Cross the bridge, and attain the lower slopes of the broad ridge, then keep to its gradually ascending crest until the cairn is reached, GR 698630. To the north it is steep and rocky, and those wishing to extend their walk may do so by crossing the narrow ridge to Craig yr Ysfa L, or by tramping over the broader ridge to Pen Llithrig y Wrach R. The spacious views unveiled from the summit are interesting and reveal Llyn Eigiau to the north, the hills about Capel Curig to the east, Gallt yr Ogof and the wedge of Tryfan to the south, and the precipitous crags of Craig yr Ysfa, crowned by the immense summit of Carnedd Llywelyn, to the north-west. By moving over to the edge of the summit plateau L, a bird's eye view is obtained of Ffynnon Llugwy, which occupies the floor of the wild cwm below. Those who ascend Pen yr Helgi-du *en route* for Carnedd Llywelyn may avoid the last rise to its summit by following a track L which provides an almost level course to the connecting ridge.

Route 31. Helyg, Craig yr Ysfa and Carnedd Llywelyn. This walk is one of the most interesting and revealing ascents in the Carneddau, and if the descent is made by reversing one or other of the following two routes it yields the finest circuit in this lofty group of hills, and moreover, is the most rewarding to the photographer. Park at Gwern y Gof Isaf and ascend the road that ends at Ffynnon Llugwy. At a derelict building on the R, go R on the track that rises gradually at first then steeply to Bwlch Eryl Farchog GR 635634. Here a carpet of heather and

Pen yr Helgi-du →   Penllithrig-y-wrach →

Plate 127 Route 30

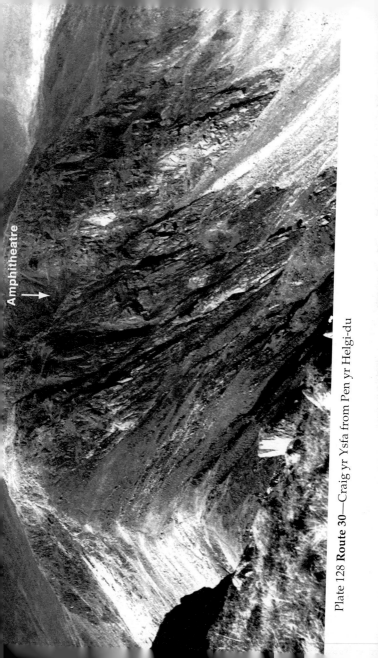

Amphitheatre

Plate 128 **Route 30**—Craig yr Ysfa from Pen yr Helgi-du

Pen yr Ole Wen
→

Plate 129 **Route 31**—Helyg—The Climbers' Club Hut

bilberries makes a luscious foreground to the spacious view of Cwm Eigiau, with the blue of the lake shimmering in the distance and L, a prospect of the sharply falling crags of Craig yr Ysfa. The retrospect hereabouts is worthy of note, with Bristly Ridge and Tryfan, and Y Garn above Llyn Ogwen R. From the col climb a twisting path with a short scramble that emerges on the ridge above Craig yr Ysfa, Pen y Waen Wen GR 691638 but before going too far glance back at the route so far ascended with Ffynnon Llugwy below. Halt awhile on the rim of Craig yr Ysfa which discloses the vast Amphitheatre, hemmed in on either side by sheer cliffs that are the treasured playground of the rock climber. Note also the undulating ridge R which displays the sharp drops on the northern flanks of both Pen Llithrig y Wrach and Pen yr Helgi-du. Continue the walk by ascending the long ridge that terminates on the summit of the reigning peak of the group.

The top of Carnedd Llywelyn is a vast plateau, and is a place that requires care in mist owing to the difficulty in locating the safe ways off the peak. It supports a large cairn and its mossy surface is dappled with stones and strangely contorted groups of boulders. The panorama on a clear day is best seen by strolling round the rim of the plateau, and while it splendidly reveals the broad grassy ridges of this group trailing away to the north, with the shapely peak of Yr Elen L, it is the south-western arc that will hold the gaze. The Glyders, Snowdon and the top of Pen yr Ole Wen lead the eye R to the long ridge of Carnedd Dafydd, with a glimpse of the distant Rivals, Moel Elio and the beautiful sharp cone of Elidir Fawr, with still further R the sea stretching to infinity.

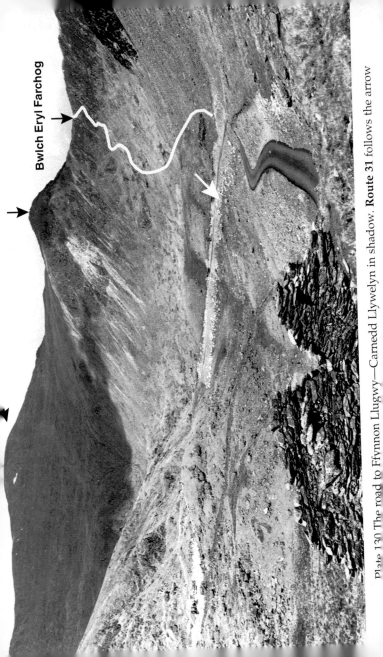

Bwlch Eryl Farchog

Plate 130 The road to Ffynnon Llugwy—Carnedd Llywelyn in shadow. **Route 31** follows the arrow

Craig yr Ysfa

Ffynnon Llugwy

Plate 131 **Route 31**

Plate 132 Bird's-eye view of **Route 31**

Ffynnon Llugwy

Plate 133 **Route 31** Precipices of Craig yr Ysfa

Plate 134 Craig yr Ysfa from Cwm Eigiau

Plate 135 The last ascent of **Route 31**

Pen yr Helgi-du

Penllithrig-y-wrach

Cwm Eigiau

Plate 136 **Route 31** Summit Cairn on Carnedd Llywelyn

Yr Elen

Plate 137 **Route 31** View from summit

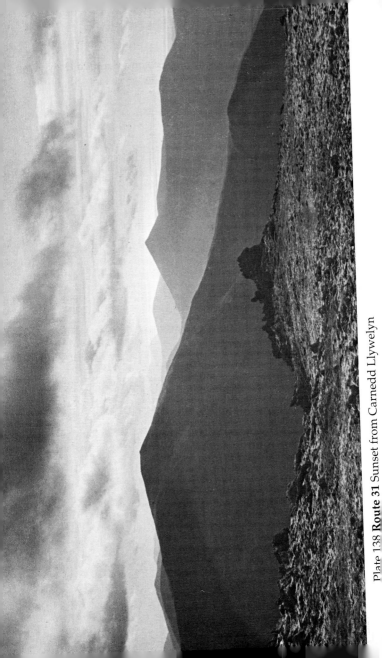

Plate 138 **Route 31** Sunset from Carnedd Llywelyn

Route 32. Llyn Ogwen, Pen yr Ole Wen and Carnedd Dafydd.

Motorists may park along the side of the road or in one of the car parks along the shores of Llyn Ogwen. From the club hut of the Midland Association of Mountaineers at Glan Dena, GS 6660, take the track towards the farm of Tal y Llyn Ogwen, bear R before reaching the gate entrance to the farm and follow the wall for a short distance then cross the stile to get onto the path above which follows the Afon Lloer into the wide mouth of the wild cwm above. After climbing a stile in the wall turn L and make your way through the crags at the foot of the eastern spur of Pen yr Ole Wen, and above them ascend over grass and shale to the summit of this first peak. On the way, glance down into the cwm R and note the rough triangular shape of its lake. From Pen yr Ole Wen follow the well-worn stony track R whose ups and downs are clearly seen as far as the summit of Carnedd Dafydd. The summit is reached over a well scratched track across stones and boulders. Before departing this lofty peak, look back at the view whose skyline reveals the Glyders, Crib Goch and Snowdon above the enclosing slopes of Ffynnon Lloer, with the tops of Y Garn, Craig Cwm Silyn and Mynydd Mawr to the R. Now turn your steps in the direction of Carnedd Llywelyn, which appears as an uninteresting but massive, grassy hill. Descend L over the stones to a cairn and look down on the grim bastions of Black Ladders R, whose almost vertical cliffs are seldom visited except by winter ice climbers. Pass round their craggy rim by Craig Llugwy GR 678632 and make your way over the broad stony ridge to the summit of the highest peak of the group.

← Pen yr Ole wen

Ffynnon Lloer

Tai-y-llyn Ogwen →

Llyn Ogwen ↓

The text of **Route 37** including Pen yr Ole Wen

Plate 140 Cwm Lloer seen from **Route 32**

Carnedd Dafydd →

Ffynnon Lloer

Plate 141 Route 32

Mynydd Mawr

Nantlle Ridge

Garn

Pen yr Ole Wen

Ffynnon Lloer

Plate 142 **Route 32**—Retrospect from Carnedd Dafydd

Plate 143 Black Ladders from **Route 32**

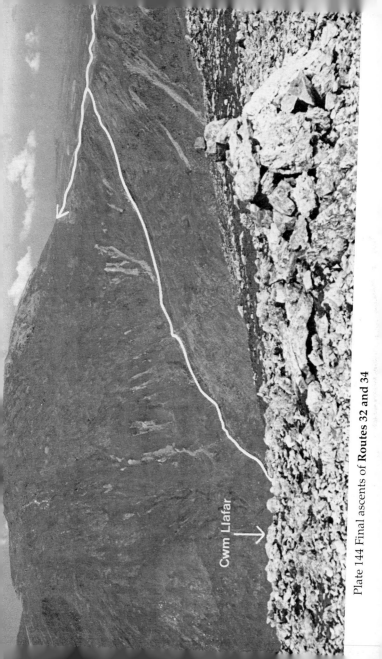

Cwm Llafar

Plate 144 Final ascents of **Routes 32 and 34**

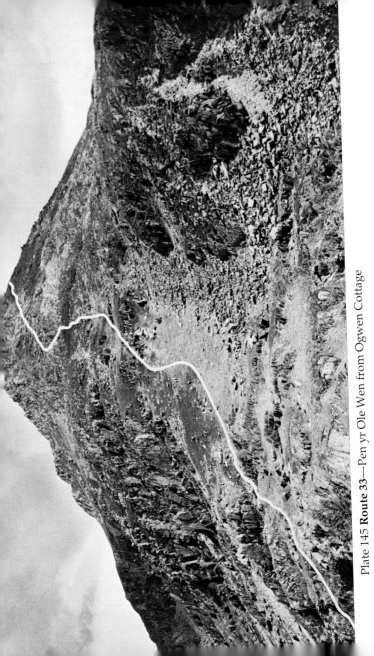

Plate 145 **Route 33**—Pen yr Ole Wen from Ogwen Cottage

Route 33. Ogwen Cottage and Pen yr Ole Wen. The direct
ascent of this lofty sentinel is one of the toughest in all
Snowdonia and should only be undertaken by those who revel
in the ascent of slippery scree that is almost everywhere
overgrown with deep heather.

Leave the Cottage GR 650603 and walk along the road
towards Bethesda. Glance below the main bridge over the
roaring waters of the river Ogwen and you will see the ancient
packhorse bridge arched delicately above the torrent. Go over
a simple stone stile set in the wall R and then over the rocks to
gain the steep grassy slopes ahead, from where a narrow path
winds its way aloft. On reaching a rough platform the real
collar work begins, and although the ascent may be continued
by any of the indistinct tracks through the heather, it is easier
to bear R until the edge of the slope is reached and then zigzag
L to the first top. Now climb over boulders to the second and
real summit of the peak, beyond which you join Route 32 along
the lip of Cwm Lloer and on to Carnedd Dafydd.

The view to the south from the ascent of Pen yr Ole Wen is
one of the most striking in the region, because it not only
discloses a remarkable prospect of the North Ridge of Tryfan,
but also a superb vista right into Cwm Idwal far below. Glyder
Fawr appears above Idwal Slabs, and Crib Goch, Snowdon and
Crib y Ddysgl above the Devil's Kitchen. You should note that
photographs of these dramatic scenes are best taken in the late
afternoon of a clear summer day, when the westering sun
illuminates the deep cwm to perfection by the elimination of
too much shadow.

Plate 146 Tryfan and Lyn Ogwen from **Route 33**

Plate 147 **Route 33**—Cwm Idwal from the summit

Gwaun-y-gwiail

Plate 148 Starting point of **Route 34**

Route 34. Bethesda and Carnedd Llywelyn. This ascent begins with a long walk up a pleasant and spacious valley and concludes with a stiff climb at its head. In consequence the views are restricted until the peak is gained.

The route begins at Gwaun-y-Gwiail GR 638660 which stands at the broad mouth of Cwm Llafar. Parking can be very difficult to find and it may be preferable to park down in the village. You must not obstruct the lane. Follow the path with the Afon Llafar L and cross its tributary, the Afon Cenllusg, to continue beside the main stream. Ascend the path which mounts between it and the slopes of the steep ridge surmounted with crags R and with the grim cliffs of Black Ladders ahead. When Nant Ddu and Nant Fach join the Afon Llafar GR 665640 follow the latter to its source beneath Carnedd Llywelyn. Then climb straight up the steep grass to the ridge which is a broad col between Llywelyn and Craig Llugwy as for Route 32. From here bear north-east for the immense summit.

A longer variation takes in Yr Elen, which is reached by walking for about 2 kilometres along the path, when you should bear L up its western ridge over Foel Ganol GR 668655, and after passing the craggy summit of Yr Elen, keep to the narrow ridge, with steep drops L to the diminutive Ffynnon Caseg, until the crowning peak of the group is attained.

A third possibility is indicated in plate 149 where one ascends the long whaleback ridge of Carnedd Dafydd, passing Mynydd Du en route and taking care not to fall over the precipitous edge to the L. Once the top of Dafydd is reached continue as for Routes 32 and 33.

Plate 149 Variations of **Route 34**

Plate 150 Starting point of **Route 35**

Plate 151 **Route 35**—Aber Falls

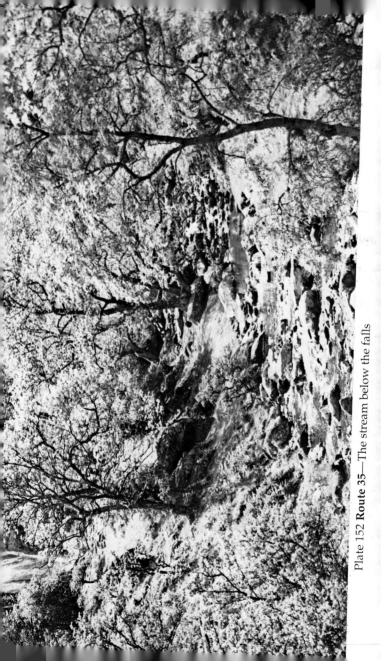

Plate 152 **Route 35**—The stream below the falls

Route 35. Aber Falls and Carnedd Llywelyn. This long walk is often undertaken by visitors staying as far away as Capel Curig, and the only convenient way of doing it is to persuade someone to drive you to Aber in the morning and to pick you up at an agreed spot in the Ogwen Valley in the late afternoon. The usual starting point is Pont Newydd, GR 663720, where there is ample parking. The path goes through a gate R of the bridge and is clearly marked as it winds its way beneath abundant trees for about two kilometres. It ends immediately opposite Aber Falls, where the Afon Goch takes a dramatic leap over some 60 metres of cliff. When the stream is in spate this splendid display should on no account be missed. This section of the valley is Coedydd Aber National Nature Reserve. The track to Carnedd Llywelyn bears L about 500 metres short of the fall and rises gradually across a vast scree slope. It then takes an exposed course on rocky slopes L, with sensational drops R to the base of the falls, and thereafter mounts over grass beside the musical cascades of the stream R. After passing a prominent sheepfold GR 671696 the valley widens considerably, with the craggy top of Llwytmor L, and Bera Mawr R, crowned with immense crags. The stream is followed as far as its sources between Foel Fras L and Yr Aryg R GR 680673. Now bear R across a marshy track and climb the latter peak, and from here follow the broad grassy ridge south-east first to Garnedd Uchaf then south over Foel Grach GR 689659 to Carnedd Llywelyn, with views R of the craggy ridge of Yr Elen below which nestles the tiny tarn of Ffynnon Caseg. Strong walkers may vary this route by leaving the Afon Goch at the sheepfold and ascending over grass to the rocky summit of Bera Mawr, GR 674682, then keep to the rising contours west of Yr Aryg and after crossing the spur of Foel Grach circle round Cwm Caseg and scramble up to the lofty connecting ridge of Yr Elen, which is visited before attaining Carnedd Llywelyn.

Map 4
Carneddau—North

Bera Mawr

Plate 153 **Route 35**—Above the falls

The Moel Siabod Group

Moel Siabod	872 metres	2860 feet
Moelwyn Mawr	770 metres	2526 feet
Moelwyn Bach	710 metres	2329 feet
Allt Fawr	698 metres	2290 feet
Cnicht	689 metres	2260 feet
Moel Druman	676 metres	2217 feet
Ysgafell Wen	672 metres	2204 feet
Moel yr Hydd	648 metres	2125 feet

OS Map: Landranger 115 Snowdonia
Outdoor Leisure 16/17 Snowdonia & Conwy Valley

The shapely peak of Moel Siabod is the northern sentinel of a vast upland area, dappled with lakes and tarns, that sprawls in a south-westerly direction to end with the Moelwyns in the east and Cnicht in the west. It is perhaps strange that the topography of the group reveals so few mountains worthy of attention, and were it not for the graceful tapering lines of the latter which, when seen end-on from the south-west is reminiscent of the Matterhorn, it might well escape the notice of walkers. As it is, there are few who tread its isolated summit, and fewer still who scale and traverse the more distant Moelwyns. Nevertheless, there is no doubt that the group as a whole affords grand walking country, and especially that part of it centred round the attractive blue of Llyn Edno.

Since Moel Siabod overlooks Capel Curig, this is the obvious starting point for its shortest ascent, but it should be borne in mind that owing to the easy gradient of its grassy slopes it may be ascended from many directions; the only exception being the precipitous south eastern side above Llyn y Foel.

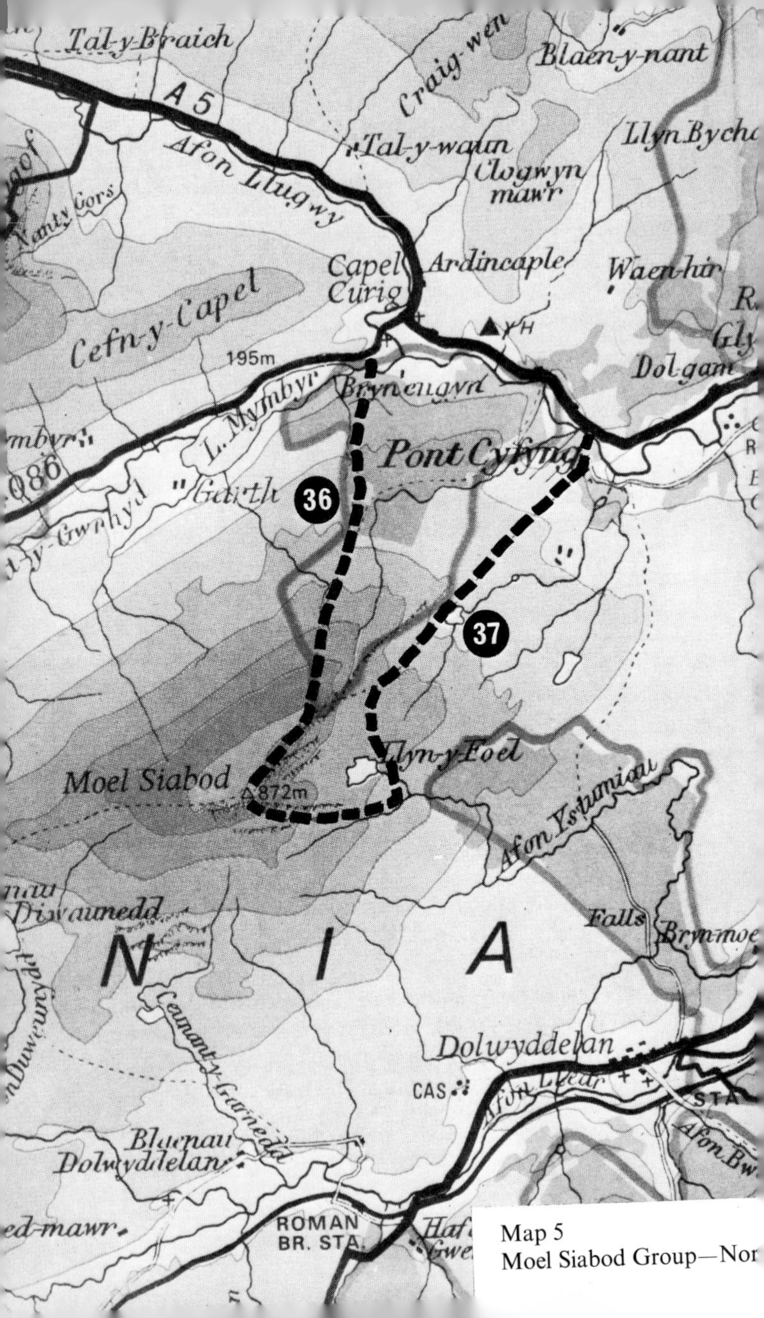

Map 5
Moel Siabod Group—Nor

Route 36. The Royal Bridge and Moel Siabod. Leave the village by the Royal Bridge, GR 716577, known locally as Pont y Bala, a wooden structure spanning the outflow of Llynnau Mymbyr, and note the splendid prospect of the Snowdon group R. Follow the path into the forest plantations clothing the lower hillside and mount the path that winds its upward way through them, eventually to emerge from the leafy canopy with the foreshortened view of the peak on the skyline ahead GR 713565. Now make your way almost straight to the ridge where a succession of large flat rocks deck the crest. There are sensational views L down the cliffs to Llyn y Foel. These rocks pave the way to the summit cairn standing amid a chaotic collection of boulders. A variation of this route goes L above the trees and eventually reaches the crest of the north-eastern ridge of the mountain which is climbed in its entirety. It has the advantage of spacious views on either hand during the greater part of the ascent.

The panorama from Moel Siabod is of exceptional interest owing to its isolated position on the eastern fringe of Snowdonia, and while its extensive views round the south-western arc will disclose both near and distant objects, including Dolwyddelan Castle below, it is the western prospect of a galaxy of peaks and valleys that will rivet the gaze. The Snowdon Group first catches the eye and on the L of Lliwedd appears the sharp cone of Yr Aran, with further L Moel Hebog and its satellites. Below them there are glimpses of Llyn Dinas and Llyn Gwynant. To the R of Snowdon rise the Glyders, with both Bristly Ridge and the top of Tryfan prominent above the intervening ridge, and with further R the conspicuous sloping top of Pen yr Ole Wen leading the eye to the tremendous landscape of the Carneddau, where Carnedd Llywelyn appears above the falling craggy ridge of Gallt yr Ogof.

Moel Siabod

Plate 154 **Route 36**—Moel Siabod from the Royal Bridge, Pont y Bala

Moel Siabod

Plate 155 Variations of **Route 36**

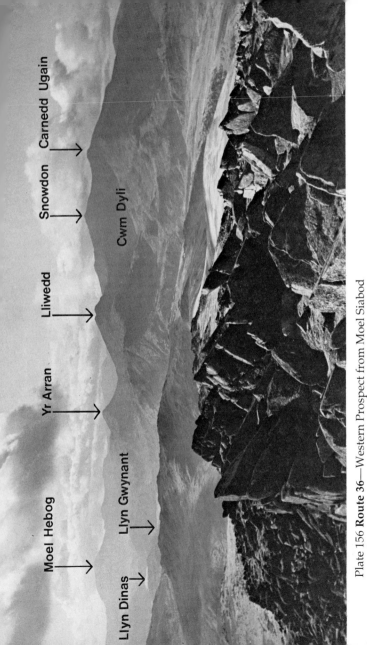

Moel Hebog   Yr Arran   Lliwedd   Snowdon   Carnedd Ugain

Llyn Dinas   Llyn Gwynant   Cwm Dyli

Plate 156 **Route 36**—Western Prospect from Moel Siabod

Route 37. Cyfyng Falls, Llyn y Foel and Moel Siabod. This is the finest and most rewarding ascent of the dominating peak of the group, because it unfolds a close view of its precipitous south eastern front, an aspect that is not clearly revealed from more distant viewpoints.

Walk down the road from Capel Curig and turn R over the stone bridge spanning Cyfyng Falls. GR 734573. These are worthy of notice when the Afon Llugwy is in spate and a good viewpoint will be found farther down the highway. Avoid the first fork R over the bridge, but bear R at the second and ascend the old quarry road which, on emerging from the trees, passes an attractive farmhouse R. GR 733568. Thereafter continue along the now grassy road across the open moor, with views R of Capel Curig below and of the subsidiary top of Moel Siabod straight ahead. You must ensure that you stay strictly to the marked path all the way. Now go ahead past a small tarn L until the old slate quarry buildings are reached, from which you continue over a rise ahead and Llyn y Foel will come into view, hemmed in R by the rocky bastions of the peak. Walk L round the tarn and pass its outflow to gain the foot of the broken ridge GR 714545 rising to the summit of Moel Siabod. Climb along the edge of the crags for the view down into the wild cwm R and find a way in and out of the rocks and boulders until the cairn appears suddenly on the skyline.

Those who wish to, may by pass Llyn y Foel and strike out R for the north east ridge just a little before the small tarn GR 724558 below the main quarry.

Plate 157 **Route 37**—Cyfyng Falls in spate

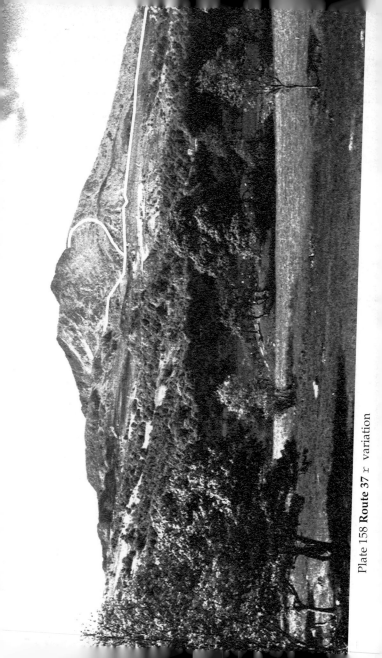

Plate 158 **Route 37** r variation

Plate 159 Final ascent of **Route 37**

Llyn y Foel

Plate 160 Cnicht from Tan-lan

Llyn Edno

Moel Meirch

passing place for cars; no parking

Plate 161 **Route 38** Follows the course of Afon Llyn Edno

Snowdon　Crib y Ddysgl　Crib Goch

Llyn Edno

Plate 162 **Route 38**

Route 38. Cnicht by the Dog Lakes. This is one of the most delightful walks in the whole group and allows plenty of time for browsing in the heather beside one or other of the lovely tarns that are passed on the way. A car is useful for getting to Nantmor, because it not only saves time which may be spent more pleasantly on the higher ground, but it also facilitates the descent of Cnicht by reversing Route 40 if the vehicle is driven round to Croesor.

Drive along the charming Vale of Gwynant and turn south for the sequestered valley of Nantmor by crossing the bridge that spans the Afon Glaslyn near Bryn Dinas. GR 626503. Drive carefully up the steep and narrow road between stone walls. At its highest point the road turns sharp R near two gates. There is limited parking along this stretch of the road so you must go further along to park at some disused quarries. GR 633485. Walk back to the sharp bend and go through the gate R GR 637495 to reach the Afon Llyn Edno which is followed R uphill all the way to its source. The immediate ascent is the steepest and roughest section of the walk, and passes through a number of romantic little gorges on the slopes of Moel Meirch L. It is worthwhile to look back from time to time, since the scene discloses the twisting course of the lower section of the Watkin Path, dominated by Bwlch Main and Snowdon, with L a view of Llyn Dinas and of Moel Hebog and some of its satellites.

This route is the only sure way to locate Llyn Edno, because it is cradled in a shallow basin dappled with crags, and from other directions may be difficult to find; it is said to be full of trout and the local fishermen's paradise. Halt here awhile to enjoy the fine view and note the excellent prospect of the Snowdon Horseshoe to the north-west, where Yr Wyddfa appears above Lliwedd and the ridge R encompasses Crib y Ddysgl, the Pinnacles and Crib Goch. Before leaving this secluded and enchanting spot, walk round the south shore of the lake for the vista across it of Moel Siabod whose graceful lines are especially pleasing to the eye. Extensive marshes lie

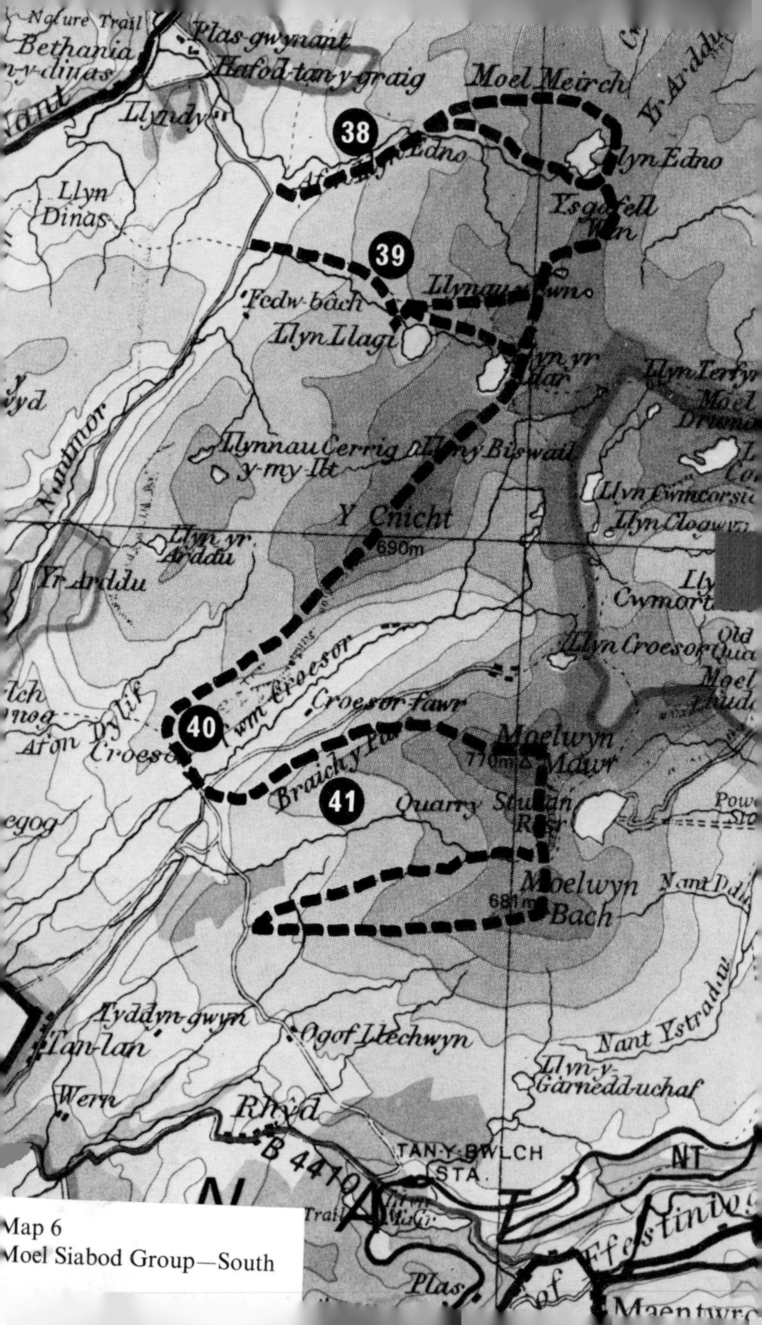

Map 6
Moel Siabod Group—South

Plate 163 **Route 38**—Summit ridge of Cnicht

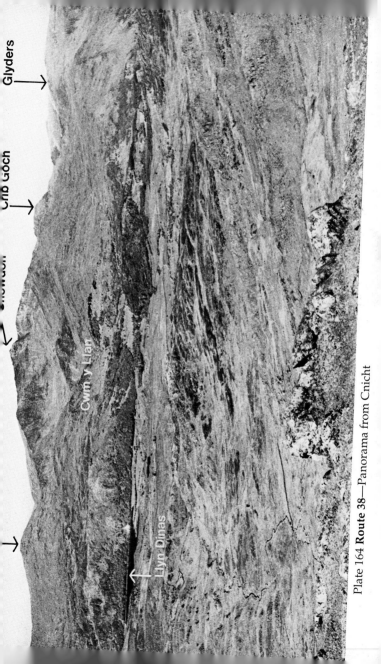

Plate 164 **Route 38**—Panorama from Cnicht

Glyders

Crib Goch

Snowdon

Cwm y Llan

Llyn Dinas

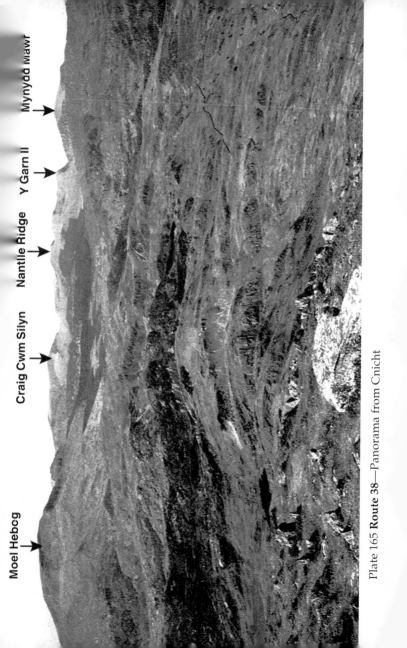

Moel Hebog   Craig Cwm Silyn   Nantle Ridge   Y Garn II   Mynydd Mawr

Plate 165 **Route 38**—Panorama from Cnicht

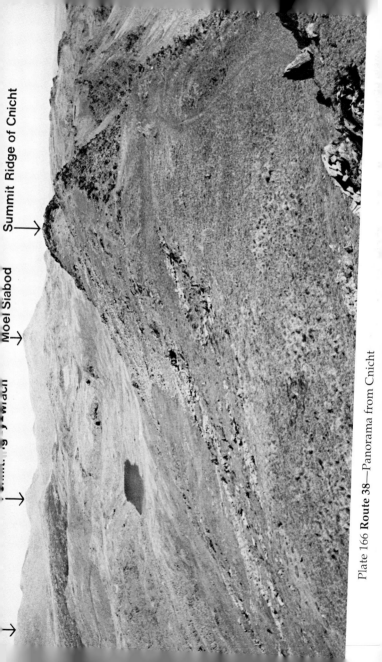

Summit Ridge of Cnicht

Moel Siabod

Summit Ridge y Wrach

Plate 166 **Route 38**—Panorama from Cnicht

to the east, and are the source of the Afon Lledr, which, after passing Dolwyddelan with its famous castle, flows into the River Conwy in the vicinity of Betws-y-coed.

Now ascend the nearby curving ridge of Ysgafell Wen which encloses these marshes, and walk south along its crest to the Dog Lakes, a collection of tiny tarns GR 663487. It also unfolds another excellent view of the Horseshoe, in which the precipitous eastern front of Yr Wyddfa is now clearly disclosed. Then go ahead past Llyn yr Adar R, and above Llyn y Biswail also R, to reach the base of the long summit ridge culminating in Cnicht. There are a few ups and downs on its crest and the cairn stands at its far end, overlooking Tremadoc Bay. By following this route to the peak its most surprising and striking feature is revealed in the sudden precipitous drop into Cwm Croesor, which gives the impression of perhaps 1000 metres whereas in fact it is only about 500 metres. Beyond rise the Moelwyns, whose graceful sweep is marred by unsightly and disused quarry workings. The panorama round the southern arc is extensive, with Tremadoc Bay seemingly almost at one's feet, the Harlech Dome L backed by the distant cliffs of Cadair Idris, and the Arans and Arenigs still farther L. But it is the vast panorama of Snowdonia that will hold the gaze, for this lofty and isolated peak is so placed that it reveals a chain of mountains that stretch right round the north-western arc. It is perhaps the finest coign of vantage in the whole region. The Moel Hebog group L comprises the reigning peak, the Nantlle Ridge and Mynydd Mawr; the centrally situated Snowdon group assumes graceful lines with views into Cwm Llan where the Watkin Path is clearly seen in a limpid atmosphere; the skyline R comprises the Glyders, Pen Llithrig y Wrach in the Carneddau, and ends with the nearer peak of Moel Siabod.

Note: It is possible to avoid the lower gorges of the Afon Llyn Edno by going through the gate and following the road on the R to the farm of Hafodydd Brithion. GR 640494. Beyond it follow a sketchy track that ultimately joins Route 38 near a sheepfold in more open country.

Route 39. Cnicht by Llyn Llagi. This is a shorter variation of Route 38 and its starting point is at the slate quarry, as for Route 38, where there is room for several vehicles. Walk back along the road to a converted chapel and take the track east towards an enchanting stone cottage. GR 637490. Pass to the L behind it to reach a gate beside the cascading stream. Continue ahead by a cairned path, with the murmuring stream R, and follow it all the way to its source in Llyn Llagi. Cross several walls *en route* and when the gradient eases off walk by the wall R across the grass to the lake. This remarkable circular sheet of water has a sombre and wild setting, and steep crags enclose its far side, broken in one place only by a perfectly straight gully that carries down the outflow from Llyn yr Adar, 200 metres above. There is an excellent camping site at its base, from where experienced scramblers may tackle the gully direct. The easiest way is to ascend the grassy hillside to the L of the wall and turn south along the skyline. GS 6548. On reaching Llyn yr Adar, pass round it and join Route 38 for Cnicht.

Plate 167 Converted chapel in Nantmor—Starting point of **Route 39**

Llyn y Adar

Llyn Llagi

Plate 168 **Route** 39 Seen from the Chapel

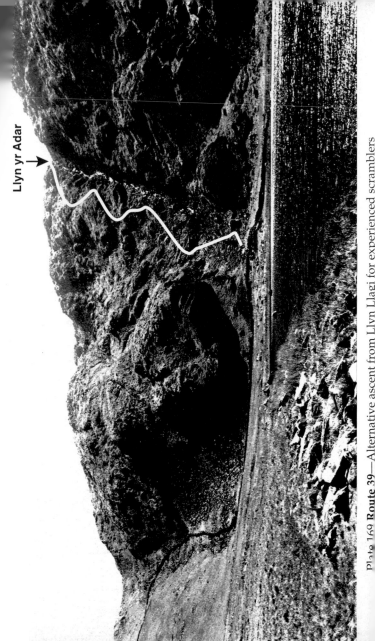

Llyn yr Adar

Plate 169 **Route 39** — Alternative ascent from Llyn Llagi for experienced scramblers

Plate 170 **Route 39**—The Snowdon Group from Llyn yr Adar

Route 40. Cnicht from Croesor. This ascent is a pleasant walk and it begins at Croesor. This tiny secluded hamlet is encircled by green hills and reached by a narrow road from Garreg, a village on the eastern flanks of the Glaslyn Valley. Access to the side road is gained by a sharp turn at the attractive lodge of Plas Brondanw. GR 615420.

Leave your vehicle in the car park on R in the village GR 631447 and follow the road on the L of the chapel and then a cart track uphill until a level gap in the ridge is attained. Here the cart track bifurcates GR 628451 and you must take the R branch (there is also a sketchy track rising in a similar direction) and after passing a ruined building, cross a field and climb over a stile on the L of the gate. Then keep to the grassy track which bears R and soon attains a low break in the broad ridge. Here cross the stile on the L and go straight ahead to the foot of the mountain that now towers overhead. The route lies over private land and you should make every effort to follow the direction indicators. The ridge is reached quickly by taking this line, and on attaining it you are confronted by a rocky eminence surrounded by a high stone wall. It is advisable to pass through a gap on the R, descend slightly and then attain the ridge beyond it.

Keep to the ups and downs of the grassy track which takes a direct line for the peak. The last section is steep and there are two alternative routes: that L is the more popular because it includes some easy scrambling over rock and scree; that R is easier, grassy and less sensational, but joins the other just below the cairn. There is an annual race up and down this route, the record for which was set in 1994 by former British Fell running champion Colin Donnelly – it stands at a remarkable 32 minutes and 34 seconds. The ladies record, set in 1988, is held by Angela Carson at 37 minutes and 45 seconds.

Plate 171 **Route 40**—Cnicht comes into view here

Plate 172 **Route 40**—Easy walking to the final ascent

Plate 173 **Route 40**—The steepest section of the ridge rising to Cnicht

Moelwyn Mawr   Craig Ysgafn   Moelwyn Bach

Plate 174 **Route 41**—The Moelwyns from the Afon Glaslyn

Route 41. The Moelwyns from Croesor. These hills comprise three tops fairly close together and they make a fine skyline when seen from the Afon Glaslyn on the west side of the valley. Unhappily, the northern slopes of Moelwyn Mawr are spoilt by unsightly and now disused quarry workings, and of the many possible routes to the peak this ascent is chosen because it does not disclose them until the summit cairn is attained.

Leave transport in the car park at Croesor as for route 40 and return to the cross roads at the entrance to the hamlet. Go straight ahead, or if coming from Garreg turn sharp R, and beyond the first gate on the single-track road going over the low hills to Tan y Bwlch. GR 635440. Then turn L and ascend the grassy slopes beside a stone wall, and on reaching the top of this rise the Moelwyns come into view ahead. Now bear L and cross a wall by a convenient stile, and then go straight on over grass by a very indistinct track to the ridge L that rises to Moelwyn Mawr. It is clearly marked by a wire fence that runs up to a conspicuous stone tower, probably used long ago in connection with the quarry R of the peak. Finally ascend the steep shaly slopes above and follow the craggy rim of the cwm to attain the cairn at the far end of the ridge.

On a clear day the panorama round the north-western arc is of the first order and not unlike that already described from Cnicht, save that this mountain is in a direct line with Snowdon and therefore obscures the lower reaches of Cwm Llan. However, it has a unique feature in that immediately to the north the blue of some twelve tarns is disclosed in the sunlight and there is also a striking view of Moel yr Hydd R. Moreover, there is a spacious prospect of the sea beyond Porthmadog and the southern arc reveals the Arennigs, the more distant Berwyns and the great mass of the Harlech Dome, backed by the cliffs of Cadair Idris. Now descend the grassy slopes to Craig Ysgafn, whose craggy summit is well seen from Moelwyn Mawr. Keep L over this very rough top and note the conversion

Moel Hebog

Plate 175 Croesor from **Route 41**

Moelwyn Mawr

Plate 176 **Route 41**

Moel Hebog →

→

→

Cnicht

Plate 177 Summit ridge of Moelwyn Mawr and **Route 40** from **Route 41**

of Llyn Stwlan into a reservoir far below, with Blaenau Ffestiniog beyond. Descend the steep terminal crags of this eminence L, with steep drops also L, and follow the track down to the col, Bwlch Stwlan, GR 660441. Then go ahead and climb Moelwyn Bach by grass and crags L, or by easy grass slopes R, and walk over to the last cairn which opens up a superb prospect of all the peaks in Mid Wales. The easiest way off this peak is to keep to the broad grassy ridge descending west all the way to the road at GR 634433 and so back to Croesor. Do not attempt to shorten the route by descending R into the vast hollow, as it is dappled with bog and extensive stretches of marshy ground, beyond which several walls and fences have to be crossed to reach the road.

Moelwyn Bach

Craig Ysgafn

Moelwyn Mawr

Plate 178 **Route 41** Over the Moelwyns

The Moel Hebog Group

Moel Hebog	782 metres	2565 feet
Craig Cwm Silyn	734 metres	2408 feet
Trum y Ddysgl	709 metres	2326 feet
Garnedd Goch	700 metres	2296 feet
Mynydd Mawr	698 metres	2290 feet
Mynydd Drws-y-coed	695 metres	2280 feet
Moel yr Ogof	655 metres	2148 feet
Mynydd Tal y Mignedd	653 metres	2142 feet
Moel Lefn	638 metres	2094 feet
Y Garn II	633 metres	2076 feet

OS Map: Landranger 115 Snowdonia
Outdoor Leisure 17 Snowdonia & Conwy Valley

Moel Hebog completely dominates the charming village of Beddgelert, which occupies the floor of the valley at the three cross-roads and effectively shelters it from the prevailing south-westerly winds. Its elevation is foreshortened from this near viewpoint, but its shapely stature is seen to greater advantage from the bridge over the Afon Glaslyn half a mile north of the village and better still from the more distant head of Llyn Dinas when it is framed between the hills enclosing the lower stretches of the Vale of Gwynant. Its finest elevation, however, is revealed from Pont Cae'r-gors which spans the Afon Colwyn some two miles north on the road to Caernarfon when its graceful tapering lines are especially attractive by late afternoon light. The ascent of this mountain makes a pleasant and easy afternoon walk, but if its immediate satellites, Moel yr Ogof and Moel Lefn, are included, then a full day is necessary for most walkers.

Rhosgadfan
Pen-y-ffridd
Moel-tryfan
Ty-coch
Salem
Foel Goch
Plas-y-nant
Bwlch-y-llyn
Llyn y ffynnonau
Castell-caer-onwy
Caer-onwy
Tron
Craig Cwm bychan
Mynydd Mawr
698m
Craig y Bera
Llyn Cwellyn
Llyn Coch
Cilgwyn
Gelli-ffrydau
Drws-y-Coed
Bwlch-gyfelin
Llyn Dywarchen
Llyn Nantlle
B 4418
Rhyd-ddu
Y Garn
634m
Llyn y Gader
Beddgelert Track
Cwm Caregog
Ffridd-uchaf
Trum-y-Ddysgl
710m
Pitts Head
44
43
P

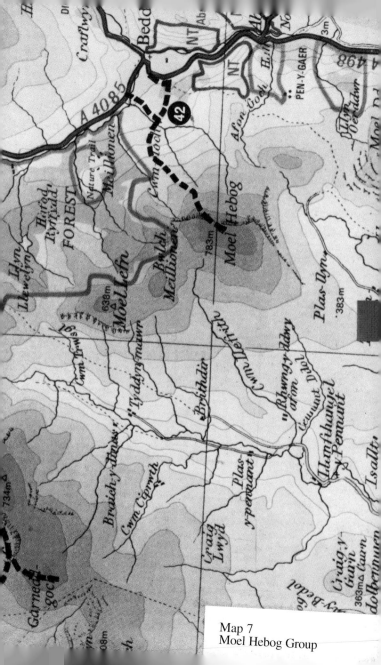

Map 7
Moel Hebog Group

Moel Hebog ←

Plate 170 Starting point of **Route 42** from Cwm Cloch

Route 42. Beddgelert and Moel Hebog. Cars can be parked in the main carpark in the centre of the village. The key to this route is the farmhouse of Cwm-cloch, GR 584482, which may be reached by a finger posted path through the fields behind the Royal Goat Hotel, or by going a short distance up the Caernarfon road and turning L over the Afon Colwyn. This bridge gives access to a by-road that passes under the long-disused Welsh Highland Railway and thence through a small pine wood to the farm. Go through a gate beside a farm building opposite and cross the usually wet pasture by a line of flat stones to a break in its far wall, beyond which a well marked path rises through heather and bracken. A large cairn, built on an immense boulder, will be observed high up the slope ahead and this is the key to the turning point in the route. It stands on a broad ridge in sight of the plantations and like many others on this mountain is flecked with white quartzite. It is worthwhile to pause here, if only to scan the scene round the northern arc, because, strange as it may seem, many of the engirdling hills look more imposing from this viewpoint than they do from the higher summit cairn. Although the Snowdon group should hold the gaze, it does not do so owing to its less interesting southern aspect. In consequence the eye wanders R to skim along the lovely stretches of the Vale of Gwynant in which the blue of Llyn Dinas contrasts beautifully and especially so in autumn, with its enclosing hills, to rest finally upon the lovely outline of Moel Siabod. Farther R Cnicht and the Moelwyns stretch across the skyline above the sylvan approach to the Aberglaslyn Pass, when the sharper elevation of Moelwyn Mawr from this angle will catch the eye. Now turn L at this key cairn and climb the ridge to a gate in a wall, where a line of cairns lead uphill to the L corner of the precipitous front of the peak. Then bear R and scramble up its rocky edge to the summit.

The cairn on Moel Hebog stands some distance back from its precipitous front and thus opens up the south-western prospect

Moel Hebog

Cwm–Cloch

Plate 180 Upper section of **Route 42**

of Cardigan Bay to advantage. The engirdling hills slope down gently to its shore and disclose among other eminences a fine outline of the Rivals away to the west. But to observe the northern arc it is advisable to descend slightly as Beddgelert is then disclosed over 600 metres below, backed by the Snowdon group and the Vale of Gwynant, a grand scene indeed.

Those wishing to extend this walk may do so by descending to the north along the ridge leading to Moel yr Ogof GR 557478 and continue for a further kilometre or so north-west to Moel Lefn. This top opens up a spacious prospect of the Pennant Valley L and of the Nantlle Ridge to its R. Continue the descent to the pass below and follow the path above the plantations to Rhyd Ddu, or bear R through them for a shorter return to Beddgelert. Walkers who know this route and might well prefer an alternative ascent, should leave their transport in the car park at the side of the A4085 near Nantmor GR 597462 and walk back to the bridge over the Aberglaslyn Gorge. Here turn L and walk about 100 metres to turn R on to a path through a gate and up the zigzags through the trees. Then pass through another gate on to the open hillside where bear R by the path for Oerddwr Uchaf, then keep R of the farm to a prominent cairn. Now proceed in a south-westerly direction to join Pant Paladr trackway and follow it through a gate in the wall. Continue ahead until a wall junction is encountered, whence turn R and climb beside it to the summit of Bryn Banog. GR 575456. This eminence opens up a fine panorama which includes Cnicht, the Moelwyns, Cwm Pennant and Llyn Cwm y Stradlyn, together with the more distant Rivals and Cardigan Bay, all dominated in the north-east by Snowdon and Lliwedd. Now descend south-west to the col and climb the steep grass and scree to the summit of Moel Hebog. Should you decide to descend to Beddgelert by Route 42, leave the village by the R bank of the Afon Glaslyn and cross the bridge of the old Highland Railway, from where you then walk through the tunnels back to your car.

Moel Hebog →

Plate 181 Final ascent of **Route 42**

Moel Siabod

Llyn Dinas

Plate 182 Beddgelert from **Route 42**

Cnicht

Moelwyns

Aberglaslyn Pass

Key Cairn

Plate 183 View from **Route 42**

An exhilarating ridge walk, known as the Pennant Horse-shoe, combines the traverse of the two satellites of Moel Hebog with a section of Route 43. It starts in Cwm Pennant at Pont-y-Plas GR 530459, rises to Moel yr Ogof and follows the ridge to Moel Lefn. Thence there is a considerable loss in height before reaching a stile which gives easy access to the ascent of Trum y Ddysgl. On attaining the cairn Route 43 is followed to Garnedd Goch, whence the descent to Pont-y-Plas is made by Cwm Ciprwth.

Route 43. The Nantlle Ridge. The walk in either direction over the hills forming this interesting and revealing ridge, which encloses Drws-y-coed Pass on the south, is doubtless the finest in this group and compares favourably with some of the better known ones in Snowdonia. Its remote situation on the western fringe of the region makes it a prize for the connoisseur.

Since transport to either end of the ridge is desirable, and, moreover, as it is possible to walk there and back along its crest in a long day, it is a question of deciding at which end to begin and where to leave the vehicle, unless, of course, it can be arranged to have a car at either end. Those who are interested in photography will find the light favourable for an east-west traverse in the morning and also for the return in the afternoon, but others who wish to engage in rock climbing on the great slab in Cwm Silyn would do better to leave their transport at that end. Furthermore, not only is it easier to attain the ridge by first climbing Craig Cwm Silyn, but this course avoids the longer circuitous climb to the cairn on Y Garn II. If the latter ascent is chosen, then the car should be parked in Rhyd Ddu. But if the former, then it should be driven past Llyn Nantlle Uchaf, along the first fork L to the hamlet of Tan yr Allt, and then sharp L up a narrow twisting mountain road that ends in a field beyond a farm L GR 496511, where it may be parked within easy reach of Cwm Silyn.

Plate 184 Snowdon from the slabs of Y Garn II

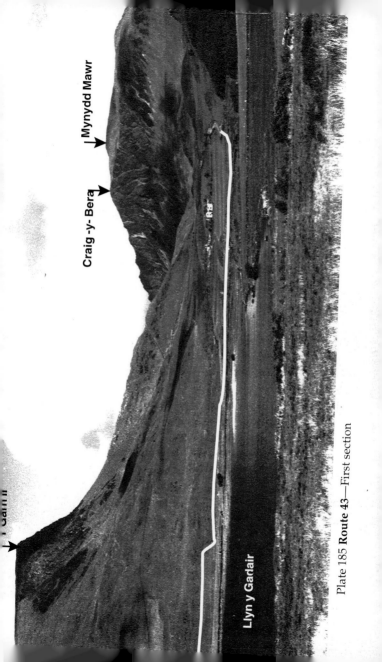

Plate 185 **Route 43**—First section

Plate 186 **Route 43**—Final section

On the assumption that one carries a camera, I shall describe the Nantlle Ridge from east to west, but it should be understood that some of my studies illustrating this route were in fact taken on the return walk. Access to these peaks is a delicate affair and you should pay heed to the advice that follows. Park in Rhyd Ddu at the main Snowdon car park GR 571524.

The mountain can only be climbed by first walking along the path towards Pennant. This leaves the road at a gate on the L about one kilometre from Rhyd Ddu, GR 566526, at the first sharp bend to Bwlch Gylfin. Follow the wall to a farm gate, from where you bear L uphill and follow the arrows in the direction of the distant plantations. Do not leave this path until you have crossed a stile, beyond which a largish boulder directs you to the L for Pennant and to the R for the ridge rising to Y Garn II. Now ascend this ridge by a sketchy track, cross another stile some way up the hill, whence climb over steep grass to the stony summit and cairn.

The extensive panorama from this lofty sentinel is justly magnificent and reveals the whole of the western aspect of the Snowdon group to perfection, with the village of Rhyd Ddu far below and R the cone of Yr Aran above the shimmering blue of Llyn y Gadair. To the north there is a fine view of the shattered crags of Craig y Bera on the other side of the pass, and below the rounded summit of Mynydd Mawr. To the west the first two tops surmounting the ridge are well seen and there are glimpses of the others R, with farther R Llyn Nantlle Uchaf and the sea, while to the south the broad ridge culminates in Moel Hebog.

Now turn your steps southwards and pick up the grassy track beside a stone wall L, pass the exit of a deep gully R, and start the rocky climb to the summit of Mynydd Drws-y-coed. GR 548517. Be careful near the top when turning L to step across a gap where rock projects above, and then keep to the edge of the summit cliffs with a big drop R. On the other side descend through crags and beyond the col follow the grassy

Plate 187 **Route 43**—Snowdon from Y Garn II

Plate 188 **Route 43**—Craig y Bera from Y Garn II

Plate 189 The trickiest section of **Route 43**

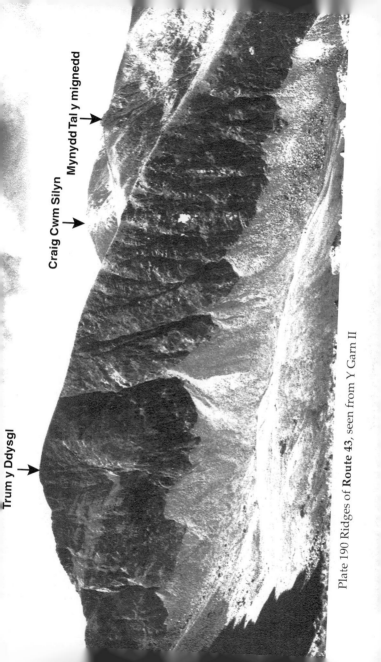

Trum y Ddysgl

Craig Cwm Silyn

Mynydd Tal y mignedd

Plate 190 Ridges of **Route 43**, seen from Y Garn II

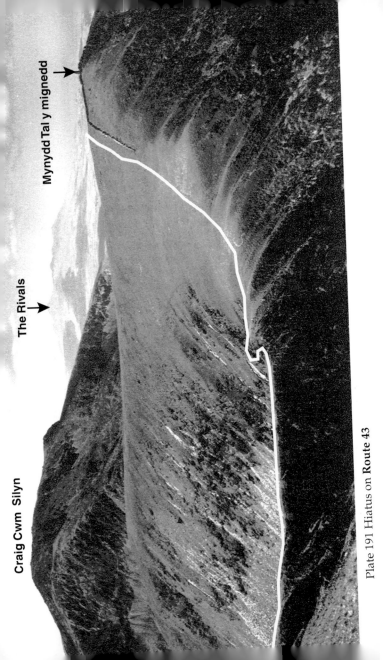

Craig Cwm Silyn

The Rivals

Mynydd Tal y mignedd

Plate 191 Hiatus on **Route 43**

path to the summit of Trum y Ddysgl which opens up a good backward view of the ridge and of the immense cairn on Mynydd Tal y Mignedd. Continue down a long grass slope and make for the connecting ridge below, which has eroded so badly that the path descends L to pass this hiatus at the saddle. Then walk up to a short length of wall and go L of it to reach the conspicuous obelisk on this summit. It is so large that it can be seen from a great distance on a clear day and is said to have been built by quarrymen whose hobby was the erection of this pillar. The summit of Mynydd Tal y Mignedd GR 535514 opens up a fine prospect of Craig Cwm Silyn, with the narrow rock ridge rising to its cairn from Bwlch Dros Bern, a little used pass from Nantlle to Pennant. The distant Rivals can be seen R above the cwm, with a glimpse of one of the tarns below, and this viewpoint is one of the few from which the castles of Caernarfon, Criccieth and Harlech can be seen simultaneously. Continue the traverse by walking downhill towards the next peak on the ridge, and beyond the pass exercise care while climbing the rock ridge ahead, with steep drops L, until the cairn on Craig Cwm Silyn is attained. Rest here awhile to admire the superb retrospect which unfolds the whole of the undulating ridge, backed by Snowdon. Then continue westwards and bear R over a wilderness of rocks until Cwm Silyn appears below R and note the tremendous slab which is the venue of expert rock climbers, and beneath which are cradled the two glittering tarns. Descend the rim of the cwm and make for the locked gate, beyond which a grassy cart road leads direct to the car park. This is the usual terminus of the traverse, but those who wish to continue to Garnedd Goch from Craig Cwm Silyn may walk over a mile of almost level stony ground, past two large cairns, whence grass and a wall lead to the final cairn on the ridge.

Trum y Ddysgl

Plate 192 Looking back to Hiatus on **Route 43** from the Obelisk

The Rivals

Cwm Silyn

Plate 193 Last ascent on **Route 43**

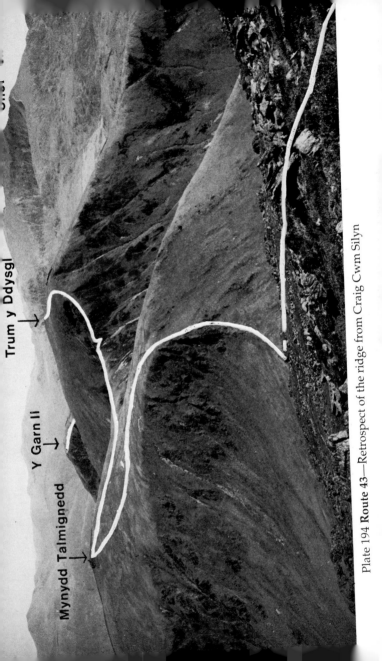

Trum y Ddysgl →

Y Garn li →

Mynydd Talmignedd →

Plate 194 **Route 43**—Retrospect of the ridge from Craig Cwm Silyn

Garnedd Goch

Cwm Silyn

Plate 195 **Route 43**—Optional extension and final descent

Plate 196 The Great Slab in Cwm Silyn—seen from **Route 43**

Plate 197 Cwm Silyn from **Route 43**

Route 44. Craig y Bera and Mynydd Mawr. Both Y Garn II and Craig y Bera are clearly visible from the road near Llyn y Gadair and the shattered crags of the latter overhang the northern slopes of Drws-y-coed Pass. To attain them and then continue to the summit of Mynydd Mawr is an afternoon excursion which can be started conveniently from Planwydd Farm, situated on the L of the road near the head of Llyn Cwellyn. GR 567539 A Forestry road threads the plantation, and opposite a building on the R a grassy break in the trees carries the power lines over the crest of the hill. This can be reached by a short cut uphill from the farm to a gate, from where the path runs almost level with the power lines. Follow this grassy path, and on reaching open ground overlooking the Nantlle Valley turn R by the wire fence and continue along the path, crossing the stiles provided. Then ascend the steep grass of Foel Rudd GR 548544 which forms the prominent shoulder of the peak, and from which the retrospect of Snowdon and Llyn Cwellyn below is worth noting. Thereafter keep to the path which passes to the R of Craig y Bera as shown in Plate 200. Here you may rest awhile to observe the scene of chaos at your feet and of the ups and downs of the Nantlle Ridge on the other side of the pass, now far below. Then follow the track which rises at an easy gradient over stony ground until the cairn on Mynydd Mawr appears on the skyline. The extensive flat summit discloses Anglesey and the sea to the north, but limits the appraisal of the vast panorama of hill and valley in other directions. Snowdon is, of course, supreme, and L appear Glyder Fawr with a glimpse of Tryfan over its shoulder, then Y Garn encloses the higher tops of the Carneddau between them, while R of Snowdon the skyline encompasses both Cnicht and the Moelwyns.

An alternative descent may be made by way of Craig Cwm Bychan. On attaining its summit cairn, walk down heathery slopes in a south-easterly direction to a stream which follows below the climbing face of Castell Cidwm. Here you bear R, but before reaching the shore of Llyn Cwellyn pick up the forestry track on the R and walk along it all the way back to Planwydd Farm.

Note: At the time of writing there is no parking space near Planwydd Farm, but a car can be left either at Rhyd Ddu or near the Snowdon Ranger Youth Hostel, both of which involve a long walk to the starting point of this route.

Craig y Bera

Plate 198 Starting point of **Route 44**

Mynydd Mawr

Llyn y Dywarchen

Plate 199 Upper section of **Route 44**

Mynydd Mawr ↓

Craig y Bera

Plate 200 **Route 44** passes to the r of Craig y Bera

Llyn y Dywarchen

Llyn y Gadair

Plate 201 **Route 44**—The precipices of Craig y Bera

Plate 202 **Route 44**—Prospect of Snowdon from Craig y Bera

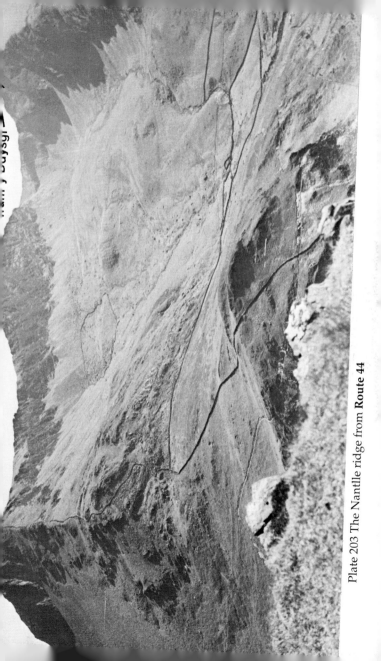

Plate 203 The Nantlle ridge from **Route 44**

Plate 204 Mynydd Mawr from the north—Waun Fawr

Cadair Idris

Pen y Gadair	893 metres	2929 feet
Mynydd Moel	863 metres	2831 feet
Craig y Cau	762 metres	2500 feet
Gau Graig	683 metres	2240 feet
Tyrau Mawr	661 metres	2168 feet
Craig Las	661 metres	2168 feet
Craig Llyn	622 metres	2040 feet
Bwlch Rhiwgwrefydd	560 metres	1838 feet
Llyn y Gadair	560 metres	1837 feet
Llyn y Cau	473 metres	1552 feet
Llyn y Gafr	427 metres	1400 feet

OS Map: Landranger 124 Dolgellau & surrounding area
Outdoor Leisure 23 Cadair Idris

Cadair Idris is one of the three chief mountains of Wales and ranks second only to Snowdon in popularity. Consisting of alternate strata of Felspathic trap and shale, it takes the form of a high ridge and extends for some eight miles between Cross Foxes on the east and Arthog on the west. Its northern front is precipitous and girt with crags which are broken in one or two places only; that of the scree slope carrying the Foxes' Path is the most noteworthy. Beneath the crags are ranges of foothills, and below these again lie the Mawddach Estuary and the town of Dolgellau. Several rugged spurs extend southwards from the ridge and give easy access to Tal y Llyn and the Dysynni Valley, but one of them bends eastwards to form a grand rocky cwm in the bosom of which rests the stygian waters of Llyn y Cau. This magnificent scene is frowned upon by the steep, riven crags of Craig y Cau, the whole forming one of the wildest places in all Wales: it is now a National Nature Reserve.

Map 8
Cadair Idris

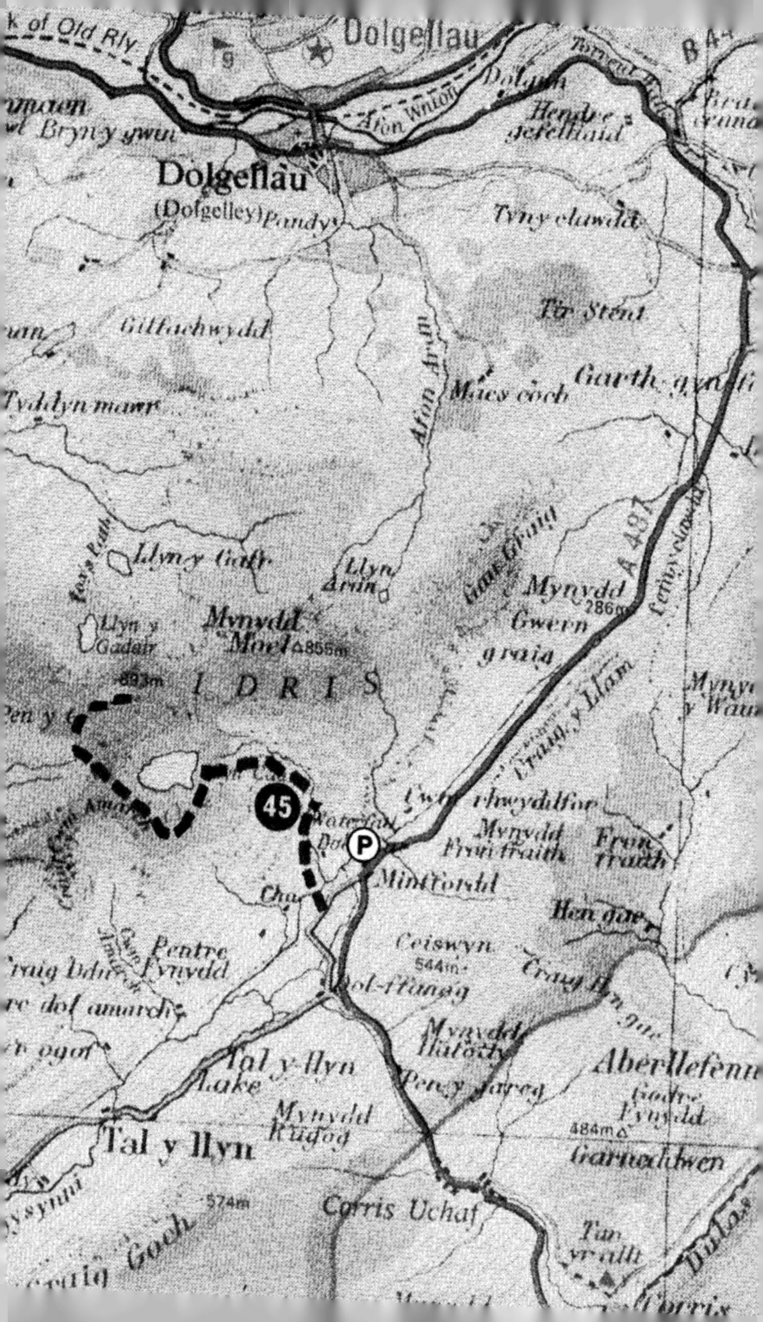

Cadair Idris is the traditional "Chair" of Idris, a giant whom the old bardic writings represent as having been at once poet, astronomer and philosopher, and who, moreover, is alleged to have studied the stars from his rocky seat on the summit of this peak. The chair is the gigantic hollow immediately to the north of Pen y Gadair and is hemmed in on the east by the Foxes' Path, and on the west by the narrow, shattered ridge of Cyfrwy. It cradles the lonely waters of Llyn y Gadair.

The extraordinary popularity of the mountain is due in part to its accessibility and ease of ascent from all points, but more especially to the extensive panorama unfolded to the north from the entire length of its crest. This superiority of outlook is accounted for by its position in relation to the Mawddach Estuary and the valleys extending towards to Trawsfynydd Lake in the north and Bala Lake in the north-east.

Route 45. Tal y Llyn, Cwm y Cau and Pen y Gadair. There are at least eight routes of ascent, three from each side of the ridge and one from each end of it, but the finest of them all is that from Tal y Llyn. There is a car park at the junction of the A487 and the B4405 near Minffordd GR 733115. The beginning of the path is clearly signposted from here and the early part of the walk is along an avenue of conifers, which in spring is embellished by colourful rhododendron blossoms. Cross a bridge and then a stile, and turn R to ascend the path that rises steeply through trees beside the stream coming down from Llyn y Cau. Much work has been undertaken to combat the effects of erosion here so do please stay on the path. Pass the precipitous, rocky bluff of Ystradgwyn that is shagged with conifers R, and on emerging from the leafy canopy the path rises through bracken L. Remain on the true R bank of the stream and soon you will be surprised by a sudden view of the broken cliffs of the immense crag of Craig y Cau together with the detached obelisk of the Pencoed Pillar, rising above a boulder-strewn ridge that encloses the tarn hidden at its feet.

Now advance over stony ground and make for the R corner of the tarn, where a conspicuous boulder is poised beside its outflow. This point unfolds a splendid near-view of Craig y Cau, whose shattered front of buttresses, gullies and grassy terraces all rise diagonally R to peter out below the skyline. On the extreme R there is a Stone Shoot that affords a quick descent to the tarn, but is not recommended in ascent. The crags of this fine pyramid are a playground of the rock climber and a fine but difficult climb tackles the face of the Pencoed Pillar L, which is separated from the main cliff by the fearsome Great Gully.

Continue the ascent by heading south from the lake and then bear R to join the well-worn route. Climb this track which later gains the crest of the precipices enclosing the cwm to the north, and keep to its crest while enjoying the extensive views towards Tal y llyn L, whose shimmering blue is occasionally glimpsed through gaps in the folds of the hills. Note also the terrific cliffs of Pen y Gadair across the tarn R, and Cwm Amarch engirdled by crags L, with beyond it the long sloping ridge of Mynydd Pencoed, then walk up to the cairn on Craig y Cau.

After a well-earned rest on this breezy top, continue the walk by descending to the Col that joins this subsidiary peak to the main ridge of Cadair, and note in passing the head of the Stone Shoot R already mentioned. Pen y Gadair now towers into the sky ahead and its sharp, rocky summit crowns the long ridge stretching to east and west. The track skirts the crags of this peak, but on attaining the ridge leave it and bear L along the rim of the cwm that cradles Llyn y Gadair R until the cairn at the end of Cyfrwy is reached. The approach to the cairn is the best viewpoint for the appraisal of the tremendous terraced cliffs of Cadair and also for the long scree of the Foxes' Path L. It is, moreover, a safe place from which to observe the narrow broken ridge of Cyfrwy that falls to the conspicuous Table, part of the classic Cyfryw Arête climb. Now return along the edge

Plate 205 Cadair Idris from the north

of the cliffs and climb to the summit of Pen y Gadair where there is a shelter just below the cairn and walkers can find a comfortable resting place on a cold and windy day.

When the atmosphere is clear the vast panorama of mountains, valleys, lakes and sea unfolded from this lofty perch is one of the finest in all Wales. The splendour of the northern arc discloses wide vistas of Cardigan Bay on the west with glimpses of Barmouth at the mouth of the Mawddach Estuary. The whole of Snowdonia may be seen far to the north beyond the intervening heights of the Harlech Dome, where Diffwys and the Rhinogs lead the eye to Yr Wyddfa R. The rounded summit of Rhobell Fawr is almost in line with the lonely Arennigs farther away on the open moorland, while to the north-east Bala Lake and the Arans are prominent on the extreme R. The southern arc is less spectacular and the eye is drawn to Plynlimon which may be perceived crowning the swelling moorland horizon.

For those who have arranged for a car to meet them at Llyn Gwernan you will descend the mountain by the Foxes' Path, which leaves the ridge some little distance to the north-east of the summit. On this descent you will pass both Llyn y Gadair and Llyn y Gafr on the way down and obtain remarkable retrospects of the long line of precipices in the late afternoon light. Those making for the Youth Hostel at Kings will take a westerly course along the ridge and descend at the saddle of Rhiw-gwredydd, or if preferred continue to Tyrau Mawr and skirt Craig Las to reach the road. Those who wish to return to Tal y llyn, however, have four routes open to them: they can return the way they came, but may shorten the walk by descending the Stone Shoot at the Col; from the top of Craig Cwm Amarch they can diverge R and traverse the crest of Cwm Amarch, to the south-west walking thence down steep grass slopes to the south, past a little shimmering tarn directly to Tal y Llyn lake; or, from the summit they can stroll eastwards along the first section of the ridge, but bear R before

Cadair Idris

Bwlch LLyn Bach

Plate 206 Tal y Llyn and beginning of **Route 45**

reaching Mynydd Moel and then go down a rather indistinct track beside a dilapidated stone wall to join the route of ascent above the trees; and the final choice is to continue along the entire length of the summit ridge to the end of Gau Graig, GR 743140 traversing Mynydd Moel en route, and thereafter descend carefully through the crags to the road near the top of the pass R. The latter is undoubtedly the finest course, with the Arans prominent on the north-eastern skyline all the way.

Stone Shoot

Craig y Cau

Pencoed Pillar

Llyn y Cau

Plate 007 Route 45

Cyfrwy →

← Pen–y–Gadair

Cwm y Cau ↗

← Stone Shoot

Plate 208 **Route 45**—Upper section seen from Craig y Cau

Cyfrwy ——

Ridge →

←Table

Plate 209 **Route 45**

Plate 210 **Route 45**—The Mawddach Estuary from Cyfrwy

Plate 211 **Route 45**—Pen y Gadair and the Foxes' path from Cyfrwy

The Harlech Dome

Y Llethr	756 metres	2480 feet
Diffwys	750 metres	2460 feet
Rhinog Fawr	720 metres	2362 feet
Rhinog Fach	712 metres	2335 feet
Moel Penolau	614 metres	2014 feet
Craig Ddrwg	590 metres	1937 feet
Llawllech	588 metres	1930 feet
Moel y Blithcwm	547 metres	1804 feet
Carreg y Saeth	440 metres	1442 feet
Bwlch Tyddiad	394 metres	1294 feet
Bwlch Drws Ardudwy	381 metres	1250 feet

OS Map: Landranger 124 Dolgellau & surrounding area.
Outdoor Leisure 18 Snowdonia – Harlech & Bala.

This is the long backbone of hills almost parallel with the coast of Mid-Wales which extends from north to south for a distance of some eighteen kilometres. Moel Penolau stands like a sentinel overlooking Tremadoc Bay in the north, while Llawllech forms the southern outpost of the ridge above Barmouth Bay. Y Llethr dominates the whole chain but is only marginally higher than its close neighbour, Diffwys. However, the two peaks which appeal more strongly to the walker are Rhinog Fawr and Rhinog Fach, because in clear weather the former reveals the whole of Snowdonia to the north, and both of them cradle a number of wildly situated tarns. Rhinog Fawr is bounded on the north by the famous Roman Steps and by the wild pass of Bwlch Tyddiad while the two peaks are separated by the desolate pass of Bwlch Drws Ardudwy. Moreover, they are some of the most rugged hills in the country and are strewn with large boulders and scree which, to make matters worse for the walker, are literally covered with waist-high heather.

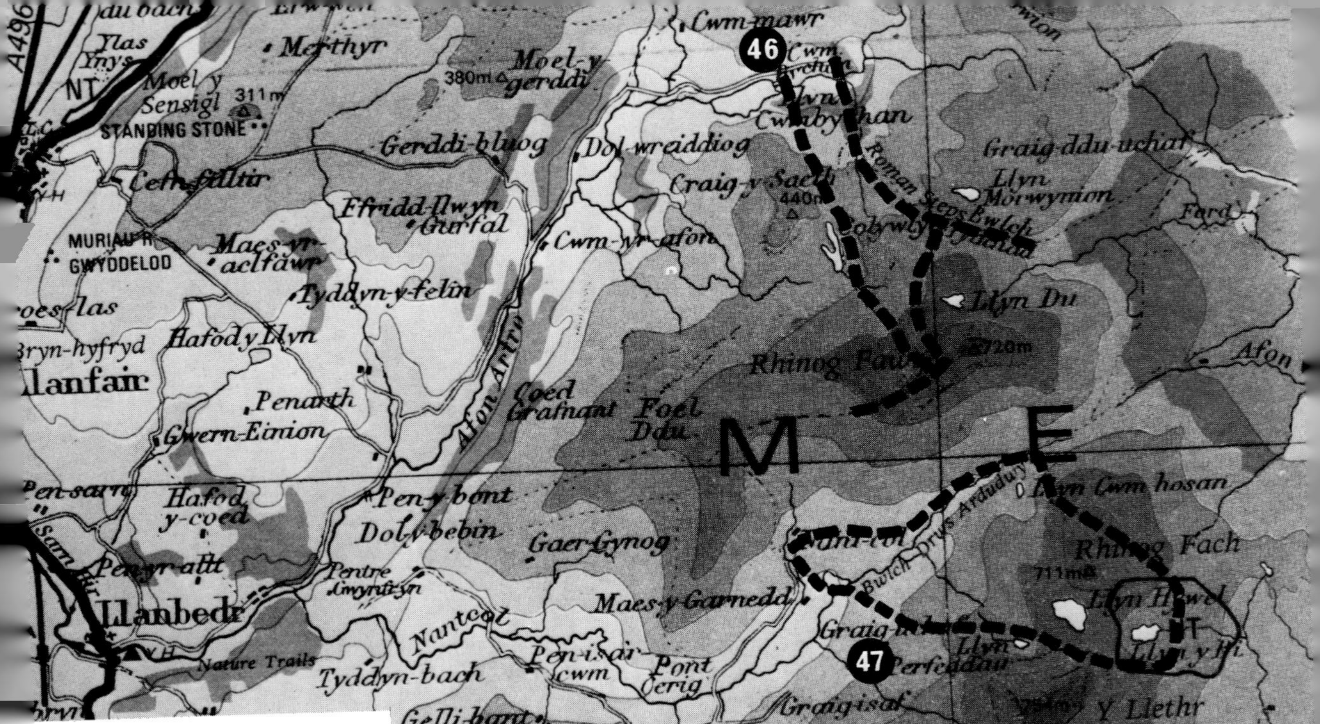

Map 9

Rhinog Fawr is easily ascended from the farm at the end of the narrow road beyond Llyn Cwmbychan, GR 645314 which may be reached from the village of Llanbedr situated on the main thoroughfare between Harlech and Barmouth. Rhinog Fach is most accessible from the farm of Maes-y-Garnedd GR 642270 which stands at the head of Nant Col and is the centre of the vast amphitheatre formed by the two mountains. It may also be reached from the same village by 6.5 kilometres of a narrow, twisting and many gated road. The following two tough routes disclose the finest scenery in the district, and include Llyn Perfeddau, Llyn Hywel and Llyn y Bi and Llyn Du, Gloywlyn and Llyn Cwmbychan, as well as the Roman Steps.

Special note Parking is available on the east end of Llyn Bychan, GS6431 but while the narrow roads to Cwmbychan and Cwm Nantcol are negotiable by cars they should not really be used during the holidays nor throughout the summer because they clutter up the roads and passing bays as parking areas, making the movement of essential transport by the local farmers virtually impossible. Be a sport and leave your car in Llanbedr!

Rhinog Fawr
Route 46. The Roman Steps and Rhinog Fawr. The delightful sylvan Vale of Artro extends from Llanbedr to Llyn Cwmbychan a quiet little tarn overhung by the rocks of Craig y Saeth R, where the rough hill road continues to the farm. Turn R over a bridge and follow the path through a coppice to emerge eventually on the craggy hillside. At this point it is necessary to keep a sharp look-out for the Roman Steps, which lead ultimately to Bwlch Tyddiad, GR 654303. It is easy to miss their longest and best stretch as the path runs below them for some distance. It begins on the other side of a stone wall and lies immediately beneath the crags enclosing the south side of the narrow defile. According to tradition the steps were con-structed by the Romans to facilitate the ascent and descent of their sentries, but they are now ascribed to medieval times.

Bwlch Tyddiad

Plate 212 **Route 46**—The Roman Steps

Now walk along this ancient promenade to the crest of the pass and observe the featureless nature of the extensive moor of Trawsfynydd. Hereabouts the rugged spurs of Rhinog Fawr overhang too precipitously for their safe ascent, and it is better to go back until a weakness in the form of a steep watercourse appears in these ramparts. This is the easiest point at which to begin the toilsome ascent. Climb slowly and carefully between the large boulders almost hidden by heather for perhaps 100 metres height gain and then edge round a big buttress to reach Llyn Du. This desolate sheet of water occupies a striking situation on the northern flanks of Rhinog Fawr and is enclosed on the south by broken precipices which extend upwards to the top of the mountain. Scale the ridge at the west corner of the tarn eventually to attain the two cairns on the summit of this peak.

When the atmosphere is clear this relatively close and lofty coign of vantage opens up a remarkable prospect of Snowdonia to the north. The Moelwyns are the nearest, with glimpses of Cnicht L and Moel Siabod R, while Moel Hebog is prominent to the north-west, with much of the Nantlle Ridge L. Between these two groups of hills Snowdon and its satellites stand supreme, and R of them and above Gallt y Wenallt there is a distant glimpse of Y Garn and Glyder Fawr. The Rivals are conspicuous to the west beyond the blue of Tremadoc Bay, and the Arennigs appear across the moorland to the north-east. Due east this aspect of the Arans is disappointing, whereas to the south and above Y Llethr the long line of cliffs supporting Cadair Idris rivet the gaze.

The quickest descent would appear to be in a direct line with the glittering blue of Gloywlyn far below, but since the intervening slopes are littered with large boulders hidden by deep heather, the walk down involves many detours and may be rather tiring. The lake is cradled in a shallow basin to the south-east of Craig y Saeth and, as it is a favourite with local anglers, there is a well-trodden path from its shore right down to the farm in the valley.

Y Llethr   Rhinog Fach   Bwlch Drws Ardudwy   Rhinog Fawr

Plate 213 **Route 46 and 47**—The Rhinogs from the east

Route 47. Nantcol and Rhinog Fach. Those who drive from Llanbedr to Nantcol will be surprised at the number of gates that have to be opened and shut before the farm of Maes y Garnedd, GR643269, is reached. The narrow and sinuous hill road threading this valley gives access to perhaps a dozen farms which may account for these several closures. Ensure that all gates are closed securely after you have passed through them. Leave the farm and take a direct line for Y Llethr in the south-east, but keep L of its spur to reach Llyn Perfeddau which lies to the north of this mountain. It is cradled in a grassy hollow and reveals a fine view of Rhinog Fach, whose precipitous front towers into the sky to the north-east. On leaving the tarn take a direct line for the mountain and climb a stony gully that peters out on the shore of Llyn Hywel. This tarn occupies the floor of a deep hollow between Y Llethr and Rhinog Fach, and as it is wide open to the prevailing south-westerly winds it can be a wild and boisterous place. The scene is on the grand scale and one of the most awe-inspiring in this group of hills. To the north the broken crags supporting the summit of Rhinog Fach rise literally from a sea of boulders and scree; to the south the steep ridge of Y Llethr runs up to the skyline and its sharp edge consists of gigantic slabs of rock lying end-on at an angle of forty-five degrees, while its base sinks down into the depths of the lake.

The Col between the two peaks is the key to their ascent and to attain it walk first to the south side of the tarn and then scale a gully that slants up a break in the slabs of rock. There are ample hand and footholds and on reaching the skyline a wall is encountered, from which you can see the rippling surface of Llyn y Bi some distance below. A track runs beside this wall and gives access to most of the summits crowning this long line of hills, so if bound for Y Llethr turn R, or if for Rhinog Fach turn L where the wall terminates at the summit cairn.

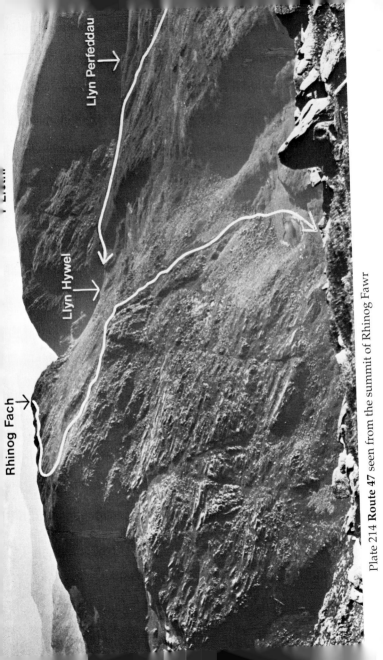

Rhinog Fach

Llyn Perfeddau

Llyn Hywel

Plate 214 **Route 47** seen from the summit of Rhinog Fawr

The panorama unfolded from this mountain top is not dissimilar from that of its neighbour, save that the latter which is some 10 metres higher, obscures a part of the view of Snowdonia. Begin the descent by walking along the declining summit ridge, on which the path peters out at the small cairn at its terminus, and look down the dizzy precipices overlooking Bwlch Drws Ardudwy far below. Do not attempt to descend them, but bear L and scramble carefully down the western flanks of the peak, making for the tiny pool of Llyn Cwmbosan, GR 660277, then continue through boulders and heather until the pass is reached and then turn L to follow the stream down to Nantcol.

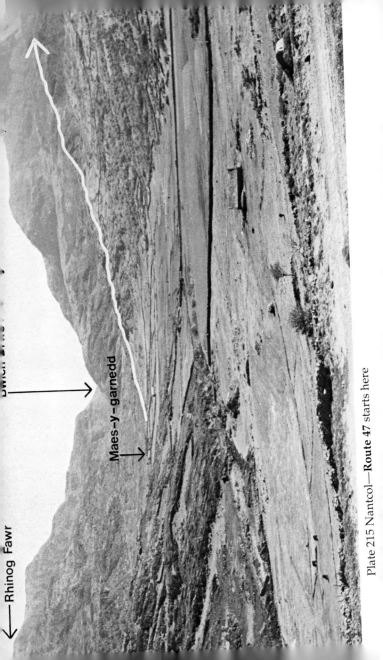

← Rhinog Fawr

Maes-y-garnedd

Plate 215 Nantcol—**Route 47** starts here

Plate 216 **Route 47**—Rhinog Fach from Llyn Hywel

Plate 217 **Route 47**—Slabs of Y Lethr

Y Llethr

Rhinog Fach

Llyn Hywel

Plate 218 Retrospect of **Route 47**

The Arenigs

Arenig Fawr	854 metres	2801 feet
Arenig Fach	689 metres	2260 feet
Craig y Bychan	677 metres	2221 feet
Moel Ymenyn	549 metres	1801 feet
Llyn Arenig Fach	426 metres	1400 feet
Llyn Arenig Fawr	404 metres	1326 feet

OS Map: Landranger 124 Dolgellau & surrounding area
Outdoor Leisure 18 Snowdonia – Harlech & Bala

The Arenigs are two conspicuous hills dominating the barren stretches of moorland in the northern corner of Mid-Wales. Arenig Fawr is the higher and more shapely eminence while Arenig Fach is a mere rounded hump on the heathery wilderness to the north of it. Both of these mountains may be ascended without difficulty from any direction, but the latter is of little interest. Arenig Fawr, on the other hand, is an altogether thoroughly enjoyable outing. It rises immediately to the south-east of the western end of Llyn Celyn. The ascent is quite short beginning as it does, on the 330 metre contour.

The most direct route goes up a wide grassy hollow dappled with scree, whence the undulating ridge leads straight to the broad backbone of the summit, which falls to the south-east where it is embellished with a number of strange little peaks. This affords a favourite descent for those who traverse the mountain on the way from Arenig Station to the village of Llanuwchllyn, a distance of seventeen kilometres.

The only interesting and revealing ascent of Arenig Fawr involves a considerable detour to the south-east and skirts the shores of Llyn Arenig Fawr GS 8438. This lonely lake lies immediately below a number of outcropping buttresses which

Map 10
The Arennigs

are the occasional resort of the rock climber. From the southern end of the lake a rough ridge leads west to a grassy plateau that preludes the final slopes to the strange cairn on the summit of the mountain.

Arenig Fawr

Route 48. Bala, Llyn Arenig Fawr and Arenig Fawr. Leave Bala by the main highway to Ffestiniog, but when about one kilometre from the town turn L at the fork which is the old Arenig road. Pass a gate L that gives access to the open moor, where the white walls of a few tree-girt farmsteads afford some relief to the barren prospect. Continue ahead across the brown and green wilderness until the cottages clustered round the old Arenig Railway Station GR 841395 come into view. During the greater part of this journey Arenig Fawr dominates the scene, but the mountain disappears behind a craggy spur on the approach to the hamlet.

Park the car near the station and walk back along the road to a corrugated iron building R, then pass through a gate on to the open moor. Follow a track round the lower slopes of Gelli Deg R until the glimmering surface of Llyn Arenig Fawr appears ahead. Note the terraced outcrops of rock overhanging its west side, which are the occasional resort of the rock climber, but keep L round its shore. This remote tarn occupies one of the wildest and most desolate situations hereabouts and is in consequence seldom visited. Go ahead until its outflow is reached, where some piers and the dam constructed long ago confirm the conversion of the lake into a reservoir. Continue southwards and make for a rough ridge, Y Castell, GR 842373, that is supported by some bold terraced buttresses. Climb the steep slopes L and on attaining its crest Arenig Fawr is revealed on the western skyline. Now walk across the grassy plateau in a direct line with the cairn and ascend the last slopes to its summit.

The first object to attract the eye on this lofty peak will be the monument erected to commemorate the death of eight gallant Americans who crashed their Flying Fortress on August 4th, 1943, their machine having collided with the rocks a few feet below the western side of the summit. Then scan the vast panorama which on a clear day is very extensive owing to the isolated position of the mountain. Snowdon dominates the numerous prominent peaks on the north-western skyline; a glimpse of Bala Lake is disclosed to the south-east and is backed by the Berwyns; the twin tops of the Arans appear almost due south, with Rhobell Fawr on R, the latter being capped by the long cliffs of Cadair Idris; while the circle is completed in the south-west by the ridge of high hills crowned by Y Llethr.

Rest awhile to enjoy these revealing views and then begin the descent by walking due north-east along the broad backbone that extends from the summit. Bear L to reach the rocky terminus of Daear Fawr, spot height 697m GR 838383 which opens up a bird's-eye view of Llyn Arenig Fawr below to the east, and then head west to enter the wide grassy hollow that leads to the west of the old Arenig Station.

During this descent there are also spacious views of the reservoir in the vast Tryweryn Valley below, whose impounded water is allowed to follow the River Dee and is extracted into the water supply near Chester. It is called Llyn Celyn.

Arennig Fawr →

Plate 219 Arenig Fawr from the east

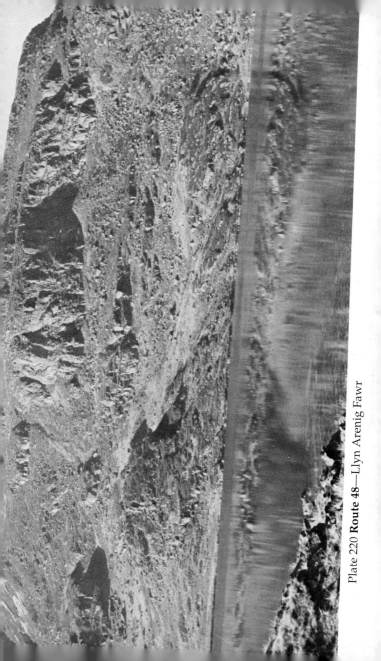

Plate 220 **Route 48**—Llyn Arenig Fawr

Plate 221 **Route 48**—The Summit of Arenig Fawr

The Arans

Aran Fawddwy	905 metres	2969 feet
Aran Benllyn	885 metres	2903 feet
Drws Bach	762 metres	2500 feet
Drysgol	730 metres	2397 feet
Camddwr	685 metres	2248 feet
Craig Cwm du	684 metres	2246 feet
Craig Cywarch	640 metres	2100 feet
Craig Ty-nant	614 metres	2014 feet
Creiglyn Dyfi	579 metres	1900 feet
Y Gribin	569 metres	1870 feet
Hengwm Rim	567 metres	1862 feet
Bwlch y Groes	545 metres	1790 feet
Llyn Lliwbran	472 metres	1550 feet
Craig y Geifr	457 metres	1500 feet
Moel Du	457 metres	1500 feet

OS Maps: Landranger 125 Bala & Lake Vyrnwy

The rocky summit of Aran Fawddwy crowns the highest ridge south of Snowdonia: it attains an altitude of 905 metres, and is thus 12 metres higher than Cadair Idris, 19 metres higher than Pen y Fan, the dominating peak of the Brecon Beacons; and 153 metres higher than Plynlimon. The ridge is eight kilometres in length and Aran Fawddwy stands at its southern end, the northern outpost being Aran Benllyn, which overlooks Bala Lake.

These hills do not present an inviting aspect when viewed from the south and west and appear merely to crown a vast area of billowy moorland. If, however, Aran Benllyn is seen from Bala Lake its precipitous eastern front is disclosed, and this alone will tempt the mountaineer to climb it. On closer

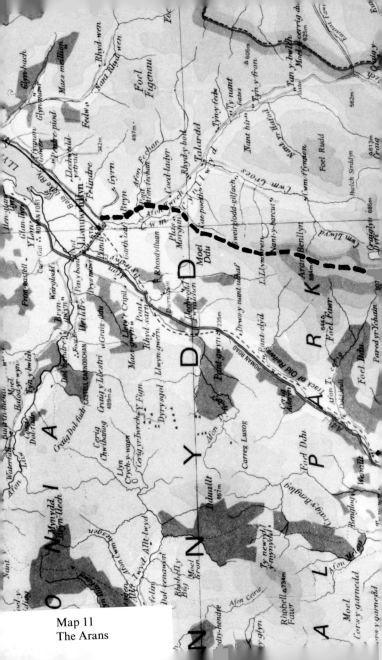

Map 11
The Arans

inspection this line of black cliffs, flecked with white quartz and seamed with gullies, will be found to support almost the full length of the ridge. The only break is at its centre, where a grassy spur extends eastwards, its lower slopes cradling the circular tarn of Creiglyn Dyfi, which is the lonely birthplace of the River Dyfi.

Both of these peaks may be reached easily from a few points to the north, south and west of them, but their eastern flanks are not so accessible. The most interesting ascent, however, is that of Aran Fawddwy by way of the remote hamlet of Aber Cywarch, which lies a kilometre north east of Dinas Mawddwy. GS 8514. Here a narrow farm road diverges L of the highway and rises sharply between the cottages. It then threads a valley patterned with green fields and watered by the Afon Cywarch and, taking a north-westerly direction, ends at the farm of Cae Peris, which is situated immediately below the frowning cliffs of Craig Cywarch. A footbridge marks the commencement of the best route to Aran Fawddwy, and ascends over grass before joining the old peat track that rises diagonally across the hillside for over two kilometres and peters out in the bogs at the foot of Drysgol. GR 873212. This peak is an undulating, grassy spur extending eastwards from the reigning peak, Aran Fawddwy.

Route 49. Dinas Mawddwy and Drysgol. Leave Dinas Mawddwy by the road to Bwlch y Groes and note the sparkling cascades of the Dyfi R. On reaching Aber Cywarch turn L and on emerging from the hedgerows beyond the cottages, cross the green strath to Cae Peris. The farm is splendidly situated amid a circle of green hills, but on the west is overhung by the black, forbidding cliffs of Craig Cywarch. Parking is only possible on the common at GR 854184. This criterion must be strictly observed otherwise access to this lovely area may be put in jeopardy. Park respectfully on the common in such a way as to not obstruct the flow of traffic and walk north to the bridge at GR 853187. Cross the bridge and follow the path which is clearly marked. This rises at an easy gradient for two kilometres and is cushioned with springy turf and fringed with golden sedge. Plod along steadily and meanwhile note how the floor of Hengwm L recedes with every step until at the end of the path it is nearly 500 metres below. Observe also L on the other side of it the magnificent buttresses and gullies of Craig Cywarch, which are frequented by rock climbers.

Now keep to the wire fence across the maze of bog and later bear R for some outcropping rocks where a charming little pool lies on the level end of the spur. This point discloses for the first time on this ascent the shattered front of Aran Fawddwy to the north-west, together with the cliffs of Aran Benllyn above the grassy spur in the centre of the ridge, as well as Creiglyn Dyfi far below held firmly in the grip of the hillside by a bulge in the grassy slope.

Drysgol narrows considerably as it bends round the head of Hengwm and at one spot, where a gully falls precipitously to the south, it is so narrow that the edge has given way. This coign of vantage is a good one for the appraisal of the shattered front of Aran Fawddwy, riven with gullies and surmounted by a cairn which is clearly silhouetted against the sky.

Continue the walk past the cairn on Drws Bach, erected in 1961 by the RAF (SAC Michael Robert Aspin of the RAF Mountain Rescue was killed by lightning here), cross the narrow ridge and begin to turn north along the edge of the precipices. Climb the broken rocks that rise to the first cairn, or if preferred, avoid them by going farther L to pick up a sheep track that mounts over grass. On attaining the crest of the ridge the reigning peak is disclosed on the skyline about half a mile to the north. Make your way through the chaotically arranged boulders and on reaching the summit cairn sit down to eat lunch and admire the spacious panorama.

Since the Arans are the most easterly peaks in Mid-Wales it follows that the most interesting views are round the western arc. Cadair Idris is seen almost end-on with the Harlech Dome R. Then come the peaks of Snowdonia and the isolated Arenigs that rise from the swelling moorland. Aran Benllyn is prominent at the end of the summit ridge, with R, Creiglyn Dyfi below, beyond this rise the vast moors of the Berwyns.

Walkers who are making the traverse of this group must now continue along the ridge to Aran Benllyn and then walk downhill all the way to Llanuwchllyn and eventually to Bala.

Should anyone wish to make the traverse in the reverse direction you must leave transport by the side of Pont y Pandy, in Llanuwchlyn. Follow the track towards Plas Morgan GR 880278, where signs direct you L up to the ridge. Its west side is then followed all the way to the summit of Aran Benllyn.

There is only one alternative route to the ridge and it starts at the National Park car park on the site of the disused railway station at Drws y Nant on the A494 where all cars must be parked. Walkers then follow the public right of way from Esgair Gawe Farm, GR 815223, on through the forest breaking on the west side of the ridge in the vicinity of Camddwr.

Access to this area is the subject of a complex agreement between landowners and the National Park Authority. Each access point to the mountains has a sign outlining the restrictions and visitors are asked to adhere to the guidelines. There is no camping, nor are dogs allowed in the area.

Plate 222 **Route 49**—Craig Cywarch seen from **Route 49**

Plate 223 **Route 49**—Aran Benllyn from Drysgol

Plate 224 **Route 49**—Creiglyn Dyfi—Birthplace of the river Dovey

Plate 225 **Route 49**—The Rhinogs from Aran Fawddwy

Plate 226 **Route 49**—The Ridge to Aran Benllyn

Plynlimon

Pen Plynlimon Fawr   752 metres   2467 feet

OS Map: Landranger 135 Aberystwyth

Plynlimon is one of the three chief mountains of Wales, the others, as already noted, being Snowdon and Cadair Idris. The vast plateau extends from south-west to north-east and consists of grit and shale overlaid with coarse grass and bog, in fact satirists have described it as a "sodden weariness". However, this great dome is the source of the rivers Severn, Wye and Rheidol, and its slopes also give birth to several lesser but noteworthy streams. It was Owain Glyndower's lair in 1401, from where he sallied forth to harry the land.

There are two popular routes to the summit: that from Dyffryn Castell Hotel GR 774817 is longer and 4 kilometres of a broad, gradually rising ridge; that from the Farm of Eisteddfa Gurig GR 798841 is about half the distance and threads a wild valley to an abandoned lead mine, to rise thereafter direct to the cairn on the summit.

Walkers who visit this region solely to ascend Plynlimon could do no better than stay at Dyffryn Castell Inn, which has ten bedrooms and a bathroom, and is right on the spot for the walk. There is a larger hotel in Ponterwyd, some two kilometres distant, and another at the Devil's Bridge that is 5 kilometres away. The latter has the advantage of proximity to the Rheidol Valley, a magnificently wooded basin immediately opposite, which affords charming walks for those who come to explore the district. There is accommodation at Eisteddfa Gurig.

Map 12
Plynlimon

Route 50. From the Devil's Bridge. The drive to the foot of Plynlimon is pleasant and by taking the R fork B4343, at Tyn-y-Ffordd the road attains the 300 metre contour and hereabouts opens up the only good view of the mountain. Thereafter it descends in graceful curves, eventually to merge with the main highway just short of Dyffryn Castell, where there is a car park in front of the hotel. From here the road rises at an easy gradient along a wide, desolate valley, with the lofty grass ridge leading to the peak L, but the monotony of the landscape is relieved here and there by a few larches, which, however, disappear all too soon and are replaced by extensive spruce plantations away to the R. Eisteddfa Gurig stands at a bend on the crest of the pass and cars may be parked nearby.

Pass through two gates R of Dyffryn Castell and then bear L to climb the steep grassy slopes of the ridge immediately overhead. On attaining its crest bear R at an easier gradient and keep the valley in view R while ascending gradually over grass, heather and bracken for about three kilometres. The route follows the edge of the forest plantation to its north-eastern corner from where you can strike out slightly east of north for the summit.

When compared with the views from other peaks in Wales, that from Plynlimon is disappointing owing to the immensity of the moorland plateau in the vicinity, which seemingly diminishes its real height. The only mountains of note in the extensive panorama are Cadair Idris and the Arans away to the north.

Eisteddfa Gurig stands on the 400 metre contour and the ascent to the summit of Plynlimon involves a climb of only 350 metres. Pass through the farmyard and follow the disused track all the way to the lead mine GR 797857 first beside a playful stream with chattering cascades here and there and then north through great expanses of boggy moorland. From the lead mine climb steadily west of north to the summit cairn. There is absolutely nothing to relieve the monotony of the landscape on this route: no trees to break the skyline, no colourful flowers to carpet the wayside, no birds to charm both ear and eye, just the green and brown of grass and bog. Incidentally, both routes are much more pleasant going after a dry spell.

A correspondent who knows this region intimately suggests the following alternative approaches which he says are more interesting.

Drive or walk from Ponterwyd past Nantymoch reservoir to the small holding of Brynybeddau GR 775882 Maesnant then proceed up the remote valley of the Afon Hengwm. One of three routes can then be chosen, depending on time and inclination:

1 Head for Llyn Llygad Rheidol GS 7987 and ascend through grassy crags to the summit of Plynlimon Fawr.
2 Turn up Cwm Gwerin GS 8088 to the top of Pen Plynlimon Arwystli GR 816878 and walk along the ridge to the dominating summit.
3 Follow the stream almost to Llyn Bugeilyn GS 8292 and then attain the ridge to walk back southwards and then west, passing the source of the River Severn GS 8289 *en route*.

Plate 227 Plynlimon from the south

Plate 228 **Route 50** starts at Dyffryn Castell

Plate 229 **Route 50**—Approaching the summit of Plynlimon

Plate 230 The shorter variation of **Route** 50 begins at Eisteddfa Gurig

The Black Mountains

Waun Fach	811 metres	2660 feet
Pen y Gadair Fawr	800 metres	2624 feet
Pen y Manllwyn	762 metres	2500 feet
Pen Allt Mawr	719 metres	2358 feet
Pen Trumau	707 metres	2320 feet
Twyn Tal-y-cefn	701 metres	2303 feet
Chwarel y Fan	679 metres	2228 feet
Pen y Beacon	676 metres	2219 feet
Pen Gloch-y-Pibwr	673 metres	2210 feet
Mynydd Llysiau	662 metres	2173 feet
Pentwynglas	645 metres	2115 feet
Black Hill	640 metres	2102 feet

OS Map: Landranger 161
        Outdoor Leisure 13 Brecon Beacons East

The Black Mountains cover an area of about 207 square kilometres to the north of Abergavenny. They consist largely of bleak whale-back ridges running from south-east to north-west and are dominated by the Gadair Ridge, which is crowned by Waun Fach, the highest peak in the whole group.

Three long valleys penetrate the fastnesses of the range: the Vale of Ewyas is the longest and most beautiful and is graced by the venerable ruin of Llanthony Priory. All the valleys follow roughly parallel lines in a north-westerly direction and terminate in the shadow of a broken ridge which connects all four of the main ridges. These ridges and valleys are excellent walking country and a variety of routes may be worked out. It is however, important to know some of the landmarks with certainty, owing to the very slight differences in height of a few of the peaks. This is not always apparent unless they are seen from afar and a case in point is that of the dominating Gadair Ridge where the difference in height between Waun Fach and Pen y Gadair Fawr is only eleven metres. When traversing the ridge this is not very clear save perhaps from the latter top, but it is quite apparent when observed from the highest parts of the Allt Mawr Ridge, over four kilometres to the south. When making the following ascent these features are worthy of note, and on attaining Waun Fach its summit will reveal the immensity of the range and perhaps induce the walker to make a more detailed exploration.

Route 51. The Gadair Ridge. A convenient starting point for this ascent is the sequestered hamlet of Pen y Genfford which stands at the highest point of the A479 between Crickhowell and Talgarth. There is parking near the site of the ruined castle at GR 177303. Walkers who approach it from the south will note the lofty ridge of Pen Allt Mawr which hems in the valley R almost all the way from Crickhowell. A glance at the map will show that Y Grib GR 193311 is the key to this route, and the foot of its ridge is reached by following an old farm track which passes round the north side of Castell Dinas. Advance along it for nearly a kilometre and then take a direct line for its conspicuous spur seen on the skyline ahead. On attaining its narrow crest, climb its sharp undulations and make for Pen y Manllwyn, a broad grassy top at the northern extremity of the Gadair Ridge. Then turn R and walk for just over 1.5 kilometres in a southerly direction to Waun Fach GR 215300 the reigning peak of the group. This lofty viewpoint unfolds an extensive panorama, in which the Brecon Beacons will draw the eye to the distant south-west, but the nearer whale-back ridges of the group are so immense that they obscure the deep valleys of the range. It also reveals the strange hump of Pen y Gadair Fawr GR 229287 over a mile to the south-east and its summit, crowned by a large cairn, may be reached by picking one's way carefully across the intervening boggy ground.

Map 13
The Black Mountains

Plate 231 The Black Mountains from Skirrid Fawr

Plate 232 **Route 51**—The dominating remnant of Llanthony
Priory

Plate 233 **Route 51**—Y Grib leading to Pen y Manllwyn

Plate 234 **Route 51**—Pen y Gadair and the Sugar Loaf from Waun Fach

The Brecon Beacons

Pen y Fan	886 metres	2906 feet
Corn Du	873 metres	2864 feet
Cribyn	795 metres	2608 feet

OS Map: Landranger 160
Outdoor Leisure 11 Brecon Beacons Central

Every walker bent upon the exploration of this beautiful group of hills should first visit the National Park Visitor centre GR 977263. The Centre is situated on a hill, and on the edge of an extensive stretch of mountain moorland known as Mynydd Illtud, which is separated from the Brecon Beacons by the Tarell Valley. The views in all directions are delightful and there is a cafe on site. The supervisor and assistant are usually available and willingly give information about the National Park which is admirably illustrated by an excellent display of maps, photographs and relevant literature. The Centre is undoubtedly one of the finest in the country.

These mountains form a compact and shapely group that is situated about mid-way between the Black Mountains on the east and Fforest Fawr and Carmarthen Fan on the west. Pen y Fan is the loftiest peak in South Wales and is a conspicuous object when seen from afar. The group is particularly attractive when viewed from the north, and the dominating peak assumes spectacular proportions when seen from the adjacent rib of Bryn Teg.

The easiest and quickest way to traverse the Brecon Beacons is from the Storey Arms, GR 983204, which stands at a height of 435 metres on the crest of the pass carrying the main road south from Brecon to Merthyr Tydfil. Mere peak-baggers may be satisfied with this short ascent but those who wish to see the real beauty of the group will miss much of it by doing so, and if they are also interested in photography and prefer, as they should, the most favourable lighting throughout, then they will follow the route described and illustrated herein.

The only snag for those without transport is that the complete circuit is a long one based upon Brecon and involves some 19 kilometres of walking, depending upon such diversions as are made to toy with a camera. It is possible to drive due south from the town for five kilometres where the road ends with space for a few cars, and this would reduce the walking distance to 10 kilometres. To reach this spot cross the bridge over the River Usk and then turn L off the highway at a church GR 038284; the road is narrow but well surfaced, thereafter to rise gradually in a southerly direction to end near the farm Bailea. GR 039240.

I first explored the Brecon Beacons in 1946 and Route 52 was then unknown, as Pen y Fan was always reached from the Storey Arms. Three years later I published a description of it in *Wanderings in Wales* and for over forty-five years so many walkers have followed in my footsteps that it has become the most popular route. Bryn Teg was then a bare grassy hill, with no path to the Cribyn, whereas today, after thousands of boots have climbed the Rib, it has been transformed into an easy staircase. Nevertheless, since its steepness has deterred legions of walkers, they have trodden a level path which goes off to the R and ends at the Col between Cribyn and Pen y Fan, so eliminating the only section of hard going in these hills.

Note – Walkers who decide to make the ascent from the Storey Arms should ascend the path behind the telephone box GR 983203, keeping the forestry on the right. Continue over Y Garn and skirt northwards around Blaen Taf Fawr to the Tommy Jones obelisk GR 000218. From here ascend Corn Du then turn north-east to Pen y Fan. The return descent can either be the reverse or from Bwlch Duwynt GR 005209 down to the

Twyn Gaer
Wern-fawr
312m
Bolgoed
Pen-y-parc
Mynydd Illtyd
CASTLE MOUND
MOUNTAIN CENTRE
Tair-Bull
Afon Tarell
Libanus
Felin Camlais
Bryn-bolgoed
Glyn Tarell
A4215
Forest Lodge
Cwm-Llwch
Pen Milan
Fan Frynych
Craig Cerrig Gleisiad
Llwyn-y-celyn
YH
Llyn Cwm Llwch
Y Gyrn
627m
A 470
824m
Nant y Gwair
Bryn Du
Nant Mawr
Pont-ar

Aber Gwen

Afon Wysg

↑
BRECON

Dinas

Ffrwdgrech

Cantref
Berllan

The Held

Cantref

Falls

Afon Cynt

Cwm-Gwdi

Gwdi

Llan

Heol fanog

Plas-y-gaer

Neuadd

allt

Cwm

Tyle-llwyd

wyn
-rhew

Allt Ddu

BAILEA

Nant Menascin

Cwm Nau Sem

Cwm-Cynwyn

(52)

n cwm-llwch

Cefn Cyff

Bryn Teg

Cwm-cynwyn

n y Fan

Cwm Oergwm

86m

m

Du.

Craig
Cwm Cynwyn

763m

Tor
Glas

762m

Craig
Cwm Oergwm

Taf F

Map 14
The Brecon Beacons

Plate 235 The Brecon Beacons from Penoyre Golf Course

Pont ar Daf lay-by GR 987198 about a kilometre south east of Storey Arms, where there are toilets.

Route 52. Bailea and Pen y Fan. Go along the stony track beyond the parking space. Go through a gate and ascend the slopes of the grassy ridge to the crest with the cliffs of Pen y Fan R, and take a direct line for the steep rib of Bryn Teg which culminates in the peak of Cribyn. This is continuously steep and the going is hard for a while, but on reaching its summit the rewards are immense: for the full stature of Pen y Fan is now revealed in all its grandeur, its precipitous front seamed with sinuous gullies and ribbed with grass and moss to afford a picture of mountain beauty. Now descend to the Col above Craig Cwm Sere and climb to the summit of Pen y Fan, meanwhile noting R its flat top supported by blocks of red sandstone lying end-on and poised above the innumerable layers of the same rock which alternate with successive bands of bright red earth.

On the summit is a cairn marking the site of a Bronze Age burial chamber and the view up an extensive panorama in which the vast bulk of the Black Mountains appear to the east and the peaks of Fforest Fawr lead the eye to Carmarthen Fan in the west. From Pen y Fan descend the grassy spur of Cefn Cwm-llwch to Allt Ddu, GR 027241. It is important to follow the correct path from here. There is a gate at GR 030247. Pass through the gate and on reaching the lane turn right to go through Plas y Gaer Farm. From here follow footpaths and lanes back to the point of departure.

Cribyn

Bryn Teg

Plate 226 The steepest ascent on **Route 52**

Pen-y-Fan

Plate 237 **Route 52** from Cribyn

Plate 238 **Route 52**—Corn Du from Pen y Fan

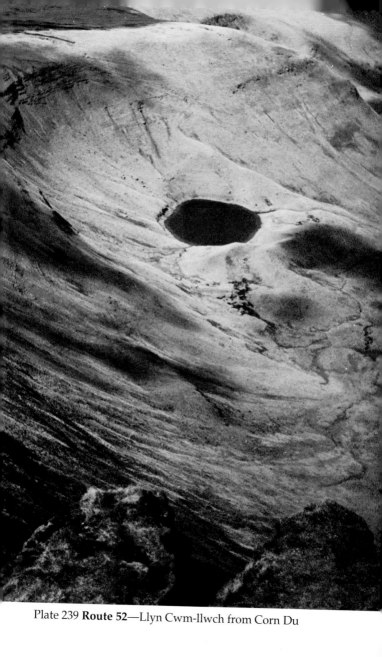

Plate 239 **Route 52**—Llyn Cwm-llwch from Corn Du

Carmarthen Fan

Bannau Brycheiniog	802 metres	2632 feet
Bannau Sir Gaer	749 metres	2457 feet
Bwlch y Giedd	730 metres	2400 feet
Fan Hir	721 metres	2366 feet

OS Map: Landranger 159
Outdoor Leisure 12 Brecon Beacons West

Known as the "Lost" mountain, this peak is situated nineteen kilometres due west of the Brecon Beacons, and in plan is rather like a gigantic isosceles triangle based on a line drawn westwards from the Gwyn Arms on the A4067. It dominates over 150 square kilometres of swelling moorland which is seamed with cascading streams, some of which disappear into the limestone. As a grassy eminence, the southern slopes of these lonely hills rise steeply at first and later at a more gentle gradient, finally to culminate in the shelter on Fan Brycheiniog GR 825218. The eastern ridge, a precipitous red escarpment, is nearly 6 kilometres in length and fringed with broken crags that drop away steeply to the moorland. It continues in an almost straight line, first to Fan Hir and after a conspicuous break at Bwlch y Giedd, to the pointed Fan Foel. The north-western rim is equally rosy and precipitous, but broken up into wild cwms. Two blue tarns grace the most northerly slopes of the mountain: to the east Llyn y Fan Fawr lies 200 metres below the summit, cradled in green hillocks; while to the west Llyn y Fan Fach lies at the foot of the frowning cliffs of Bannau Sir Gaer. There is only one hiatus in the eastern ramparts where a track, known as the Staircase, rises diagonally from the foot of the tarn to give easy access to the summit by way of Bwlch y Giedd GR 829214. Each of the north-western cwms carries a

steep path: the first to the west of Fan Foel starts at Llanddeusant and swings round near the source of the Usk GS 8123 to
rise in zig-zags to the ridge, but erosion has now made this
ascent very arduous; the second to the east of Bannau Sir Gaer
is in good condition and follows the Afon Sychlwch to its
source at Pant y Bwlch GR 816219, the third starts from the
waterworks at spot height 264m, keeps to the Afon Sawdde
and passes to the west of the tarn to attain the end of the ridge.

The most comprehensive view of Carmarthen Fan is revealed
from the old road running north beside the River Tawe from
A4067 to Trecastle, whereas the western cwms are seen at their
finest from spot height 458m on the path from Llanddeusant to
the ridge. Both viewpoints may be conveniently reached from
Trecastle by taking the road to Pont ar Hydfer GR 863276
where you turn L for the former. For the latter, continue to the
Cross Inn GR 773258 where you turn L for the church and
again L for spot height 254m.

It will be evident from the foregoing that although Carmarthen Fan is the highest peak in South-western Wales, its
situation in an often boggy and empty moorland has led to its
being cold shouldered by walkers. However, this has helped to
preserve it from the usual mountain scars and litter, and
moreover, to retain its reputation as an unspoiled peak.

The most striking features of this mountain are all revealed
near its summit; the rest of its topography lacks interest and is
rough sloping moorland, and anyone caught here in bad
weather, may have great difficulty in finding the exits.

Map 15
Carmarthen Fan

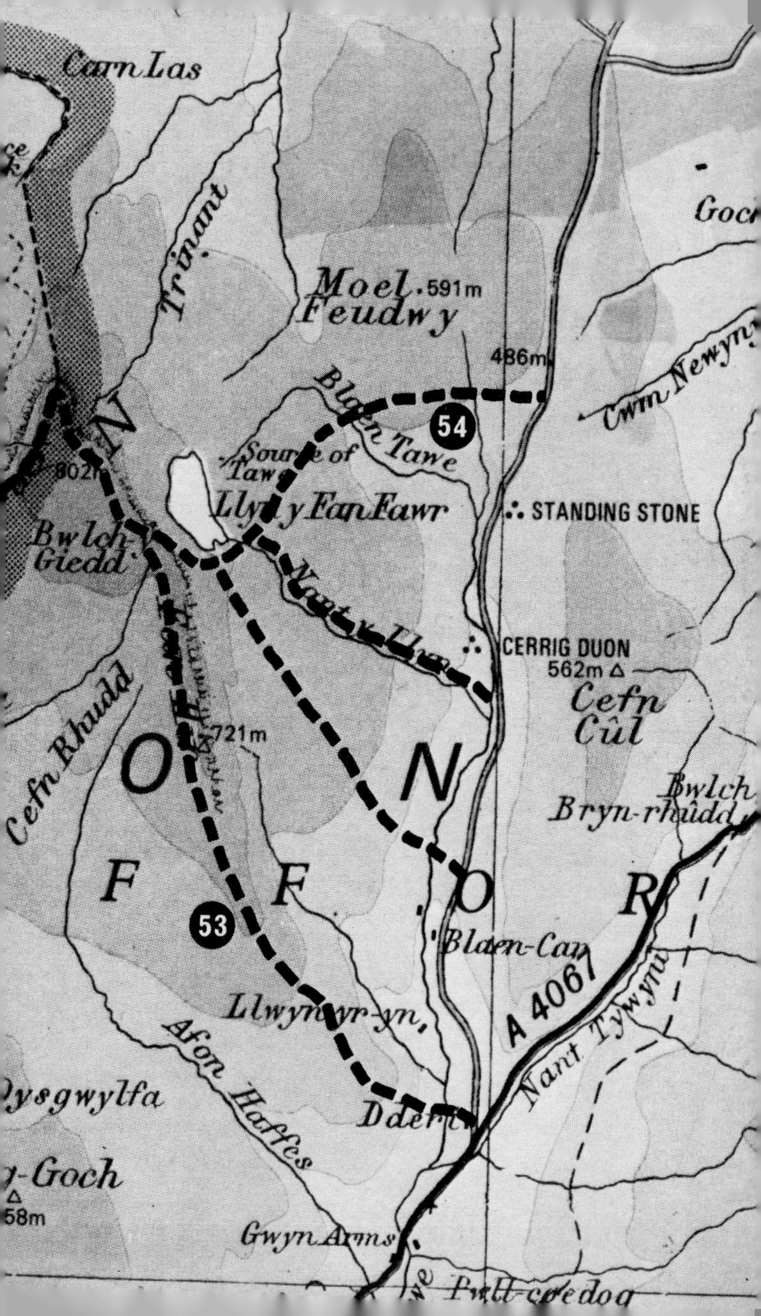

Carn Las

Trinant

Moel *Feudwy* .591m

486m

Gocr

Cwm Newyn

Blaen Tawe

54

802m

Source of Tawe

Llyn y Fan Fawr

∴ STANDING STONE

N

Bwlch-Giedd

Nant y Ffin

∴ CERRIG DUON
562m △

Cefn Cûl

Cefn Rhudd

721m

O

Bwlch Bryn-rhudd

F F N O R

53

Blaen-Cau

A 4067

Llwyn-wr-yn

Nant Tywyni

Afon Haffes

Dderi

ysgwylfa

y-Goch
△
58m

Gwyn Arms

Pull coedog

Fan Hir   Bwlch y Giedd   Bannau Brycheiniog   Fan Foel

Plate 240 Carmarthen Fan from the Standing Stone

Route 53. Gwyn Arms and Fan Hir. This mountain may be climbed by a variety of routes and that from the south begins at Tafarn y Garreg where a bridge over the River Tawe GR 848172 gives access to a path which is forsaken at the first farm. The hillside is ascended by bearing north-west. The eastern escarpment is reached and then followed to the summit cairn; it is the least interesting approach and just a continuous grind over grass. The car may be parked at the Gwyn Arms on a side road, or at the nearby church on the main road.

Route 54. Bwlch y Giedd. The key to the ascents and their alternatives from the Trecastle road is this pass. Our route begins just below the crest of Bwlch Cerrig-duon, beside a conspicuous metal sheepfold GR 855223 spotheight 476m. This is not far from the Standing Stone on the adjacent hillside and might well be described as THE STANDING STONE ROUTE. It begins with an almost level sheep track and later easy moorland slopes lead to the tarn. Now climb the Staircase from its southern end, and after passing three large cairns on the grassy slopes above it, bear R for the summit where a circular shelter provides protection from the elements on a wild day. Continue your walk to Fan Foel GR 824220 which is a better viewpoint because it unfolds the whole of the vast northern arc to perfection. To the east the Brecon Beacons top the distant skyline; to the north the moorland drops away to a forest of trees and a reservoir; while in the west are the cwms still to be reached. Continue your walk west along the edge of the lofty escarpment and note the magnificent elevation of Bannau Sir Gaer, the summit being Picws Du 749m, beyond which you will reach the cwm cradling the second tarn. Return the same way or take a compass bearing on Bwlch y Giedd GR 829214 and cross the moor to the aforementioned cairns, and so back to your car. The time required for this route is about five hours of easy going which allows time to view the scenery, eat your lunch and play with your camera. There are other variations to

Plate 241 **Route 53**—The summit from Fan Hir

Plate 242 The summit of Bannau Brycheiniog

Plate 243 The summit and Fan Foel from Llyn y Fan Fawr

this route beginning from the road along the way to the start mentioned here. Parking is possible at the roadside and in lay-bys but you must try to park considerately.

Route 55. Llanddeusant.

This hamlet is the starting point of the northern approach to Carmarthen Fan and follows the road going east from the church to the waterworks beyond Blaenau Farm, from which point the view of the mountain is obscured by Twyn yr Esgair. There is ample parking at GR 799238. Do not continue further along the track. The path to the tarn of Llyn y Fan Fach begins here and continues all the way to it beside the prattling Afon Sawdde. Pass to the west of the tarn and climb to the end of the escarpment which you follow all the way to the summit.

A possible approach from the south-west is centred at Dorwen, GR 773148 from where a line due north-east, avoiding the crags of Tyle Garw and later crossing the Afon Twrch, leads to Bannau Sir Gaer and Picws Du and Fan Foel.

Note: Much of the moorland hereabouts is common land, some of it being owned by the National Park. Although the OS map indicates few rights of way, the public are at liberty to roam on this vast bleak moor but obviously in proper consideration of those who work the land.

Plate 244 **Route 54**—The diagonal path, known as the Staircase, rises to Bwlch y Giedd

Plate 245 **Route 54**—Fan Foel from Bannau Brycheiniog

Plate 246 The Brecon Beacons top the distant skyline

Plate 247 Llyn y Fan Fawr and the summit shelter from Fan Foel

Plate 248 **Route 54** continues over Bannau Sir Gaer

Plate 249 Llyn y Fan Fach from Bannau Sir Gaer

Plate 250 **Route 55**—Bannau Sir Gaer from the Filter Beds

Index

ISBN 978-0-243-98827-3
PIBN 10721531

1 MONTH OF
FREE
READING

at

www.ForgottenBooks.com

By purchasing this book you are eligible for one month membership to ForgottenBooks.com, giving you unlimited access to our entire collection of over 700,000 titles via our web site and mobile apps.

To claim your free month visit: www.forgottenbooks.com/free721531

English
Français
Deutsche
Italiano
Español
Português

www.forgottenbooks.com

Mythology Photography **Fiction**
Fishing Christianity **Art** Cooking
Essays Buddhism Freemasonry
Medicine **Biology** Music **Ancient**
Egypt Evolution Carpentry Physics
Dance Geology **Mathematics** Fitness
Shakespeare **Folklore** Yoga Marketing
Confidence Immortality Biographies
Poetry **Psychology** Witchcraft
Electronics Chemistry History **Law**
Accounting **Philosophy** Anthropology
Alchemy Drama Quantum Mechanics
Atheism Sexual Health **Ancient History**
Entrepreneurship Languages Sport
Paleontology Needlework Islam
Metaphysics Investment Archaeology
Parenting Statistics Criminology
Motivational

HISTORIA CRÍTICA

DE LA

NTIGUA LÍRICA POPULAR

POR

D. JULIO CEJADOR Y FRAUCA

CATEDRÁTICO DE LENGUA Y LITERATURA LATINAS

EN LA UNIVERSIDAD CENTRAL

MADRID
Tipografía de la «Revista de Archivos»
Olózaga, núm. 1
1924

PQ
6184
C45
t.5

INTRODUCCION

Terreno por desbrozar, asunto nuevo por nadie tratado a fondo ni aun acaso superficialmente, harto haremos si hincamos los primeros jalones y abrimos camino para que otros lo recorran después más desembarazadamente. Si no hubo lirica popular en España, si los españoles sólo cantaron sus penas y sus amores en gallego o en galaicoportugués durante la Edad Media, como han proclamado terminantemente Menéndez y Pelayo y Menéndez Pidal, ¿cómo se habrá de historiar eso que no hubo? Bastaría comenzar por el siglo xv, cuyos cantares conoce ya el lector de la *Floresta de la antigua lírica popular castellana,* y decir con Menéndez Pidal:

"El vulgo castellano, que cantaba en la lengua propia sus gestas heroicas, cantaba su lírica en una lengua extraña". "En el *Cancionero de Baena* hallamos las postrimerías de la escuela gallega y las primeras evoluciones de la escuela castellana."

Según esto, de esa escuela gallega del *Cancionero de Baena* nació la lírica popular castellana que conocemos del siglo xv. Ese es su primer origen: antes no se cantó más que en gallego. Con tales conclusiones podriamos darnos por satisfechos. Pero cualquiera que tenga leido el *Cancionero de Baena*

sabe que en todo él no hay un chispazo de poesía,
que allí no hay más que versificación farragosa e
imitación galaicoportuguesa e italiana, mientras que
la lírica popular del siglo xv es acendrada y delicadísima poesía, sin rastro de cosa que huela a literaturas extrañas. Esto no puede venir de aquello.
Y esto es anónimo; aquello es de poetas bien conocidos. Mientras los famosos poetas escriben sonoras pa-
parruchas, el pueblo canta maravillas, de autores desconocidos. Y si esto no nace de aquello, menos con-
cebimos que nazca en aquel siglo como por gene-
ración espontánea. Los centenares de lindísimas poesías del siglo xv que hemos visto en la *Floresta* no
brotaron de golpe y porrazo en aquel siglo. El primero que hubiese ofrecido en los Cancioneros impresos cualquiera de estas poesías líricas de nuestra *Floresta* hubiera alcanzado en la república de
las letras harto más fama que todos los poetas celebrados de aquella época. Pero ninguno de ellos
fué capaz de hacer poesías semejantes. La lírica popular del siglo xv supone, pues, una lírica más antigua. No cabe compararla con aquella lírica erudita y cortesana; sólo admite comparación con los
romances viejos de aquel mismo siglo y de hecho
romances líricos son algunas de tales composiciones.
Son poesías hermanas: son la épica y la lírica popular, de harto más viejo abolengo que el siglo xv.
Aquellos cantares suponen una lírica medieval antigua, como suponen una epopeya más antigua los
romances viejos. Y antes de que nos salgan al paso
con la autoridad del Marqués de Santillana para
probar que no hubo en Castilla más lírica que la
galaicoportuguesa, vamos a probar con esa misma
autoridad del Marqués todo lo contrario. Dice en
el *Prohemio... al condestable de Portugal*:

"E despues fallaron esta arte que mayor se llama, e el arte comun, creo, en los reynos de Galicia e Portugal, donde non es de dubdar que el exercício destas sciencias más que en ningunas otras regiones e provincias de España se acostumbró; en tanto grado, que non ha mucho tiempo cualesquier decidores e trovadores destas partes, agora fuessen castellanos, andaluces o de la Extremadura, todas sus obras componían en lengua gallega o portuguesa. E aun destos es cierto rescevimos los nombres del arte, asy como maestría mayor e menor, encadenados, lexapren e mansobre".

Claramente se ve que el Marqués habla aquí de la poesia culta y cortesana. Tanto, que poco despues, aludiendo a la popular, añade:

"Cómo pues, o por quál manera estas sciencias ayan primeramente venido en manos de *los romancistas o vulgares,* creo sería difícil inquisicion e una trabajosa pesquisa."

No fuera para el Marqués, cierto, dificil inquisición y trabajosa pesquisa, si esa poesia popular hubiera salido de la poesía culta del *Cancionero de Baena,* donde, según Menéndez Pidal, hallamos las postrimerías de la escuela gallega y las primeras evoluciones de la escuela castellana. Porque esa evolución se hubiera hecho cabalmente en tiempo del Marqués. Pero en tiempo del Marqués vivía tan lozana la poesía popular épica y lirica, que, como veremos, había ya vencido y se llevaba de calle a la poesía cortesana. Esa poesía popular, épica y lirica: esto es, romances épicos y cantares líricos, la mienta el mismo Marqués en son de menosprecio cuando a poco, en el mismo *Prohemio,* dice de ella:

"Infimos son aquellos que sin ninguna orden, regla nin cuento facen estos *romances e cantares* de que las gentes de baxa e servil condicion se alegran."

No dice, pues, el Marqués de Santillana que sólo se cantaba en galaicoportugués en Castilla, sino que en galaicoportugués escribían los poetas cortesanos y cultos; pero que el vulgo cantaba sus *romances* y *cantares* naturalmente en castellano, como se nos han conservado en los romances viejos y en los cantares líricos de aquella época. Ese texto del *Prohemio* que suelen aducir en son de triunfo para probar que no se cantó en Castilla más que en galaicoportugués, nada prueba, por consiguiente, pues de otro texto del mismo *Prohemio* se saca que el vulgo cantaba en castellano.

Hubo, pues, una lírica popular castellana durante la Edad Media, como hubo una epopeya popular, admirada hoy por todo el mundo literario. Si aquella epopeya es admirable, no lo es menos aquella lírica, y para mí que lo es mucho más. Una y otra sólo llegaron a estimarse por los cultos en tiempo de los Reyes Católicos; desde entonces publicáronse juntas, en pliegos sueltos, cancioneros, romanceros y otras colecciones literarias o musicales. Una y otra llevaron su savia bienhechora a la literatura culta, hasta servir de macizo fundamento al teatro nacional. Pareja corre la historia de cantares y romances: callada y silenciosamente durante la Edad Media, por debajo de la literatura culta y menospreciados por los que escriben; gloriosa y triunfalmente desde fines del siglo xv, imponiéndose a los poetas eruditos y dando alma castiza a la nacional literatura. La epopeya o romancero tuvo su hora de rehabilitación a principios del siglo xix merced al espíritu romántico que trajo la estima de todo lo antigno español; hora es de que se rehabilite la lírica popular, el menospreciado villancico. Asunto nuevo, materia desconocida hasta ayer y negada hasta por

Menéndez y Pelayo, descubrimientos inesperados que trastornan de arriba abajo toda la historia literaria medieval y aun de las épocas posteriores; aspectos nuevos del alma artística y sentimental española, tenida equivocadamente por poco sensible a la expresión lírica, que se creía exclusiva de Portugal y Galicia, y se negaba axiomáticamente a la meseta castellana. La novedad de esta mi obra tiene tanta o mayor importancia que las que rehabilitaron nuestra epopeya, cuanto nuestra lírica popular le aventaja en todo. De hoy más podemos asegurar que la literatura castellana, si tuvo una admirable epopeya, tuvo una más admirable lírica. Aventaja nuestra lírica popular a nuestra epopeya en todo sentido. Sus orígenes son mucho más antiguos; su influencia en la lírica arábigohispana, en la provenzal, en la francesa, en la galaicoportuguesa, es de tanta importancia que puede asegurarse que se lo deben casi todo, en vez de debérselo todo a ellas nuestra lírica medieval, como se ha creído hasta hoy. Según Menéndez y Pelayo y Menéndez Pidal, la única lírica peninsular durante la Edad Media fué la galaicoportuguesa, y de ella, en el siglo xv, salió la lírica castellana, y lo que ahora vamos a ver es que la lírica popular castellana fué nada menos que abuela de la galaicoportuguesa, o mejor dicho, tatarabuela, puesto que la lírica galaicoportuguesa fué hija de la provenzal, y ésta de la hispanoarábiga, y ésta de la popular castellana. La epopeya castellana acabó a fines del siglo xv, quedando reducida desde entonces a romances artísticos de imitación, y, finalmente, a romances plebeyos de bandoleros y de crímenes ruidosos, mientras que la lírica popular siguió y aún sigue viviendo en toda España. El espíritu épico pide ciertas condiciones sociales e ideas comunes a toda la na-

ción, que no siempre se dan en la historia y vida
de los pueblos; los amores y penas brotan en todo
tiempo del alma particular de todo individuo que
tenga la suficiente facultad de expresión y en cualquier estado social las gentes cantan líricamente sus
penas y sus amores. El villancico, expresión lírica
castellana, nació con el idioma castellano, y tiene y
tendrá vida tan larga como él, de la misma manera
que el refrán y la frase, por ser elementos naturales
y esenciales del habla castellana. El pueblo español,
que creó una epopeya durante los ocho siglos de la Reconquista de tan subidos quilates, de tanta alteza de
pensar, de tan acabadas ideas éticas, tuvo siempre
una lírica todavía más duradera, rica en sentimientos, variada en tonos, de grande unidad, de naturaleza muy filosófica, natural y sencilla de forma, donai-
rosa y elegante de porte y meneos, y, sobre todo,
original, acaso cual ninguna otra. Su naturaleza y
la nota que la distingue de las demás líricas, lo que
le da unidad dentro de la variedad, lo que da forma
a su estructura, el alma de nuestra lírica, en suma,
es el villancico, suspiro del alma que, como germen
lírico, se desenvuelve en coplas, en villancico complejo, en villancico con coplas, en villancico con copias y estribillo. Esta naturaleza y estructura es original, psicológica y distintiva de la lírica castellana.
Pero ese suspiro lírico del sentimiento, nacido en el
corazón, que se llamó villancico por ser cosa tan popular como los villanos, es tan parte del idioma
como el refrán, que es el dictamen nacido en la cabeza, y la simple frase, que se fraguó en la fantasía.
Son tres manifestaciones idiomáticas tan viejas como
el mismo idioma. Los villancicos simples, sobre todo,
que conocemos del siglo xv, podemos con toda segu-
ridad darlos por mucho más viejos, por tan viejos

como los refranes que del siglo xv conocemos. Algo
se habrán ido modificando, según los tiempos, cuanto
a las palabras o su pronunciación, como se fueron
modificando los refranes; pero el sentimiento y el
troquel o forma en que se vaciaron no pudo mudarse. Son tan venerables como los refranes y las
frases idiomáticas. ¡Como las frases, hijas de la fantasia, son el modo idiomático de expresarse el alma
española, su particular estilística; los refranes y villancicos, que no son más que dos clases particulares
de frases, pertenecen no menos a la estilística idio-
mática del alma nacional. Las frases muestran la
fantasía artística, la inventiva poética del pueblo español; el pensar y opinar, los dictámenes de la in-
teligencia del pueblo español muéstranla los refranes, y los villancicos igualmente muestran el sentir
del pueblo español, su corazón, sus anhelos y quere-
res, sus penas y dolores, sus pasiones, simpatías y
antipatias, sus afectos todos, el fondo de su alma.
Y esto último es de tanto o más valer estético, psi-
cológico e histórico que los dictámenes éticos y po-
líticosociales que encierra la epopeya popular. En la
epopeya canta el pueblo español a sus héroes tal
como se reflejan en su propia alma; la lírica es el
canto, la expresión de lo subjetivo, de los propios
sentimientos. Ese tesoro lírico, escondido y traspuesto para los más, y aun para la mayor parte de
los literatos, es el que he querido descubrir, des-
enterrar y entregar a todos para que todos lo gocen.
·Ninguna nación puede presentar colección tan rica,
tan antigua y de composiciones de tan subido valor
estético, de tan puro, sincero y desnudo lirismo, y a
la par de tan naturales, delicados y recios sentimientos.

¿Qué podrán decir ahora los que aseguraban que

el lirismo era exclusivamente de Galicia y Portugal y ajeno al alma artística castellana? Cuanto a que los españoles no tuvieron lírica en la Edad Media porque tenían épica, que no les ocurrió cantar las penas y los amores de su alma por andar enfrascados en cantar las hazañas de otros, de sus héroes, como algunos han repetido, razón es que a nadie convencerá. Es lo mismo que decir, como los italianos decían de los españoles, que no habíamos tenido poesía de ningún género, porque harta tarea tuvieron nuestros mayores con el continuo guerrear contra los moros. Pero si la pluma no embota la lanza, menos la lanza coserá la boca al que sienta de veràs y se vea arrastrado a cantar lo que siente. Y eso repetían los italianos, y aun tras ellos los nuestros, en el punto y hora que se componían romances de la guerra de Granada, cuando bullía la epopeya castellana con toda su pujanza, y poco después, cuando todo el mundo leía en pliegos de cordel los admirables romances viejos de nuestra epopeya medieval y los no menos admirables villancicos, y las gentes cantaban unos y otros por todas partes.

Y es que entonces, como después y aun ahora mismo, lo popular· fué, y aun es, objeto de menosprecio para los cultos. El más antiguo de nuestros críticos, el Marqués de Santillana, curiosísimo husmeador de toda novedad italiana y amigo de toda moda literaria, aficionado y Mecenas de las letras, ya hemos visto lo que escribió acerca de nuestros romances, y Menéndez y Pelayo, de tan amplio criterio estético, aunque demasiadamente clásico, opinó que no había habido en España lírica popular. Verdad es que generalizando y ensanchando tal doctrina, llegó a decir que:

"Artes hay, como la poesía lírica, la escultura y aun cierto género de música que, a lo menos en su estado actual, ni son populares ni conviene que lo sean, con detrimento de la pureza e integridad del arte mismo."

Y aun añadió:

"Tales artes son esencialmente aristocráticas."

Arte de cortesanos, para algunos críticos, la lírica pide gran refinamiento en la vida y mucho de artificio en el escribir. Yo pienso, por el contrario, que con el artificio en el escribir, no con mucho, sino con poco artificio que se ponga al escribir, ¡adiós lírica! Si algo de inspiración lírica tuvo el poeta, el artificio la asesina. La lírica verdadera no puede ser más que popular, como no puede ser más que popular la verdadera épica. ¡Cortesana, culta, erudita, la lírica! Tal fué la que conocemos por los historiadores literarios en España durante la Edad Media; por eso es de tan bajo metal, que apenas merece nombrarse. Menéndez y Pelayo recogió en siete tomos lo más escogido: *Antología de poetas líricos castellanos*, 1890-1898. Hablemos, no como eruditos que respetan y aun están encariñados con todos los documentos de nuestra cultura, como debe estarlo todo español; hablemos como artistas que sólo buscan el valor estético y literario en las obras: ¿cuántas de aquellas poesías lo tienen? Don Juan Valera confesaba con franqueza que hasta el siglo XVI no había verdadera poesía. No conociendo nuestra lírica popular, sólo podía hallar en la erudita, como de valer literario, el libro de Juan Ruiz, las serranillas de Santillana, las coplas de Jorge Manrique; lo demás es, real y francamente hablando, pura versificación.

Hay ocho canciones que Menéndez y Pelayo copió y puso como arrinconadas al fin del tomo IV, que distan infinito de todo lo demás: son 'poesia verdadera, sentida, elegantísima. Esas ocho canciones son algo nuevo y peregrino en la *Antología*. Diríase, al llegar a ellas, que amanece el día tras la noche. ¿De qué altísimos poetas son esas joyas? Pásmese el lector: son cabalmente anónimas. Tal reza el título que les puso Menéndez y Pelayo. Pero anónimas y de tanto más valer estético como esas ocho se hallan del siglo xv en esta *Floresta,* por centenares. ¿Por qué no las recogió Menéndez y Pelayo? Ya advirtió en la Introducción que sólo trataba de lírica erudita o culta. Y ¿por qué ceñirse a la culta y prescindir de la popular en obra cuyo título la comprende: *Antología de poetas líricos castellanos?* ¿Para darnos la paja y dejar soterrado el grano en los silos del olvido? Y si no trataba de la popular, ¿a qué traer esas ocho poesías populares? ¿Prefirió, acaso, dejar a un lado la poesia popular para que la desenterrasen los extranjeros, único camino por donde los españoles se atreven a apreciar lo propio? De fuera vinieron a alabarnos nuestros viejos romances, recogiéndolos de los pliegos sueltos, cancioneros y romanceros antiguos. ¿Aguardaremos a que de esas mismas fuentes desentierren los villancicos y coplas de nuestra vieja lírica popular los críticos extranjeros?

A dicha, ya tenemos ahí publicada en parte la *Floresta.* El lector que tenga dos adarmes de buen gusto no más se habrá preguntado al leerla: Pero ¿cómo no nos habían hablado de nada de esto críticos e historiadores? ¿Cómo se habían dejado arrumbadas estas joyas en libros raros y aun en más raros manuscritos, sin honrar y ataviar con ellas las Antologías y Poéticas?

Realmente, el que por primera vez lee, aunque no sea más que estos cuatro versos:

Zagaleja la de lo verde,
graciosica en el mirar,
quédate a Dios, vida mía,
que me voy deste lugar,

no puede menos de quedarse parado y exclamar: "Esto es otra cosa; esto no se parece a nada de lo que yo conocía como lírica castellana. Hay aquí, en estos cuatro sencillos versos, una sinceridad tan candorosa, una fuerza tan expresiva de sentimiento, una tal naturalidad de decir, que se nos antoja como desusado y peregrino, siendo de hecho de lo más castizo, y como vemos ahora que tenía que ser la poesía viva y verdadera, la que sale del alma. Pero vengamos ya a los orígenes históricos de la lírica popular, que vamos a ver ser harto más viejos que el siglo xv, ni que el *Cancionero de Baena.*

Como tratamos de *poesía popular,* conviene, ante todo, precisar y ceñir bien los diversos conceptos que de ella tenemos. Propiamente se entiende por *poesía popular* o *del pueblo, hecha por él,* aquella que brotó espontánea, inconsciente e impersonal o anónima en el pueblo, y es la expresión de su propio pensar, sentir y fantasear. Quiere decir que los particulares que poetizaron fueron anónimos y lo hicieron sin miras literarias, sin reflexión científica, sin reglas reflejamente conocidas, expresando su alma en lo que tiene de común con todo el pueblo, y sus obras se las apropió éste como expresión del alma popular, y aun las fué retocando y variando, al correr de labio en labio, y fueron transmitidas por la tradición oral. Variadas de mil maneras en diversos tiempos y regiones por los que las cantaban, ya no puede decirse que las compuso un individuo, el primero que las cantó, sino que son *obra del pueblo,* pues son infinitos los que las retocaron. Así es que ofrecen en la tradición oral un sinfín de variantes.

Tal es nuestra epopeya medieval y nuestra popular lírica castellana.

La segunda clase es de obras hechas *para el pueblo,* por autores anónimos o conocidos, en las que ya hay reflexión científica y literaria en sus autores, siendo, por consiguiente, literatura culta; pero hecha por buenos talentos a la manera y conforme al espíritu popular. Tales obras, generalmente no retocadas por el pueblo y transmitidas por la escritura, pueden llamarse *semipopulares* y lo pueden ser en varios grados, hasta confundirse con las propiamente populares, y como tales vivir en la tradición oral a la vez, y ofrecer variantes y retoques populares. En parte, es de esta clase *el teatro nacional* del siglo XVII, y todavía más el del siglo XVI, puesto que todo aquel teatro se hizo para entretener al pueblo, y de hecho el pueblo se entretenía con él y lo entendía. Hay, con todo, en él no pocas cosas, aunque las menos, que ni las entendía ni estaban hechas conforme a su espíritu, ni, por consiguiente, se hicieron para él, aunque tal pensaran sus autores, que en ello no acertaron, como ciertas mitologías y teologías demasiado traspuestas para la gente común, cierto decir campanudo y gongorino que gustaba a los seguidores de la moda, literatos más o menos todos ellos; pero que no era conforme al decir y al gusto de todos, etcétera, etc.

De todas estas clases de poesía semipopular hay entre los villancicos de Navidad, cantados en las iglesias del siglo XVII, de las cuales he escogido los más conforme al espíritu del pueblo. Ellos son anónimos; pero les falta para ser tan populares como las poesías de la primera clase el no haberse transmitido por la tradición oral, sino mediante la escritura. También son de esta misma última clase algunas de las imitaciones que de cantares populares hicieron Juan del Enzina, Gil Vicente, Sebastián de Horozco, Lope, Tirso, Valdivielso, enteramente conformes a la manera y espíritu popular, sino que son de autores conocidos, hechos con reflexión literaria, y se transmitieron por la escritura.

Otra tercera clase es la de obras ya *cultas,* hechas *como el pueblo,* por autores generalmente conocidos, conforme a la manera y espíritu del pueblo; pero no para el pueblo común, sino con miras literarias y cultas, como los más de Castillejo y de casi todos los poetas cultos de los siglos XVI y XVII, que poetizaron a la castellana e hicieron villancicos, letrillas, romances. Obras que ya no entran en la *Floresta.*

Finalmente, *culta* es además la poesia hecha conforme a modas y maneras extrañas, como la medieval a la gallega y a la italiana, y en la época clásica, la clásica o a la italiana en metros italianos, con mitología, erudición peregrina y alusión a costumbres clásicas grecorromanas. Los poetas que tal escribieron tuvieron miras literarias o cortesanas, como los del tiempo de don Juan II, que escribían para cortesanos y sus allegados, y los clásicos, que lo hacían para literatos y gente culta. Toda esta poesía, no sólo es culta como la de la tercera·clase, sino que no es nacional, como lo es aquélla, sino extraña y peregrina en el pensar, sentir y fantasear, y hasta en las expresiones y sentencias, siendo sólo castellana por el idioma. Pero el idioma no basta para que sea castellana y nacional la poesía, si el espíritu no es nacional, sino extranjero. Hay además en esta poesia mucho de imitación en ideas, sentimientos, expresiones y lenguaje bárbaro, llamando bárbaro hasta al latín, que lo es respecto del castellano, como los romanos llamaban bárbaro a todo otro idioma que no fuera el suyo. Los latinismos son tan barbarismos como los galicismos. Y no sólo imitación suele haber, sino hasta copia y robo de ideas, sentimientos, frases y palabras extrañas. Todo ello se debe al prurito de seguir la moda y andar a caza de novedades peregrinas, lo más opuesto que hay al espíritu de la poesia, doncella que se mancilla con cualquier intento que no sea el de ella misma, esto es, el de expresar poéticamente, el de amar y buscar la poesía por sí misma, sin intentos bastardos de ninguna especie. Claro está que esto de la inmaculada poesia y del huir de bastardos intentos lo han proclamado más los que menos lo practicaban, como Baena en la introducción de su *Cancionero,* los clásicos de los siglos XVI y XVII, los modernistas; pero también se dan a sí mismas el título de honradas cabalmente las que no lo son, porque suele gritarse aquello que más le hace a uno falta, queriendo suplir con el nombre la falta de la cosa.

Figúrese el lector que se halla a las puertas de
Córdoba un día soleado de la primera mitad del siglo XII. Entra, y, a pocas calles andadas, llega a sus
oídos el sonido de una flauta. Luego el sonajeo del
adufe, el rataplán del tamboril. Al trasponer de una
esquina da con un corro de gentes. En medio, una
mozuela baila repicando los palillos, un mozo crúo
lleva el canto. Relata escenas de amor bastante libres,
exclama apasionado lo que la bailarina remeda con sus
sueltos meneos. Tras cada copla el corro repite siempre, a manera de estribillo, los primeros versos de la
canción. Es un *zéjel*, una canción arábiga, en la
que se oyen mezcladas algunas palabras castellanas
y, acabado el canto, castellano hablan unos, árabe
otros y todos se entienden. En Córdoba se hablaba en castellano y en árabe, y españoles de raza eran
los más de sus moradores. Si el lector hubiera vivido
en tiempo de Cervantes hubiera presenciado en la
calle Mayor de Madrid escenas parecidas y hubiera oido cantar a la gitanilla Preciosa un verdadero
zéjel en castellano. ¿Qué es un *zéjel?*

Veamos el de Córdoba, traducido por Ribera:

ESTRIBILLO O LETRA

10. A *Que beba la hermosa y me de a beber*
10. B *sin centinela ni polizonte que nos espíe.*
4.   C *Así es más bonito.*

COPLA I.ª

10. d ¡Cuán deliciosa noche se pasaría acariciándo-
                    [nos con besos y abrazos!
10. d ¿Adónde vas? ¿Por qué estás inquieta?
10. d No te muevas. Cede tus gracias al amante.
10. a Quien ha estado en situación tan violenta como
                    [la mía que considere.
10. b ¡Si es poco lo que pretendo!
4   c Y... no lo consigo.

ESTRIBILLO

10. A *Que beba la hermosa y me de a beber*
10. B *sin centinela ni polizonte que nos espíe.*
4.   C *Así es más bonito.*

Así prosiguen las demás coplas con el mismo estribillo, el cual es cantado por todos los del corro. Trasladémonos al siglo xv, sin mudar de lugar. Aquí mismo, en Córdoba o en Toledo, Zaragoza, Sevilla, oiríais en el siglo xv este cantar castellano:

VILLANCICO

A *Descended al valle, la niña.*
B *—No es venido el día.*

COPLA 1.ª

d —Descended a remediarme:
d pues quesisteis cautivarme,
d non queráis ansí matarme,
b porque el alma perderia.

ESTRIBILLO

B —*No es venido el día.*

Y así las demás coplas y tras ellas el mismo estribillo. Es un verdadero *zéjel* castellano. Lo fundamental del *zéjel* está en que haya una cabeza o villancico inicial y coplas cuyos últimos versos rimen con los del villancico, que se repite como estribillo tras cada copla. En el ejemplo arábigo se repite como estribillo todo el villancico y hay al fin de la copla tantos versos rimados con los del villancico cuantos versos tiene éste. En el ejemplo castellano sólo un verso del villancico sirve de estribillo, y con él rima el último verso de la copla; pero también hay composiciones enteramente como la arábiga. Este sistema es el más cultivado en castellano y le hemos llamado *villancico con coplas y estribillo.* Fué desconocido de griegos y romanos, de gallegos y portugueses, de franceses y provenzales; es exclusivo de la lírica castellana y de la arábigohispana. Antes de nacer las literaturas románicas lo hallamos en Andalucía, y desde que se conservan poesias populares castellanas ha sido el sistema más general de nuestra lírica popular. El sistema nació, por consiguiente, en España. El lector supondrá que el sistema es originariamente arábigo, y que del árabe pasó al castellano. Pero es fácil probar lo contrario, que del castellano pasó al árabe. Bastaba advertir que el tal sistema no se halla en la poesía arábiga general y clásica, y que es exclusivo, en cambio, y general, en todos tiempos de la lírica popular castellana. Pero además, que los árabes españoles lo tomaron del castellano nos lo aseguran los mismos historiadores árabes.

Estudiando un poco más el *zéjel* hallamos en los dos ejemplos, castellano y cordobés, que la copla tiene versos de dos rimas: primero, un ternario de versos monorrimos; luego verso o versos finales con rima diferente, pero que es la misma que en el villancico. Por tener versos *de doble rima* llamaron los árabes españoles *moaxaja*, que eso significa[1], a toda composición en que habia tal mezcla; de suerte que el *zéjel* es una clase particular de la *moaxaja*. El *zéjel* es una *moaxaja* con estribillo; esto es, nuestro villancico con coplas y estribillo. La *moaxaja* fué más antigua entre los árabes españoles que no el *zéjel,* y consistía primitivamente desde fines del siglo IX, en que la inventó Mocádem, en un villancico y coplas, sin estribillo; pero las coplas con la doble rima que hemos dicho. La tal *moaxaja*

---

[1] Después de escrito esto ha dado Ribera el mismo significado etimológico en *La Música de las Cantigas,* 1922 (pág. 66, nota): "El nombre de la moaxaha también creo que no se ha explicado bien. Se ha dicho que deriva del vocablo ‏وشاح‎, en sentido de *cinturón.* A juicio mío, deriva de la acepción que aparece en Abensida, el cual en su *Mojasis* dice que significa *collar de perlas de colores distintos,* aludiéndose sin duda en moaxaha a la variedad de rima que semejaban los hilos de perlas de colores distintos que hay en ese collar. Es un tópico de eruditos aplicar a las obras literarias los nombres de los collares de perlas o de piedras preciosas."

la tomó Mocádem del castellano, y no es más que el *villancico con coplas* de la primera clase de nuestra *Floresta,* esto es, cuando el final de las coplas rima con el villancico de la cabeza. Ejemplo:

> *Bajo de la peña nace*
> *la rosa que no quema el aire.*
> Bajo de un pobre portal
> está un divino rosal
> y una reina angelical
> de muy gracioso don*aire.*
> Esta reina tan hermosa
> ha producido una rosa
> tan colorada y hermosa
> cual nunca la vido n*adie.*
> Rosa blanca y colorada,
> rosa bendita y sagrada,
> rosa por cual es quitada
> la culpa del primer p*adre.* Etcétera.

En los dos *zéjeles,* castellano y cordobés, los versos iguales de cada copla forman un ternario monorrimo: *ddd* en la copla cordobesa, *-arme,* o *ddd* en la castellana. Pero, como vimos en la *Floresta,* en la copla castellana pueden ser más de tres los versos y tener dos o más rimas en versos cruzados. Ejemplo: el número 1433 con copla de ocho versos, rimando de suerte que se cruzan las rimas, y así otros muchos ejemplos, con gran variedad en el número de versos y en la manera de rimarlos. El árabe español Obada introdujo la variante que llaman del *trenzado* o entrecruce de rimas en la poesía arábigoespañola. En el *zéjel* castellano sólo se repite como estribillo el último verso del villancico; en el cordobés, todo el villancico. Pero en la *Floresta* hemos visto que en castellano puede también repetirse todo él. Los versos finales de coplas son en el *zéjel* cordobés tantos como los del villancico, rimando con ellos; en el castellano no rima más que el último de la copla con el último del villancico, por repetirse solamente este último como estribillo; pero también puede seguirse el sistema cordobés. En suma, el sistema castellano es más libre y general; el cordobés sólo admite casos particulares de él y no admite otros muchos que caben en el castellano; prueba de que de él se derivó. La fórmula de rimas, omitido el estribillo, es, pues, como sigue:

cordobés: **ABC,** *ddd,* **abc**
castellano: **AB,** *ddd,* **b.**

Entendida la naturaleza de la *moaxaja* y del *zéjel,* veamos ya un extracto histórico de la poesía arábigoespañola, que trae el gran historiador árabe Aben Jaldún, según la traducción francesa, en *Les Prolegomènes d'Ibn Khaldun, traduits en français et commentés par M. de Slane,* Paris, 1868, páginas 422-445:

"Les habitants de l'Espagne avaient dejá beaucoup composé en vers: ils venaient de régulariser les procédés de la poésie, de fixer les caractères de ses divers genres et de porter au plus haut degré l'art de l'embellir, quand leurs poètes, à une époque assez moderne en découvrirent une nouvelle branche à laquelle ils donnerent le nom *de mowascheh* (ode). Dans les poëmes de cette espèce, ils faisaient correspondre d'une manière régulière les *simt* aux *simt* et les *ghosn* aux *ghons* [1]. Ils ont beaucoup composé de ces pièces

---

[1] On désigne par le term *simt* "ligne" les stances dont se composent le *mowascheha*. Le mot *ghosn* "branche" désigne les vers dont se composent les odes (*mowascheha*) et les chansons ou ballades (*zedjel*) espagnoles.

sur un grand nombre de sujets. Un nombre dé-
terminé (de vers forme une stance et) compte, chez eux,
pour un seul vers. Le même nombre de rimes et les mê-
mes mesures qu'on donne aux *ghosn* (de la première stance) se reproduisent invariablement (dans les stances
suivantes) jusqu'à la fin de la pièce, laquelle se compose
ordinairement de sept vers (ou stances). Chacun de ces
vers renferme plusieurs *ghosn,* dont le nombre est fixé
par la fantaisie du poëte et par le système (de versification qu'il adopte). Dans les poëmes de cette espèce, on cé-
lèbre les charmes de la bien-aimée et les vertus des grands
personnages, ainsi que cela se fait dans les *cacîdas.* Ces
compositions, dans lesquelles la grâce et l'élégance sont
portées jusqu'aux dernières limites, faisaient les délices de
tout le monde, et, comme elles étaient d'une forme facile
a saisir, les grands et les petits s'empressaient également
de les apprendre par coeur. Celui qui, le premier, en Espagne, imagina ce genre de poëme, fut Mocaddem Ibn
Moafer en-Neirîzi (ortografía incierta, en Al Maccarí
Moafa), un des poëtes favoris de l'émir Abd Allah Ibn
Mohammed el-Merouani (el 7.º omeya español, que su-
bié al trono el año 275 de la hegira, 888 d. J. C.). Abd
Allah Ibn Abd Rabbou, l'auteur de l'Icd (su nombre propiamente *Omar*), apprit d'Ibn el-Moafer a composer dans
ce style; mais leurs souvenir (comme compositeur d'odes)
ne s'est pas conservé, et leus *mowaschehas* ont fini
par tomber dans l'oubli. Le premier qui se distingua.
réellement dans cette partie se montra plus tard;.
il se nommait Eibada tel-Cazzâz, et était le poëte en
titre d'El-Motacem Ibn Somadih, souverain d'Alme-
ria (subió al trono el año 1051 de J. C., 443-444 de la hegira)... Après lui vint en seconde ligne (Abou Bekr
Mohamed) Ibn Arfâ Raçou, poëte en titre d'El-Mamoun
Ibn Dhi'n-Noun, souverain de Tolède... Ensuite, sous
le gouvernement des Almoravides, une outre troupe de
poëtes entra dans la lice et fit des choses admirables. Les
chefs de cette troupe étaient Yahya Ibn Baki (Abou Bekr

Yahya Ibn Baki, de Córdoba, véanse poesías en Al-
Maccari), et l'Aveugle de Tudèle (El-Aama et-Toteïli)
(Abou Djafer Ibn Horeïra de Aamâ et-Toteïli, véase Al-
Maccari)."

De este autor trae el siguiente cantar de versos exa-
sílabos y de rima cruzada:

"En riant, elle montre des perles, en se dévoilant, elle
laisse voir une lune; le monde est trop étroit pour la
contenir, et cependant elle se trouve renfermée dans mon
coeur."

Véase la transcripción arábiga de Slane:

> "Dhahek an djoman,
>   saber an bedri,
>   dhac auho'z-zeman,
>   oua hawaho sadri."

Prosigue Abén Jaldún:

"Dans le siècle où ces poëtes florissaient, il en parut un autre nommé Abou Bekr el-Abiad... Un autre
...fut le philosophe Abou Bekr Ibn Baddja (*Avenpace*,
muerto en 1138-39 d. J. C.), auteur des airs (thelhin)
qui sont bien connus... Après ces poëtes, et dans les
premiers temps de la dynastie almohade, parut Mohammed Ibn Abi'l-Fadl Ibn Cheref... (Citons aussi) Ibn
Herdous... (Et mentionnons) Ibn Mouhel... (Nommons)
encore Abou Ishac ed-Douini... Après lui, le poëte le plus
distingué fut Ibn Haiyoun, l'auteur de la chanson (*zedjel*) si bien connue... Il y avait avec eux a Grenade un
autre poëte qui se distinguait beaucoup et qui se nommait El-Mohr Ibn Ferès... Après ceux-ci parut à Mur-
cie Ibn Hazmoun... Signalons encore Abou l-Hacen Sehl
Ibn Malek, natif de Grenade... Vers la même époque
(le poëte) Abou'l-Hacen Ibn Fadl se distinguait à Cor-
doue... Lorsque l'art de composer des odes se fut ré-
pandut parmi les Espagnols, tout le monde s'y apliqua à
cause de la facilité du genre, de l'élégance de sa forme et
de la correspondance qui régnait entre les vers; et les

habitants des villes se mirent a tisser sur ce modèle et
a ranger des vers d'après- ce système. Ils y emplo-
yèrent leur dialecte ordinaire, celui qui se parle dans
les villes, et ne s'y astreignirent pas à l'observation des
règles de la syntaxe désinentielle. Ils développèrent aussi
une nouvelle branche de poésie à laquelle ils donnèrent
le nom de zedjel (ballade) et dont la versification con-
serve jusqu'à ce jour la forme qu'ils avaient adoptée (au
commencement). Dans ce genre de poésie, ils ont pro-
duit des pièces admirables, et l'expression des idées y
est aussi parfaite que leur langage corrompu le permet.
Le premier qui se distingua dans cette voie fut Abou
Bekr Ibn Gozman. Il est vrai qu'avant lui on avait re-
cité des ballades en Espagne, mais la douceur du style,
la manière élégante dont on y énonçait ses pensées et
la beauté dont ce genre de composition était susceptible
ne furent appréciées qu'au temps de ce poëte... Vers
la même époque, il se trouvait dans l'Andalousie orien-
tale un poëte nommé Makhlef el-Asoued qui composa
de très-jolies chansons... Après eux parut un groupe de
poëtes dont le chef, qui se nommait Medeghlis (Abou
Abd Allah Ibn el Haddj), eut d'admirables inspirations...
Après eux parut à Seville le poëte Ibn Djahder... il cé-
lébra la conquête de Majorque (por los almohades sobre los almoravides; a poco la conquistó Jaime I)."

Casiri (t. I, pág. 127) dice que el inventor de la
moaxaja fué Abd-Rebbihi, y trae una lista de 29
autores que las hicieron. Otro tanto afirma Mac
Gueckin de Slane, en la página xxxv de su *Introducción* al t. I de su versión *Ibn Kallikan's Biogra-
phical Dictionary*, Paris, 1842, pues dice: "The mu-
washshaha invented in Spain by Ibn Rabbîh."

Pero Mocádem fué más antiguo y pasa entre los
más de los autores por el primer inventor. Aben
Ghalib en Al Makkari (edic. Gayangos, t. I, página 118) dice:

"Podemos poner entre las esclarecidas cosas de los habitantes de Andalucía el haber sido inventores de la clase de composición poética llamada *moaxaja;* la cual no sólo fué aprobada y tenida por buena de los críticos orientales, sino que los mismos poetas de Oriente la adoptaron y emplearon, y fué tema de públicas competencias literarias."

Gayangos dice que el número 432 de la *Biblioteca*, de Casiri, es una colección de moaxajas. Las hay, además, en los mss. 434 y 455. Acerca de la historia de esta lirica arábigohispana, de sus origenes y de su difusión hasta por Oriente, es digno de estudio el libro de Mohamed ben Hasán ben Asákir (عساكر), que se halla en El Escorial, donde se hallan muchas moaxahas y zéjeles. Este libro se titula تذممو النو شيح . Citalo Ribera con otras obras en *La Música de las Cantigas*, 1922, pág. 73.

El párrafo de Abén Jaldún tiene comprobación todavia más terminante en la obra llamada *Addajira* del historiador de la literatura arábigoespañola Abenbasam (الذحيرة لابن بسام), manuscrito de la Biblioteca de París (fol. 124). Abenbasam nació en Santarén; el año 477 estuvo en Lisboa; el 494, en Córdoba, y murió el 542 (1147-1148 d. J. C.); escribía quince años después de la toma de Valencia y diez después de la muerte del Cid. El trozo que nos hace al caso lo publicó Julián Ribera en su *Discurso de la Real Academia de la Historia,* Madrid, 1915; de donde lo copiamos (pág. 10).

"La convicción —dice Ribera— en mí era completa; pero hube de confesar que tal aseveración no estaba autorizada por testimonios históricos directos que afirmaran la existencia de composiciones poéticas en puro romance (1). Hoy tengo la satisfacción de poder presentar testimonio histórico, de autoridad innegable, que afirma que el poeta que inventó el género, Mocádem el de Cabra (muerto antes de 912 de J. C.), empleó el romance en tales composiciones. El historiador de la literatura arábigo-española Abenbassam (2) lo dice terminantemente en su *Addajira* (3). He aquí el texto árabe:

قال ابو الحسن وكان هذا ابو بكر اعبادة بن ماء السماء (4) فى ذلك
لعصر الدولة العامرية والحمودية (4) شيخ الصناعة وامام الجماعة سلك
لى الشعر مسلكا سهلا فقال لى غرائبه مرحبا واهلا وكانت صنعة التوشيح
لنى نهج اهل الاندلس كريقتها ووضعوا حقيقتها غير مرقومة البرود ولا
مكحومة العقود فاقام عبادة هذا مفادها ومرسلها ومعتادها (5) فكانما لم
يسمع بالاندلس الا منه ولا اخذت الا عنه واشتهر بها اشتهارا غلب على ذاته
وذهب بكثير من حسناته وهى اوزان كثير استعمال اهل الاندلس لها فى
العزل والنسبب (6) تشق على سماعها محونات الجيوب بل القلوب واول ميد

---

(1) *Discurso Ac. Esp.*, mayo 1912, pág. 36, nota.

(2) Vide, sobre este autor, PONS BOIGUES, *Historiadores y geógrafos arábigo-españoles*, pág. 208. Abenbassam es portugués, de Santarén. En 477 estaba en Lisboa; en 494 fué a Córdoba. Murió en 542 (1147-1148).

(3) Tomo I de la الذخيرة لابن بسام, códice de la Biblioteca de París, folios 124 r.º y 124 v.º; biografía de Abubéquer Obada ben Ma Assamá. El docto escritor tunecino, mi cariñoso amigo, Abdelguahab Hasán Husni, que posee otro ejemplar manuscrito de la misma obra, tuvo la dignación y el desprendimiento de enviármelo aquí, a España, para que pudiera también aprovecharlo. Señalo las semejanzas y diferencias entre ambos.

(4) Según el códice de Abdelguahab Hasán Husni, de Túnez.

(5) En el códice de Túnez añade وقوم ميلها وسنادها.

(6) Siguiendo la lectura del códice de Túnez, en que aparece más clara esta palabra.

صنع اوزان هذه الموشحات بأنفسهم واخترعن كريقتها فيما بلغنى مقدم
معافى الكبرى (1) الضرير وكان يصنعها على اشكال الاشعار غير ان اكثرها
الاعاريض المهملة غير المستعملة (2) باخذ اللفظ امى (3) والعجمى
المركز ويضع عليه الموشحة دون تجنيس (2) فيما ولا اعجاب وقيل
ابن عبد ربه صاحب كتاب العقد اول من سبق الى هذا النوع
الموشحات (4) ثم نشا يوسف بن هارون الرمادى فكان اول من اكثر فيه
من التضمين فى المراكيز بضمن كل موقف يقف عليه فى المركز كا
فاستمر ذلك شعراء عصره كمكرم بن سعيد وابلى ابى الحسب ثم
عبادة هذا فاحدث التضفير (5) وذلك انه عتمد مواضع الوقف فى الاغدا
فيضمها كما اعتمد الرمادى مواضع الوقف فى المركز واوزان هذه الموشحا
خارجة عن عرض كتابنا هذا اذا اكثرها على غير اعاريض اشعار العرب

Ribera tradujo solamente un trozo, y como su traducción puede dar lugar a dudas y todo el trozo de
Abenbasam es de suma importancia, voy a traducirlo
yo de nuevo todo él, lo más a la letra posible, poniendo
entre paréntesis algo que explique a los no arabistas
ciertas frases arábigas:

---

(1) El nombre de este poeta aparece en los dos manuscritos incorrectamente y con variantes. Cotejado este pasaje
en los similares correspondientes de las obras árabes impresas de ABENJALDÚN y ABENAXÁQUER (que en este particular coinciden con ABENBASSAM), y con citas de ABENHA-
YÁN, en su *Almoctabis* (ms. de Oxford), y la biografía que
trae ADDABÍ (edición Codera-Ribera), he corregido el nombre del poeta.

(2) Siguiendo la lectura del códice de Túnez, en que
aparece más clara esta palabra.

(3) En el de Túnez dice العامى او العجمى, en vez de
امى والعجمى.

(4) Falta en el de Túnez este párrafo, que sigue, de
historia literaria, coincidiendo con el de Paris en las dos
últimas líneas.

(5) En el ms. التصفير.

"Dice Abu-al-Hasan que fué este Abu Beker (Obada ben Ma Assama) en aquel tiempo (las dinastías de los Amiries los Hammudies) jefe de la industria e imán de la aljama. Tomó el excelente camino de la poesia y sus decires eran por extremo maravillosos y notables. Y fué su poetizar el de rimas dobles, cuyos caminos (maneras) inventaron los de Andalucía (de España), y ponían la realidad verdadera sin bordaduras de atavios (vestidos) y sin ensartar perlas (sin filigranas literarias). Y expuso (como se exponían o colgaban los antiguos poemas y discursos) Obada este su cojín y este su collar (sus poesías), y sucedió que no se oía hablar en toda Andalucía (España) más que de él, y no se aprendía más que de él, y vino a ser célebre en ella con tal celebridad, que salió de sí (se desvaneció de engreimiento). Y se descaminó en muchas de sus bellezas literarias, las cuales eran los dechados de más uso entre la gente de Andalucía (España) en las composiciones amorosas (*gacela* y *nasib*). Y el primero que compuso reglas de estas *moaxajas* (coplas de rimas dobles) en nuestra tierra e inventó sus caminos (maneras), en cuanto a mí ha llegado (la noticia), fué Moqáddem, hijo de Moafa, el de Cabra, *el Ciego*. Y las componía sobre los hemistiquios de los versos (de los versos largos arábigos, quiere decir, sobre versos cortos, como hemistiquios o medios versos arábigos); sino que la mayor parte de ellas con descuido negligente, sin estudio. Comenzaba tomando algún *dicho pronunciado en bárbaro romance* y lo llamaba estribo. Y componía sobre él la *moaxaja* (composición de dobles rimas), sin entremeterlo en ella y nada más. Y se dice que Aben Abd-Rabah, el del libro del collar de perlas (de ciertas poesías), fué el primero que se adelantó en este género de *las moaxajas*. Después se distinguió Josef ben Harun, *el Moreno* (*Ramádi*), y fué el primero que acrecentó (añadió) en ellas el entremeter de estribos. Metía toda pausa para detenerse, particularmente en el estribo. Y mantuvieron esto los poetas de su tiempo, como Mu-

·cram ben Said y Abui-al-Hasan. Después floreció
este Obada (a quien biografiamos) y creó el trenzado
(cruce de rimas, en vez de los monorrimos), esto es,
que estribaba en las posiciones de la pausa, en las
ramas (versos) y las unía, como estribaba *el Moreno*
en las posiciones de la pausa en el estribo. Y las reglas de estas *moaxajas* quedan ya fuera de lo que
atañe a nuestro libro, pues las más de ellas difieren
de las reglas poéticas de los poetas árabes."

Deduzcamos ahora las consecuencias de este trozo. El sistema de dobles rimas o *moaxaja* consiste
en que, en vez de ser monorrima toda la composición, como en la poesía clásica de los árabes, !os
árabes españoles inventaron el poner doble rima,
dividiendo la composición en coplas y en cada una
de ellas poniendo dos rimas. Eran monorrimos todos los versos de cada copla, menos los últimos de
todas las coplas, que rimaban entre sí, y con una
coplilla de dos, tres, cuatro versos que iba a la cabeza de la composición. Llamemos **A B** las rimas
del pareado de la cabeza. Las coplas rimaban de
esta manera: *ccc,* **ab;** *ddd,* **ab;** *eee,* **ab.** Tal era la
doble rima que dió nombre a la *moaxaja.* El in-
ventor de tal sistema fué Mocádem, el de Cabra,
el Ciego. Los versos eran cortos, como los hemistiquios o medios versos de los largos versos arábigos.
Comenzaba la composición *un dicho pronunciado en
castellano,* esto es, un villancico castellano, de dos,
tres, cuatro versos, al cual llamó *estribo,* como le
llamaron siempre *estribo, estribote, estribillo,* los
españoles cuando había de servir de cabeza de una
composición. Sobre ese estribo o villancico componía la *moaxaja,* o sea composición de coplas como
las explicadas, de doble rima, una de la mayor
parte de los versos de cada copla, y otra de los

finales que rimaban en todas las coplas con el estribo. Este sistema es el que hemos llamado *Villancico con coplas*, pero siendo monorrimos los versos menos los finales. Todo ello, como se ve, es conforme al sistema castellano que siempre se usó; de modo que Mocádem lo que hizo fué tomar el sistema popular castellano y acomodarlo al árabe, sin tener cuenta con las leyes prosódicas, que es lo que indica Abenbasam cuando dice que poetizaba *con descuido negligente, sin estudio*. Ateníase al habla arábigovulgar en todo, en la prosodia, en las terminaciones, en las elipsis y sinalefas. Pero lo más importante para nosotros está en que Mocádem tomó por cabeza de las coplas *los villancicos castellanos* sin traducirlos, tal como en *romance o lengua bárbara, no árabe*, sonaban y los llamó *estribos*, como en castellano. Luego en aquel tiempo se cantaban villancicos castellanos y no sólo los villancicos simples que le sirvieron de estribos, sino con coplas, pues las imitó en *la moaxaja*. No estaba ésta en castellano, como se deduce de la traducción de Ribera [1], y realmente, a ser así, no pertenecería *la*

---

1 En su admirable obra *La Música de las Cantigas*, 1922, vuelve a repetirlo: "De algunos celebrados como poetas no se nos han comunicado muestras originales de sus poesías. quizá por *estar compuestas en lengua romance, como las vulgares de Mocádem de Cabra...*" "Mocádem de Cabra hizo versos que no serían en alabanza de los emires de Córdoba ni de los señores arabizados, por cuanto *paladinamente empleó en sus composiciones la lengua romance nacional...* No sólo eran populares sus poesías por la lengua, sino porque el sistema métrico que él empleó era esencialmente popular, puesto que se basaba en un estribillo popular, destinado a que el pueblo lo cantara, como después veremos; es, por consiguiente, un brote del estro indígena popular español" (págs. 65-66). No estaba en romance toda la com-

moaxaja a la poesía arábiga, de la que tratan los autores que citamos; sólo estaba en castellano el estribo o *dicho pronunciado, vocablo,* que es lo que significa اللفظ así como, العامى او العجمى significa lengua romance, bárbara, no arábiga, y en ello no cabe duda porque es el término corriente entre los escritores árabes españoles. Cuanto a la voz *markaz,* tradúcela exactamente Ribera por *estribillo,* "autorizado por varias citas de Abencuzmán en que de modo indudable la explican (zéjeles 16, 51 y 52 de su *Cancionero*)", y esta voz encierra todo el sistema castellano. El estribillo *no lo metía en la moaxaja,* esto es, en las coplas, sino que sólo iba a la cabeza. Esta observación de Abenbasam viene aquí para señalar *la moaxaja,* que es designación genérica de la poesía de dobles rimas, distinguiéndola de la especie particular llamada *zéjel,* que se distingue por entrar el estribillo a formar parte de las coplas, yendo al fin de cada una de ellas, porque *el zéjel* no es más que *el villancico con coplas y estribillo,* aunque más sistematizado y limitado.

Esto de repetir el estribillo tras cada copla formando parte de ella parece ser invención posterior de Josef ben Harun, *el Moreno,* pues dice Abenbasam que "fué el primero que acrecentó o añadió en las moaxajas el entremeter de estribos. Metía toda pausa para detenerse, particularmente en el estribo."

---

posición, sino sólo اللفظ estribo o villancico. Las coplas estaban en árabe vulgar, mezclándose voces castellanas a veces. Así también en el siglo XVI, los portugueses tomaban un villancico castellano y le añadían vuelta o coplas portuguesas. Véase en el *Cancionero d'Evora,* pág. 33: Volta de "alcé los ojos", o coplas portuguesas, añadidas a ese villancico.

Después vino Obada, que inventó otra cosa, *el trenzado*, que me supongo es el empleo de versos de rima cruzada o alterna, en vez de los monorrimos. Y, efectivamente, del sistema de Obada tenemos dos composiciones suyas que trae Aben Xaquir en su *Fuat-elufian* (en Hartmann, *Das arabische Strophengedicht*, 1. *Das Muwassah*, Weimar, 1897). Véase como riman:

1.ª poesía. **ABAB,** *cdcdcd,* **abab.**
2.ª poesía. **ABCDE,** *fgfgfg,* **abcde.**

Cada poesía tiene cinco coplas. *El trenzado* es el cruce de rimas *cdcd, fgfg,* en vez del monorrimo *cccc, ffff,* que se usó antes de él. Este sistema también está tomado del castellano, donde las coplas pueden ser monorrimas o cruzadas (trenzadas). De todos modos lo que queda evidentemente probado por Abenbasam es que *en el siglo ix había lírica popular castellana.*

Véase este ejemplo de zéjel castellano del siglo xv, con versos trenzados y, además, desiguales:

> *Los sospiros no sosiegan*
> *que os envío*
> *hasta que a veros llegan,*
> *amor mío.*
> No sosiegan ni descansan
> hasta veros
> y con veros luego amansan
> en teneros
> y mis tristes ojos ciegan
> hechos río
> *hasta que a veros llegan,*
> *amor mío.*

Y así las demás coplas. Es el sistema de Obada,

sino que no es menester en castellano que sean tres
los versos cruzados de la copla. Como tampoco es
menester que en el estribillo se repita todo el villancico, ni que los versos de las coplas sean iguales.
Todo lo que hay en los sistemas de Mocádem, de
Obada, de Abencuzmán, se halla en el sistema castellano y en éste se hallan otras muchas libertades
que no en la poesía cordobesa. Nuestro sistema es
más general y libre; el cordobés, más limitado y sistematizado. No procede, pues, el nuestro del cordobés, sino el cordobés del nuestro, en la manera de
construir las coplas. En Abencuzmán lo vamos a
ver todavía más sistematizado.

"Se nota en este párrafo (de Abenbasam), dice Ribera, el tono despectivo con que este historiador de la
literatura española, hombre de refinado clasicismo, nos
relata como cosa despreciable y casi indigna de referirse,
un suceso que, para nosotros, tiene importancia inmensa
en la historia de nuestra cultura nacional; sin querer, nos
proporciona un dato preciosísimo. por una parte, nos
señala el origen de un género literario, el de las moaxahas y los zéjeles, genuinamente español, que constituyó luego, por perfecciones sucesivas (degeneracio-
nes, digo yo), un modelo imitado en casi toda la re-
dondez de la tierra, en gran parte de Europa cristiana
y en casi toda la extensión del imperio musulman en
la Edad Media; por otra, levanta el velo que cubría una
incógnita que se iba ya trasluciendo: la existencia de
una poesía romance en la España musulmana a fines
del siglo IX y principios del X; es decir, que antes
de amanecer las literaturas vulgares romanceadas en
Europa, aparecía una literatura popular romance aquí
en la península, en el punto en que menos se podía sos-
pechar: en el centro de la Andalucía musulmana."

Sin embargo, en *La Música de las Cantigas*, 1922,

empéñase Ribera en hacernos creer que la música de las Cantigas y la música española medieval se derivó de la música arábiga, traída de Oriente, donde los árabes fundieron elementos musicales persas y bizantinos, y no sólo la música, sino que el sistema métrico de la lírica castellana claramente dice que procede de la arábiga, contra lo que había asentado en su discurso. Dice en *La Música de las Cantigas* (pág. 79): "Aunque no quedara noticia alguna de que los cristianos aprendieran la música árabe, se inferiría con bastante fundamento por un indicio muy vehemente, y es el hecho de haberse introducido y vulgarizado en la España cristiana el sistema lírico de los musulmanes, pues letra y música suelen juntarse de modo tan íntimo, que van unidas como la sombra y el cuerpo." Al revés hemos de discurrir: puesto que el sistema lírico hispanoarábigo nació del sistema lírico castellano, como hemos visto, la música de la lírica hispanoarábiga, de moaxajas y zéjeles, proviene de la música popular castellana: pues letra y música suelen juntarse de modo tan íntimo, que van unidas como la sombra y el cuerpo. La música arábiga oriental, propia de la métrica clásica arábiga, no podía servir para la métrica castellana que adoptó Mocádem. Con el sistema métrico castellano hubo de tomar la música, todo de una vez. Los villancicos que como estribillos cantaba en castellano los cantaría con la música castellana con que los cantaban los españoles de quienes los tomaba y con la música con que los españoles cantaban las coplas que seguían a los villancicos cantaría las coplas imitadas que en árabe vulgar añadía a los villancicos. La música de las *Cantigas* no es, pues, arábiga de origen, sino de origen nacional, de origen español y tan antigua como los villancicos. Así se explica el que difiera de la música eclesiástica, continuadora de la música griega y bizantina, según todos. La *musica ficta*, elemento en que la música española medieval se diferenciaba de la música eclesiástica, era la característica de la música nacional española, que en nuestros vihuelistas del siglo XVI va dominando y después da por fruto en Europa, en el siglo XVII, la música moderna de tonos mayores y menores.

Tenemos, pues, que a fines del siglo IX era tan pujante la lírica popular castellana en Córdoba, que Mocádem la imitó en árabe vulgar, haciendo coplas arábigas a la manera castellana sobre villancicos castellanos y en castellano pronunciados. Este hecho, afirmado por Abenbasam por manera tan terminante, nos lleva a preguntar: ¿Desde cuándo hubo lírica popular castellana? Por de contado la había en Andalucía en el siglo IX y la había del mismo sistema que se ha conservado después en toda España. Y la hubo en todas las regiones señoreadas por los moros, como hemos visto por Aben Jaldún. ¿Nació entre el pueblo español de Andalucía? Lo natural es que no, sino que igualmente se cantaba en el resto de España y con el mismo sistema. Y de hecho poco después veremos que tal sucedía hasta en la Rioja, donde Berceo compuso un cantar del mismo sistema a principios del siglo XIII, hasta hoy conservado; y hay pruebas, como veremos, de que en Castilla se cantó lírica castellana bastante antes que Berceo, en el siglo XI. No iba a pasar el sistema castellano desde la región sometida a los moros a las regiones cristianas libres de ellos. Si, pues, el mismo sistema lírico se hallaba dentro y fuera del territorio musulmán, en este mismo territorio dicho sistema es anterior a la conquista de los árabes. Antes del año 711, esto es, en el siglo VII, en la época visigótica. Así como se hablaba ya en romance en toda España y quedó el romance entre los españoles sometidos, así quedó entre ellos el sistema lírico en que se cantaba por toda España. El villancico simple es tan antiguo como el idioma castellano; su desenvolvimiento en coplas no puede conjeturarse cuándo nació y sí sólo puede afirmarse que lo había ya en la época de los visigodos.

Según hemos visto, todos los elementos y modificaciones que desde Mocádem entraron en el sistema arábigoespañol están tomados del sistema popular castellano. Pero poco a poco fueron complicándolo y sistematizándolo más los poetas, conforme lo dan bien a entender Aben Jaldún y Abenbasam. En la primera mitad del siglo XII lo hallamos ya refinadísimo, cuanto a la métrica, en manos de Abencuzmán, cuyo *Cancionero* se ha felizmente conservado en manuscrito único del Museo Asiático Imperial de San Petersburgo, reproducido fotográficamente en Berlín, 1896. Túvolo prestado en España Simonet y lo ha estudiado en la reproducción Julián Ribera en su notabilísimo *Discurso de la Real Academia Española*, Madrid, 1912.

Las 149 poesías del *Cancionero* son suyas propias, de Abencuzmán, y todas son zéjeles, con coplilla o estribillo a la cabeza y coplas detrás de cada una de las cuales se repite el estribillo. Hemos visto un zéjel traducido por Ribera. Sobre fechas, la canción contra Alfonso *el Batallador* (núm. 42) debió de escribirse hacia 1126; la 106, en que alaba a Averroes, es de hacia 1150. Abencuzmán murió el año de 1159. Su poesía es ya semierudita, pero todavia para cantada por el pueblo.

"Es evidente, dice Ribera, que el sistema de canciones de Abencuzmán deriva de origen popular. De ello hay pruebas negativas y positivas. Tenemos como prueba negativa un síntoma que denuncia no ser moda introducida por eruditos, a saber, el desdén de los literatos: hasta en obras históricas, que suelen ser las menos literarias, era de mal gusto citar esta clase de composiciones, como género vulgar y despreciable para gente instruída, aun en España, donde nació. La prueba positiva mas evidente nos la da el mismo Abencuzmán en el prólogo de su *Cancionero*. En éste expresa paladinamente que él no es el inventor de este género poético; al contrario, no tiene reparo en citar como predecesor y maestro indiscutible, como jefe de su escuela, a un sujeto de cuyo nombre no he podido encontrar rastro alguno en otra parte. El maestro o modelo es Ajtal Abennomara, muerto ya cuando Abencuzmán escribía sus canciones... Abencuzmán sólo cita de su maestro algunas muestras de versos en los cuales aparecen vocablos del romance andaluz vulgar... ¿No será lícito, dados estos antecedentes, que al lado de esa corriente que, aunque popular, era exquisita y rebuscada, existiese en la España musulmana otra corriente más ínfima aún, más sencilla en la forma, más inteligible por la lengua, más ingenua e inocente en los asuntos y en la manera de tratarlos, propia de esferas sociales inferiores que sólo entendían y hablaban romance, lengua que fuese vehículo por donde entraran en la otra esos elementos europeos? La forma de las canciones pudiera ser un indicio: algunos autores creen que las canciones con estribillo han sido directamente recogidas en las tradiciones populares. Pero Abencuzmán nos da una prueba mas persuasiva. El mete en sus canciones asuntos tradicionales; pero no los trata de propósito, como motivo principal, sino que los emplea como cebo para atraer al público, a quien supone encariñado con esos temas. La *albada* y algo del argumento de *la*

malcasada [1], como otros muchos asuntos amorosos, los
trata Abencuzmán como parodia, como burla (burla de
que están saturadas sus canciones); hace una contra-
figura grotesca de esas composiciones; y esa parodia
supone necesariamente la existencia de esos géneros
populares en la forma directa, que no es la de Abencuzmán. Y esa poesía popular debió de ser romanceada. ¿Se concibe que las mujeres, los chicos, los escla-
vos, libertos y gente de clase ínfima, que no sabían
árabe, dejasen de cantar en su lengua, cuando de las
bajas clases sube a las altas la moda de tales canciones...? Para explicar el origen de la lírica de Abencuzmán debe suponerse; o una lírica andaluza romanceada, anterior al siglo x, más antigua que la ·que aparece en los cancioneros portugueses (los poetas más
antiguos de aquellos cancioneros son del siglo XIII o
segunda mitad del XII), o una lírica gallega antiquisima, que la colonia gallega trajo a Andalucía, de donde procede la romanceada andaluza anterior a Abencuzmán... Abencuzmán puede considerarse como esla-
bón de una larga cadena anterior, de multitud de poetas que se dedicaron a ese género, cuyas tradiciones
llegan a los primeros años del siglo x y cuyas obras
indiscutibles son de principios del siglo XI... La tradición literaria se puede seguir, merced a noticias con-
cretas dadas por el literato español Abenbassam, hasta
el poeta Mocádem el de Cabra, en el reinado de Abda-
la, a saber, hasta los primeros años del siglo x (antes
del 912), doscientos años antes de que apareciera el
más antiguo trovador provenzal, cuyas composiciones
se conservan, Guillermo de Poitiers."

Acerca de las voces del romance que inserta Abencuzmán en su *Cancionero*, tanto Ribera como Menéndez Pidal se inclinan a creer que son voces

---

1 Las voces castellanas *mayo, verbena, yenair* (enero)
se hallan en poesías de Abencuzmán y se tratan en ellas
esos asuntos, tan comunes en la lírica popular castellana.

gallegas. Creo que a ello les llevó el error de que
la única . poesía lírica de España fuese gallega o
galaicoportuguesa. El romance andaluz dice M. Pidal en el *Discurso* de contestación a Codera que se
pareee más al gallego, leonés o asturiano, que al
castellano. Tamaña doctrina es cosa tan nueva y
grave en lingüística, que habría de fundarse en muy
sólidos argumentos. No se muda de lengua como
de camisa y el fonetismo andaluz es lo más opuesto que puede darse del gallego, que no lo sería ha-
biéndose hablado el gallego en Andalucía alguna vez
como lengua popular. Tampoco se explica esa continua y larga emigración de gallegos a Córdoba en
tiempo del califato.

Los únicos documentos por donde conocemos el
romance andaluz de aquellos tiempos los estudió a
fondo Simonet en su obra *Glosario de voces ibé-
ricas y latinas usadas entre los mozárabes,* Madrid,
1888. Dedujo Simonet que aquel romance era más
castellano que otra cosa, y otro tanto dijo del de las
Castillas, Navarra, Aragón y parte de Valencia:

"Aquilatados estos monumentos lingüísticos. y bien
consideradas las vicisitudes de la reconquista, nosotros nos inclinamos a creer que la Aljamia mozárabe,
si bien contenía el germen de los principales romances
hispanolatinos hablados en nuestra península, semeja-
ba especialmente al antiguo castellano y contribuyó en
gran manera al enriquecimiento y fijación de nuestro
idioma. Pruébalo así, en primer lugar, la forma castellana que ofrecen en su mayoría las voces habladas
por nuestros mozárabes, así en la Bética como en Castilla, Navarra, Aragón y aun en las comarcas orientales de España."

Esta conclusión puede verificarla el que quiera
estudiando el *Glosario.* La nueva de M. Pidal pug-

na con hechos tan manifiestos y no ha sido probada de ningún modo. Por su parte Ribera, aca-
tando lo de la lírica gallega como cantada exclusivamente en España, escribe, pág. 37:

"Yo creo que para explicar el origen de la lírica de
Abencuzmán debe suponerse: o una lírica andaluza
romanceada, anterior al siglo x, más antigua que la
que aparece en los cancioneros portugueses, o una lírica gallega antiquísima, que la colonia gallega trajo a
Andalucía, de donde procede la romanceada andaluza
anterior a Abencuzmán."

Pero no sólo el *Glosario* de Simonet prueba que
el romance andaluz era el castellano, sino la sencilla observación lingüística ya insinuada. Si allí se
habló gallego, el romance posteriormente conocido
de Andalucía hubiera seguido siendo tan gallego
como en Galicia. Ahora bien, ni sabemos se hablase
después en gallego, sino en castellano, en Andalucía, ni, aun suponiendo hubiese después desapare-
cido, vencido por el castellano, no quedó en aquella
región ni la menor huella fonética ni de pronunciación gallega: cosa inexplicable. Y ese gallego tenía que hablarlo el pueblo todo, viejos, mujeres y
niños, que son los que cantaban las poesías de Abencuzmán, según Ribera. Yo le aseguro que una co-
lcnia de gallegos, admitida por supuesto sin más ni
más en Córdoba, no basta para que el romance castellano, que tuvo que nacer en Andalucía, se pueda
cambiar en gallego. Una colonia no muda así el
idioma ni la fonética de un pueblo ni vuelve a mudarse luego sin dejar rastro fonético de sí.

Pero si Abencuzmán inserta voces del romance
cordobés en sus poesías, con estudiar esas voces estamos al cabo de la calle.

"Realmente, dice Ribera (pág. 25), el dialecto de Córdoba, tal como aparece en las canciones de Abencuzmán, viene a ser como un intermedio entre el portugués y el catalán, pero con caracteres mucho más arcaicos."

Pues entre el portugués y el catalán está el castellano. No negaré que algunas voces de esas de Abencuzmán se parezcan más al portugués que al castellano posterior; pero es porque el castellano del siglo XII se parecía mucho más, que no el de después, al portugués y al gallego, sobre todo ateniéndonos a la escritura. Mas la mayoría de las voces de Abencuzmán llevan claramente sello castellano. ¿Aguardaremos el estudio de aquel dialecto que dice Ribera está haciendo, desde 1912, con M. Pidal? Como doce años es ya bastante aguardar, habremos de atenernos a lo que da de sí el *Glosario*, de Simonet, esto es, que el habla de los mozárabes andaluces era castellano, muy parecido al gallego y portugués en aquel tiempo, pero castellano al cabo.

Otro tanto deducimos del *Cancionero de Abencuzmán*, aun ligeramente estudiado.

La medida de un codo se decía en castellano *codal* y en gallego *cóbado*, en portugués *cóvado*. Pues bien, en el fol. 46 v. del *Cancionero* se lee *qodhal* (ﻗﺬﺍﻝ), que sonaba vulgarmente *codal*, y no se dice *cóbado* o *cóvado*.

En el *Libro de buen amor*, de Juan Ruiz, copla 118, se lee *duz* por *dulce* y lo mismo en la 1055. En portugués y gallego se dice *doce*. Pues en el fol. 53 v. del *Cancionero* se lee *dhux* (ﺩﻭﺵ), que sonaba en árabe vulgar *dux*, escribiendo *x* el sonido de la *ch* francesa, como se escribía en castellano cuando teníamos tal sonido. Es el *duz* de Juan Ruiz.

El *jabón* decíase en antiguo castellano *xabón*, en gallego dícese *jabrón* y antiguamente *xabrón*. En el *Cancionero* se lee *xabón* (صابون), como en castellano.

En gallego no hay voz correspondiente a *listón* y en portugués suena *listâo*. En el fol. 49 v. del *Cancionero* se lee *lixton* (الششطون) por cinta de diadema o de almaizar.

Retento por retenido se lee en el fol. 12, como se dice *retento* en portugués; pero como es voz puramente latina (*retentus*), probabilísimo es se dijera *retento* no menos en castellano, como se dice *contento*, y como se dijo y se dice *retentar,* derivado de *retento.*

Como se dijo *morto* y *muerto, morte* y *muerte,* que de las dos maneras se halla escrito a menudo en castellano antiguo, y *morto* y *morte* en gallego y portugués. En el fol. 13 del *Cancionero* se lee *morte* (مُرْتِ). Son formas anteriores al castellano moderno, que siguió desenvolviéndose, mientras el gallego se quedó más estancado en la forma que le fué con él común al castellano. Otro tanto puede decirse de algunas otras voces semejantes.

En el tomo *N, Ñ* del *Tesoro de la lengua castellana,* pág. 409, traigo la voz *navaja* . de *nabalia* y se confirma con el *Cancionero,* en cuyo folio 17 v. se lee *nabali,* como plural de *nabalia* (نباليه). En gallego y portugués evolucionó el *nabalia* primitivo en *navalla* y *navalha,* y en valenciano en *navaixa.* Allí mismo se lee *temprador* por *templador,* que hoy diríamos, como en catalán *trempaplomas* por cortaplumas y en italiano *temperatoio* y *temperino,* de *temperare,* por *scalpere* en bajo latín.

El *pollo* es en gallego y portugués *polo.* En el fol. 49 v. del *Cancionero* se lee *fulluç, fullus,* con la *elle* castellana, no con la *l* galaicoportuguesa.

En el fol. 38 del *Cancionero* se lee *jallón* (الحَلّون) con la *j* suave, por bollo de pan. Es el *jallulla* y *jallullo,* muy usado en Andalucía por torta redonda.

Travesaño y *atravesaño* se dicen en gallego *travesa* y en portugués *travessa.* Sólo con el castellano está el *itrabexxan* o *atrabexxan* (اطْرَ بِشَّان) del fol. 13 v. del *Cancionero,* en la frase: *y te alargó la mano por encima de un atravesaño.*

El *milano* suena en el fol 57 v. del *Cancionero milán* (مِلان); pero no como el portugués *milanho* o *minhoto,* ni como el gallego *miñoto* o *miñato.*

Mercadal no es gallego ni portugués; pero sí castellano antiguo, y así en el *Libro de Alexandre* (c. 2374) tiene el mismo sentido:

"Otro día mannana fuera al *mercadal.*"

Y en Tudela de Navarra se llama todavía así la plaza donde algún tiempo hubo mercado, y además es apellido.

En el fol. 12 y el 62 v. del *Cancionero* se lee **mer-qatal** (مَرقطال).

En el fol. 9 v. del *Cancionero* se lee *fadjador* (فذجَر), lo que en catalán suena *faxador* y en castellano *fajero,* pero que igualmente se diría *fadjador* o *fajador,* del antiguo *fadjar* o *fajar* moderno. O acaso signifique lo que el castellano *vaciador*

y deba corregirse *vadjador* (بجدور), traducién-
dose: *y la baba en la escupidera.*

No hay voz gallega ni portuguesa que responda
al *cierzo,* que suena *djirdj* (جرج), en el fol. 5 v. del
Cancionero.

Paladar suena lo mismo en portugués, pero no en
gallego. Es el *balatar* (بلطار) del fol. 13 del *Cancionero.* Otro tanto se diga del *balatar* (بلطار) del
fol. 47 v., que es el *portal* castellano y portugués, sin
correspondiente gallego. Y del *pidj* (بج) del folio 55, que responde a la *pez* portuguesa y castellana, pero no gallega.

El *tostón* suena *tosta* en portugués, que es propiamente la *tostada;* en gallego no tiene correspondiente. En el fol. 49 v. del *Cancionero* se dice en árabe: *dame la sartén para el tostón* y suena *toxton*
(طشتون).

El *sol* castellano y portugués suena *sole* en gallego y *xol* en el fol. 55 del *Cancionero* (شول).

La *segur* castellana y portuguesa, no gallega, suena *xuqúr* (شقور) en el fol. 4 del *Cancionero.*

El *zagal* castellano y portugués y no gallego suena en el fol. 46 del *Cancionero zagal* (زغل).

En el fol. 49 v. suena *qanadj* (قناج) lo que
nuestros *canasto* y *canasta;* pero no se parece al
canastra del portugués ni menos al *ganacho* gallego.

Ni *cántaro* se dice en gallego, y es el *qantár* (قنطار)
del fol. 44 v., si no significa *cantar,* que tampoco se
dice en gallego. El texto dice: *y saca la honra y la*

gloria del cantar. El sentido y acento de *cantar* es más apropiado.

Tampoco hay *castaña, castaño* en gallego y es el *qastal* (قسطل) de los fols. 38 y 48 v. del *Cancionero.*

Pero volvamos ya de esta correría filológica a la historia de la lírica popular castellana; aunque estamos muy dentro de ella, si queda patente que no vino de Galicia ni está en gallego, sino en castellano, lo que hay de romance en el *Cancionero de Abencuzmán.*

Pero hay otro argumento que corta de raíz la cuestión de si la moaxaja y el zéjel, sistemas poéticos inventados por los árabes españoles, según todos los historiadores, como hemos visto, provienen de la poesía gallega o de la castellana. Entrambos sistemas llevan estribillo a la cabeza, y en la primitiva moaxaja el estribillo estaba en romance, tomado del pueblo español. Ahora bien; la poesía gallega no usaba ese estribillo inicial, repetido a veces después de las coplas en la moaxaja y siempre en el zéjel. En todos los *Cancioneros* galaicoportugueses no se halla tal sistema, exclusivo del castellano. Luego los dos inventos poéticos de los árabes se tomaron del sistema castellano y el romance en que dice Abenbasam se cantaba el estribillo era el romance castellano. Si la poesía gallega hubiera tenido villancico inicial lo hubieran imitado los portugueses en las canciones de amigo que imitaron de la poesía gallega; pero no se halla tal procedimiento en los *Cancioneros.*

El sistema poético del zéjel en Abencuzmán lo ha expuesto tan claramente Ribera que no hay nada que añadir, si no es una cosa, para nosotros importantísima. Lo que en el sistema castellano llamamos villancico a la cabeza de las coplas y que se repite al fin de cada una de ellas, como estribillo, es germen de las coplas; es el suspiro lírico concentrado que por ellas se declara. En Abencuzmán ha degenerado comúnmente en pura cabeza métrica, pues no es más que el comienzo del asunto, no su germen y núcleo y sólo sirve para que con él rimen los versos finales de las coplas. Tal aparece en el ejemplo que hemos copiado de Ribera. Esos estribillos de Abencuzmán son generalmente otra cosa; son comienzos y nada más, aunque algunos encierren una sentencia parecida al villancico. En nada se parece a él, por ejemplo, este estribillo:

"Estoy bebiendo en compañía de una hermosa; los pájaros gorjean; ¡qué delicia!; el río, el céfiro, la verdura, el coqueteo."

O este otro:

"Vienen las Pascuas; estoy lejos de los sitios donde la solemnidad se celebra; por holocausto, tendré que sacrificar una cabeza de... cebolla."

Veamos ya cómo declara Ribera (*Disc. Acad. Esp.*, 1912, págs. 25-27) el sistema métrico del zéjel:

"Todas ellas (las 149 canciones) son estróficas: se componen de estrofas de igual número de versos y simétricas dentro de cada canción, excepto una estrofilla o estribillo que en el manuscrito encabeza todas las composiciones y suele ser un dístico que señala el asunto, el metro y la rima común de la canción. Las estrofas son de cuatro hasta doce versos, habiendo cuartetas, quintillas, sextas, séptimas, octavas, novenas, décimas y duodécimas. El sistema de combinar las rimas es sencillísimo en los elementos; pero las combinaciones son muy variadas: partiendo de un tipo fundamental y constante, se obtiene una riqueza extraordinaria de formas.

Toda estrofa comienza por rimas singulares o especiales a la misma y acaba con rimas comunes a todas las estrofas de la canción, concertando en la estrofilla temática que de antemano señala, como hemos dicho, la rima común. La rima singular aparece como elemento ternario, a saber, tres versos que tienen la misma rima.

Si la composición es del tipo más sencillo, formada de cuartetas, se enuncia primero el estribillo, que de ordinario suele ser un dístico, rima común AA; las estrofas comienzan por tres versos monorrimos, rima singular *bbb;* y terminan con un cuarto verso, rima común a. La notación, por consecuencia, es: AA, *bbb*a, *ccc*a, *ddd*a, etc. Si se compone de quintillas, comenzará por un estribillo AA o AB y luego vendrán las quintillas formadas por tres versos de rima singular *ccc,* seguidos de dos versos con rima común aa o ab, resultando la notación de las quintillas *ccc*aa, *ddd*aa, etc., o *ccc*ab, *ddd*ab, etc... Hasta las séptimas se forman con el elemento ternario de rima singular y la adición de tantos versos con rimas comunes cuantas tiene el estribillo que señala la rima común. Pero las estrofas de ocho o más versos ya no se forman mediante adición, sino por división de cada uno de los versos de la forma primitiva: si los versos de la cuarteta *ccc*a se dividen, por cesuras, cada uno de ellos en dos, y a esas cesuras se les pone una rima, resultará una octava *cdcdcd*ab; si se divide en dos cada uno de los versos del elemento ternario y se añaden al fin tres versos con rimas iguales a las del estribillo, resultará la novena *cdcdcd*aba; si se añaden cuatro, resultará la décima *cdcdcd*abab; y finalmente, si se divide cada uno de los versos de la cuarteta primitiva en tres partes, resultará la duodécima *cdecdecde*aab."

Toda esta sistematización matemática es obra de Abencuzmán o de otros poetas anteriores; obra culta que no podía darse en la lírica popular castellana

de la cual salió la cordobesa. Toda esta sistematización está en que: 1.º, se ha de repetir como estribillo todo el villancico; 2.º, en que los últimos versos
de las coplas han de rimar con los del villancico;
tantos con tantos, cuantos el villancico tenga; 3.º, en
que se parte de un elemento ternario monorrimo en
la copla; 4.º, en que los versos monorrimos se dividen con cesura, introduciendo rimas, y esto en dos
o en tres partes; 5.º, en que de esta división de los
tres versos monorrimos resulta el número de versos
de las coplas. Ahora bien, nada de esto hay en el sistema castellano ni lo hubo nunca, pues nuestras coplas no se ajustan a tal estructura. Puede repetirse
como estribillo todo o parte del villancico, y aun trocarse la colocación de sus versos, y aun mudarse algunas palabras. Y es que nuestro villancico es germen
que se desenvuelve en las coplas; no es un todo
muerto, puramente métrico, para rimar con él los últimos versos de las coplas. Por eso no es menester
en castellano rimen tantos versos del fin de las coplas cuantos versos tiene el villancico, cada uno con
el suyo; pueden rimar los que se quiera, y comúnmente sólo rima el último. No se parte de un elemento ternario dividiendo sus versos; en castellano la copla es monorrima o de dos o tres rimas, y los versos son iguales o desiguales, y el número de versos de
la copla es el que se quiera. Esta libertad, mayor generalización y sencillez de sistema es propio de la
poesía popular y prueba de por sí que de este sencillo sistema general salió el más sistematizado cordobés. Podemos, pues, asentar que nuestra lírica popular dió origen a la arábigoespañola; pero que la
arábigoespañola no influyó en nuestra lírica popular,
a no ser en casos muy excepcionales. Que influyó

en la música e instrumentos se ve por Juan Ruiz y por la tonalidad de la música andaluza.

La lírica popular arábigoespañola, recordada por bastantes escritores árabes, habrá de estudiarse algún día recogiendo datos y poesías. De ese estudio saldrá nueva luz para el de la lírica castellana popular en la Edad Media. A los textos fundamentales que hemos comentado sólo añadiremos algunas otras noticias sueltas. El alemán Müller, según dice Schack (*Poesía y arte de los árabes en España y Sicilia*, t. II, 1881, 3.ª ed. de la versión de Valera, pág. 225) ha publicado composiciones aljamiadas, esto es, castellanas en letra arábiga, y están traducidas del árabe vulgar. Una es *Almadha de alabança al annabi Mohammad, que fué sacada de arabî en ajamî* (romance) *porque fuese mas placiente de la leer y escoitar en aquesta tierra*. Tiene 81 estrofas de cuatro versos, los tres monorrimos y el cuarto acaba siempre con el nombre de *Mohammad*. Es del sistema monorrimo ternario, el más antiguo que usaron los poetas arábigoespañoles, tomándolo del castellano y con el último verso como medio estribillo, al modo de muchos villancicos con coplas. Este sistema se usó, por consiguiente, en árabe vulgar en España:

> De su olor fué el almiçque de grada
> relumbró la luna aclarada
> e nació la rosa honrada
> de la sudor de *Mohammad*.
> De que empeçó su venida
> la tierra estaba escurecida
> e luego fué esclarecida
> y clareó con la luz de *Mohammad*.

Algunas estrofas tienen tantas palabras arábigas como castellanas:

Saldrá con albiçra y ridwan,
con alhurras y wildan, .
con plateles de araihan,
al recibimiento de *Mohammad.*
Los almimbares de las alnabíes,
e los alcorcíes de los alwalíes,
e las sillas de los taquíes
cerca'l almimbar de *Mohammad.*

Por demás curioso e importante sería dar con alguna poesía castellana de las que, según Geiguer, compuso el famoso poeta hebreo Juda Ha-Levi, que las hizo además en hebreo y árabe, porque en ellas, sin duda, hallaríamos el sistema popular castellano. Ejemplos de zéjeles y moaxajas los hay en varios escritores. Véase éste que trae Schack traducido (*Catal. codicum orient. biblioth. Lugd. Bat.*, ed. Dozy, II, 101):

Gloria al Creador eternal,
que da el bien y envía el mal.
Formó las varias regiones
y las pobló de naciones,
de Ad y de los Faraones
hundió el orgullo infernal.
Fué el mundo su pensamiento
y le creó con su aliento
e hizo con agua y con viento
tierra y cielo de cristal, etc.

No sé si aquí se omite el villancico como estribillo tras cada copla, como cumple al zéjel; si no, será una moaxaja, monorrimos los tres versos y rimando con el del villancico el cuarto de cada copla. Schack no distingue bien los dos géneros, por no conocer la naturaleza de nuestro sistema poético (II, 275) ·

"Lo característico de ambas formas, tan semejantes entre sí, que no hallo modo de distinguirlas bien, con-

siste en que unas rimas, o una combinación de rimas, que
se presenten en la estrofa que sirve de introducción, son
interrumpidas por otras y luego, al fin de cada estrofa,
vuelven a repetirse."

Esta es descripción de la moaxaja de Mocádem, o
sea la rima doble: una, la de los versos monorrimos;
otra, la del verso final de copla que rima con el villancico. Y nótese que el villancico es verdadero villancico, no pura cabeza métrica. Igualmente lo es en
esta otra poesia de Ibn-Kazman (pág. 277), en cuya
traducción se guarda el sistema de rimas del original
arábigo:

> *En balde tanto afanar,*
> *amigos, para pescar.*
>   En las redes bien quisiera
>   prender la trucha ligera;
>   mas esta niña hechicera
>   es quien nos debe pescar.
>   Los peces tienen recelos
>   y burlan redes y anzuelos;
>   pero en sus dulces ojuelos
>   van nuestras almas a dar. etc.

Con razón la compara Schack con la de Juan Ruiz:

> *Señores, dad al escolar*
> *que vos vien demandar.*
>   Dad limosna o ración,
>   haré por vos oración
>   que Dios vos dé salvación,
>   quered por Dios amí dar, etc.

Y con la de Villasandino (*Canc. Baena*):

> *Algunos profazarán*
> *después que esto oirán.*
>   No será el alto ungido
>   rey de España esclarecido;

mas algún loco atrevido
rabiará como mal can.
    Non serán los muy privados
del rey e sus allegados;
mas algunos malhadados
sin porqué me maldirán, etc.

Aunque no son zéjeles, sino moaxajas, y la forma
arábiga no se había trasplantado en la literatura española, como dice Schack, sino al revés. En esta
otra (*Cat.* dicho, Dozy, II, 103) no hay villancico ni
estribillo, pero sí doble rima, cosa degenerada ya y
no usada en castellano:

De Dios sea el nombre alabado
y sea el profeta ensalzado;
permitid que a vuestro lado
hoy pueda yo reposar.
    Vuestro soy, nobles señores,
oid mis culpas, mis errores
y una aventura de amores
que me propongo cantar.

En cambio véase ésta, que como moaxaja trae de
Makkari (I, 417), de versos cruzados, y ante cada
estrofa un nuevo villancico:

Huye del amor,
tirano traidor;
mas no, que, si huyes,
mueres de dolor.
    El amor es fuego
que abrasa y halaga,
es mar sin sosiego
que las almas traga,
pierde el sueño luego
quien de amor se paga.
    Amarga los días,
mas luz y alegrías

difunde en las noches
benéfico amor.
    La niña hechicera
mi alma ha robado:
¡cuánta pena fiera
su amor me ha costado!
No quiera quien quiera
vivir sin cuidado,
pues, si te engolfares
de amor por los mares,
podrás naufragando
morir de dolor.

En la primera copla no rima el final con el villancico, en la segunda sí. Son variantes métricas que fué
tomando la moaxaja con el tiempo. De Ab-ul-Hasan
es esta moaxaja, perfecta y a la antigua manera de
Obada que vimos, en la que los versos finales de las
coplas riman con los del villancico (Makkari, I, 310;
Schack, II, pág. 285). Consérvase en la traducción
el sistema de rimas del original arábigo:

Cabe arroyo cristalino
bajo una verde enramada
con música, amor y vino
el censor me importa nada.
    Mientras la juventud dura,
del placer sigo el sendero:
con aquel que me censura
justificarme no quiero.
Vino en el vaso fulgura
y ya en el cercano otero
mueve el viento matutino
la viña de uvas cargada,
que promete dulce vino
pronto en sazón vendimiada.
    No debiera el tiempo huír,
que estoy con mi niña bella;

o cerca de ella vivir
o suspirando por ella;
quiéranos de nuevo unir
propicia al amor mi estrella.
Vago color purpurino
deje la huella estampada
en su rostro peregrino
de mi beso y mi mirada.

Este es el sistema de rimas entrelazadas en la moaxaja de Obada: **ABAB,** *cdcdcd,* **abab.** Y se halla en la serranilla de Santillana:

> *Mozuela de Bores,*
> *allá de la Lama*
> *pusom'en amores.*
> dijo: Caballero,
> tiradvos afuera,
> dejad la vaquera
> pasar el otero:
> ca dos labradores
> me piden de Frama
> entrambos pastores.
> Señora, pastor
> seré, si queredes:
> mandarme podedes
> como a servidor.
> Mayores dulzores
> será a mí la brama
> que oir ruiseñores, etc.

El sistema aquí es **ABA,** *cddc,* **aba,** que equivale a la anterior. Moaxaja es toda poesía en que las coplas tienen, además de la rima igual o rimas cruzadas de la copla, otra rima al final de las coplas que consuenan con el villancico. El no haber villancico, conservándose lo demás del sistema en las coplas, bien se ve ser cosa posterior y derivada. Esto sucede en la mayoría de las composiciones provenzales. Una clase de moaxaja, una especie del género, es el zéjel, esto es, cuando hay estribillo tras cada copla, o sea el villancico repetido. Para preparárselo al coro, que lo cantaba, rimaba con él el final de la copla.

II

LÍRICA PROVENZAL, FRANCESA E ITALIANA

Tras la cordobesa, la lírica que primero florece en Europa es la lemosina o provenzal, que comienza hacia 1100, pues el más antiguo trovador provenzal conocido, Guillermo VII, conde de Poitiers, escribió de 1087 a 1127, siguiéndole Cercalmón, contemporáneo de Luis VI, y Marcabrú, que frecuentó la corte del Conde de Poitiers, el padre de Leonor, Guillermo VIII. Lírica culta y cortesana, de señores y sus servidores, que brilla en los castillos feudales desde el Loira a los Pirineos, se escribe en la lengua llamada d'oc y acaba en el siglo XIII con la guerra de los Albigenses. Cuatrocientos trovadores de los siglos XII y XIII nos han dejado obras y conocemos los nombres de otros setenta. Hay entre ellos hasta diez y siete poetisas. El año 1323 algunos aficionados establecieron el Consistorio de Tolosa o Corte de amor de la gaya ciencia; pero la lírica se academizó y sólo fué pálido reflejo de la antigua lemosina. Pasó el Consistorio a Barcelona en 1390, y entonces fué cuando más influyó en nuestra poesía culta del siglo XV.

Los trovadores eran poetas y generalmente músicos, que componían la música y la letra y aun cantaban y se acompañaban con la viola. Otras veces eran los *jongleurs* los que tañían y cantaban las obras compuestas por los trovadores, corriendo de castillo en plaza, de boda en feria, de abadía en festejo; reco-

rriendo la tierra y viviendo a la gandaya de lo que
con este oficio allegaban. La región lemosina había-
se señalado por la cultura romana, y merced a la
paz y comercio del Mediterráneo sobrepujaba a las
partes del Norte de Francia, donde se hablaba la
lengua d'oil. Esto explica, juntamente con el esplendor de los castillos señoriales en que había pe-
queñas cortes, el que naciera allí la poesia cortesana
antes que en ninguna otra región de Europa Pero sus
orígenes no se han explicado. En 1918 se publicaron
dos trabajos sobre los orígenes de la lírica erótica
y cortesana de los provenzales. Uno de Konrad Burdach, *Uber den Ursprung des mittelalterlichen Min-
nesangs, Liebesromans und Frauendienstes*, en *Sit-
zungsberichte der Berliner Akademie der Wissens-
chaften*; otro de Samuel Singer, *Arabische und euro-
päische Poesie im Mittelalter*, en *Abhandlungen der
Berl. Ak. d. Viss*. El primer autor ya había dado en
extracto su idea en 1904. Hízose cargo de estos trabajos, criticándolos, Werner Mulertt el año 1921 en
*Neuphilologische Mitteilungen, Uber die Frage nach
der Herkunf der Trobadorkunst*; donde, en nota, añade que cuando corregia las pruebas pudo leer el *Discurso académico* de Ribera del año 1912: "Trotz
der Gelehrsamkeit seiner Ausführungen, die sehr weit
ausholen, ist nicht die geringste Sicherheit für die
Hypothese, die sich lediglich auf einige überras-
chende formale Ahnlichkeiten aufbaut, erbracht." De
ello trataremos después. Burdach acude *mit Notwen-
digkeit* a los árabes españoles para explicar lo pa-
negirista cortesano de los trovadores y el concepto
provenzal del amor a la mujer, y no menos la manera oriental, metafórica, antitética, hiperbólica, etc.,
y hasta muchos pensamientos; y recuerda varios escritores andaluces del siglo IX. Retrotrae además

todo ello hasta los árabes orientales, que dice lo tomaron de bizantinos y persas. Mulertt duda mucho de estas comparaciones y orígenes y aun acude, con otros, a los clásicos, sobre todo a Ovidio, cuyo influjo debió de quedar en Provenza, aunque concede que alguna influencia debieron tener los árabes españoles en los trovadores, cuanto a *la música y la métrica;* pero no desciende a cosas particulares. Total, que, según él, cuanto a los orígenes de la lírica provenzal, estamos lo mismo que en tiempos de Schack, cuando dijo: "Bisher sind alles blosse Vermutungen." Todas son, pues, fantasías y nada de cierto se sabe de los orígenes de la lírica de los trovadores. Lo que nadie ni ha tocado siquiera hasta Ribera es la métrica provenzal. La técnica del Conde de Poitiers dista infinito en perfección del sencillo monorrimo de versos largos que se halla en las pocas poesías que se conservan de antes de él. La *finida,* repetida tras cada estrofa como estribillo, es cosa desconocida fuera de España antes de él. El sistema de coplas con tres monorrimos o con versos cruzados y con estribillo hemos visto ser sistema exclusivamente español, de donde lo tomaron los árabes españoles. Ahora bien, este sistema aparece de repente en Provenza, más o menos modificado, como apareció poco antes en Córdoba, sin tener raíces ni en la literatura provenzal ni latina de Provenza ni en la arábiga. En cambio, es la manera española de todos tiempos. De la lirica española, de donde pasó a los árabes de España, hubo igualmente de pasar a los provenzales. El argumento es evidente, aunque no lo haya podido apreciar Mulertt, por desconocer el sistema lírico castellano. Ni Ribera caló la trascendencia de él por la misma razón. Por eso he querido publicar antes de nada la *Floresta,* donde se ve teórica y prácticamente el sistema lírico castellano, antes de tratar de las demás líricas a las cuales pasó. Como muestra del sencillo monorrimo de versos largos, que es lo único que se halla en la lírica provenzal antes del Conde de Poitiers, veamos el *Fragment de la vie de sainte Fides d'Agen,* de fines del siglo XI, importante para nosotros por otro concepto:

> Canczon audi qu'es bell' autresca
> que fo de razo espanesca;
> non fo de paraula grezesca
> ne de lengua serrazinesca:
> dolz e suaus es plus que bresca
> e plus que nuls piments qu'omm esca.
> Qui ben la diz e lei francesca,
> cuig m'en que sos granz pros l'en cresca,
> e q'en est segle l'en paresca.
> Tota Basconn'et Aragons
> e l'encontrada dels Gascons
> saben quals es aqist canczons,
> e s'en ben vera sta razons.
> En l'audi legir a clerczons,
> e agramadis a molt bons
> si qon o mostra'l passions
> en que om lig estas leiczons:
> e si vos plaz est nostre sons,
> aissi col guida'l primers tons
> en la vos cantarei en dons.

Traducción de M. Raynouard (t. II, pág. 144):

> Chanson j'ouis qui est belle composition,
> qui fut de récit espagnol;
> ne fut de parole grecque
> ni de langue sarrasine:
> douce et suave est plus que miel
> et plus que nul piment [1] qu'homme avale.

---

[1] Mezcla de vino, miel y especias.

Qui bien la dit a loi française,
pense m'en que son grand prix lui en croisse,
et qu'en ce siècle lui en paraisse.
Toute la Gascogne [1] et l'Aragon
et la contrée des Gascons
savent quel est ce récit
et si est bien vraie cette raison.
Je l'ouis lire à jeunes clercs
et elle agréa a moult bons
ainsi comme cela montre la passion
en quoi on lit ces leçons;
et si vous plait ce notre chant,
ainsi comme le guide le premier ton
je la vous chanterai en don.

Esta canción monorrima, como todas las antiguas provenzales, pertenece a los *Monuments... depuis l'an 842 jusqu'à l'époque des troubadours* (Raynouard, I, pág. 1). En ella se trasluce que había lírica en España, y puesto que no la había culta, ya que no había llegado aún a escribirse el castellano, se ve que esa lírica era la popular; la cual, así como influyó en la arábigoespañola, así pasaba la frontera y se derramaba su influencia por todo el Mediodía de Francia.

De esa lírica monorrima no salió la complicadísima provenzal, que comienza con el Conde de Poitiers. Es un paso imposible de declarar [2]. Pero tenemos ya declarado el paso y los orígenes de aquella lírica con la técnica arábigoespañola. En su citado *Discurso* ha probado, efectivamente, Julián Ribera que el sis-

---

1 La Basconia.

2 "La obra de los trovadores es un hecho sin precedentes en su parte literaria; por más erudito que sea el filólogo, no encontrará, en el vasto tesoro de las literaturas anteriores, canciones que posean, ni aun en germen, los rasgos característicos de la poesía trovadoresca". (Juan Beck de Estrasburgo, *La musique des Trobadours*, pág. 6.)

tema métrico cordobés pasó a Provenza. Ello debió de ser en la segunda mitad del siglo xi, en tiempo de Abencuzmán, o mejor, poco antes. Conocidas son las relaciones de árabes y judíos con la región lemosina por aquel tiempo, mediante el comercio del Mediterráneo. Veamos cómo Ribera examina una de las poesías del Conde de Poitiers:

> Pus de chantar m'es pres talens,
> farai un vers don suis dolens;
> non serai mais obediens
> de Peytau ni de Lemozi.

"La notación de las estrofas de esta composición —dice Ribera— es la siguiente: *aaa*b, *ccc*b, *ddd*b, etc., que corresponde a la del tipo andaluz más sencillo y más frecuente: de las 149 canciones de Abencuzmán, 94, por lo menos, tienen esa disposición de rimas, y con idéntica disposición y con el mismo número de sílabas en cada verso, las canciones 10, 14, 55, 69 y 140."

El sistema es de estrofas simétricas de variadas rimas, con el elemento ternario inicial de estrofa (tres versos monorrimos) y terminando, las cuartetas con el verso de rima común. Hasta tiene una estrofilla o dístico en que está indicada la rima común, como en las canciones de Abencuzmán, pero con una leve diferencia, digna, sin embargo, de notarse (sobre todo para poder explicarnos las desviaciones posteriores del sistema provenzal): en vez de estar esa estrofilla al principio (como en Abencuzmán), el Conde la coloca al fin, como *finida;* y la rima del primer verso de esa *finida,* es la misma que la del elemento ternario de rima libre de la última estancia. En esta forma:

> Totz mos amicx prec a la mort
> qu'il vengan tuit al meu conort,
> qu'ancse amey joi e deport
> luenh de me et eu mon aizi.
> Aissi guerpisg joy et deport
> e var e gris e sembeli.

"Tenemos, por consecuencia, que el sistema provenzal, tal como aparece en el más antiguo trovador, es,
con levísimas diferencias accidentales, esencialmente el
mismo de los musulmanes españoles; en él se notan
perfecciones eruditas que los sabios andaluces introdujeron en el sistema popular primitivo. ¿Cómo se explican las desviaciones leves del Conde de Poitiers?
De modo muy sencillo. Al Conde de Poitiers le ocurrió lo siguiente: aceptó la forma de una poesía coral,
popular, para una lírica monódica y cortesana, y se
encontró con que el estribillo no cabía en canción monódica; reservólo para el fin, transformándolo en *finida*. El estribillo en la lírica andaluza se ponía al principio, en relación de rima común con las terminaciones de las estrofas; el Conde puso el verso final de
la *finida* en rima común y el primer verso de ésta en
relación con las rimas libres de la última estrofa. De
esta manera se anunciaba el fin de toda la composición en forma semejante al anuncio del final de estrofa en la lírica coral... El Conde de Poitiers imitó
servilmente la lírica coral, admitiendo las rimas comunes, innecesarias en la lírica monódica; pero en el
núm. IV ya prescinde de ellas y establece relación entre estrofas, de dos en dos, en vez de la general entre
todas las estrofas."

Poco a poco la desviación aumenta, aunque notándose siempre algo del tipo primitivo, bien que como
extraño y no bien entendido en sus fundamentos; al
revés que en la poesía musulmana, donde "se conservó con mucha más constancia la pauta primitiva,
que apenas se altera".

"El sistema provenzal —dice Ribera (pág. 46)— no
es tan regular ni tan matemático como el español (arábigoespañol). En éste se nota que las combinaciones de
consonancias derivan de las unidades rítmicas de la melodia, del compás, y se dividieron los versos largos en
cortos, por mitad, por terceras partes, rimando donde

la música hacía pausa, es decir, rimando las cesuras.
Merced a tal artificio, sale una combinación matemática, regular y variada; dado el tipo primitivo, se explican sencillamente los derivados por adiciones y subdi-
visiones métricas."

Con esto se entenderá lo que vimos al final del trozo de Abenbasam:

"Después floreció este Obada y creó el trenzado, esto
es, que estribaba en las posiciones de la pausa en las
ramas y las unía, como estribaba *el Moreno* en las posiciones de la pausa en el estribo."

Por consiguiente, tenemos ya en aquellos antiguos
tiempos que los árabes tomaron del castellano las dos
maneras de *Villancico con coplas y estribillo,* la primera de versos monorrimos y la segunda de versos
cruzados, en la copla, menos los últimos versos, que
riman con el estribillo que sigue en ellas, o sea con
el villancico inicial. Tenemos además que al provenzal pasó el mismo sistema, sino que se suprimió el
villancico de la cabeza. De Provenza pasó el sistema al Norte de Francia, a Italia y a Portugal.

Los orígenes de la lírica culta de Provenza, antes
inexplicables, quedan ya aclarados. La cultura de la
región era terreno apropiado para que naciese una
lírica cortesana; pero no podía nacer de repente con
la acabada técnica que la hallamos desde sus más
antiguas poesías, si tal técnica no hubiera venido de
fuera, de Córdoba. La poesia popular, los cantares
de primavera sobre todo, pudieron inspirar algunos
temas y maneras, como quieren Gaston Paris y Bédier; pero de ella no pudo salir la complicada técnica métrica. Y aun de la teoría de estos dos insig-
nes maestros creo yo que hay que rebajar algo, cuanto al influjo de las ideas. La idea madre que hallan
en la lírica provenzal y francesa, como propia de las

populares canciones de primavera, de las que suponen pasó a aquella literatura culta, es la del *amor libre,* resto del paganismo. Yo creo que en el pueblo tales cantares y restos paganos habían ya perdido todo su antiguo espíritu, ese espíritu del amor libre, merced a la educación cristiana, como lo tiene hoy perdido hasta el mismo carnaval. Jeanroy indica que el tema de la malmaridada es cortesano cabalmente por tener ese espíritu tan libre, y que en el pueblo ese tema es harto más moral, como lo es de hecho en nuestra popular literatura. Ese espíritu de liviandad en los amores, el burlarse del marido, el alardear de fáciles conquistas entre pastoras, dejándolas burladas; en suma, el espíritu naturalista del *Roman de la Rose,* se halla en toda la literatura francesa medieval, por ser cortesana, y no se limita a aquella parte de la lírica que dicen nacida de las canciones primaverales. Hállase en la novela caballeresca y en los *flabiaux,* adonde no pudo llegar de tales canciones de primavera. En cambio, no se halla tal espíritu en nuestra literatura medieval, ni en la culta, ni menos en la popular; en la cual siempre hay respeto al marido y al matrimonio, y donde la doncella es casta de suyo y retraída. Que si en la lírica gallega es la mujer más desenvuelta y atrevida en adelantarse al galán, acaso habrá que ponerlo a la cuenta de la raza céltica. Adviértase que la balada provenzal *A l'entrada del tems clar,* que Bédier trae como cifra de ese espíritu del amor libre, anejo, según él, a las canciones de primavera, no es canción de primavera popular, sino tan culta como las demás, y que, por consiguiente, el espíritu popular está ya en ella tan maleado como en las otras, como en las *pastourelles,* por ejemplo, y como en todos los cantares de *malmaridada.* Había que traer un can-

tar *popular* de primavera para poder probar con
él lo que se pretende; pero no lo hay.

La poesía culta siempre se va por los extremos.
Mientras que, según la excelente clasificación de Aubry (*Trouvères et Troubadours*, 1909, pág. 34), las
canciones *a personnages* tienen ese espíritu del amor
libre y se cultivan sobre todo en francés; la poesía
ccurtoise, que se cultiva más en provenzal, tiene un
espíritu del amor enteramente escolástico, ideal; es
"une transposition profane de l'amour divin", como
dice Aubry.

"Cette théorie, toute scolastique, ne manque pas de
beauté, ni de grandeur, mais elle n'est que spéculation
pure et n'emprunte rien a la réalité. La théorie de
l'amour courtois est une construction de l'esprit et non
une analyse du coeur humain."

Si aquel otro amor era fisiológico y naturalista, éste
es cerebral e ideal. Algo explicará de aquél la pa-
gana tradición primaveral; pero éste le es tan opuesto como al amor pagano el amor divino del cristianismo, del cual es verdadera *transposition profane*.
Si en aquél la mujer es la villana que aborrece al marido y se entrega al amigo, riéndose de una y otro
el caballero recuestador, en éste la dama es como
diosa a la cual el caballero ha de adorar y servir a
distancia, y tan parecida a la Virgen María en esta
parte que

"Quand un trouvère chantait en l'honneur de la Vierge après avoir chanté en l'honneur de sa dame, il
n'avait pas á changer le ton, il était déjà au diapason...
au lieu de Marote la bergère dit-on la Vierge Marie, et
cette substitution fait à peu près seule un chant reli-
gieux de ce qui auparavant était une pastourelle ou une
chanson courtoise."

Ni una ni otra de estas dos mujeres, la naturalista y la ideal, es la mujer tal como la canta la poesía popular castellana, y supongo que, más o menos, la de todas partes. Esa dama ideal es la que, en cambio, cantaron nuestros cultos del siglo xv, por haberse inspirado en la lírica provenzal.

Nos han atronado tanto los oídos los críticos extranjeros y aun algunos españoles con que debemos tanto y cuanto a la poesía de allende el Pireneo, que conviene cotejarla con la nuestra para que se vea de una vez lo que pueda haber de cierto en esta parte. Y como la lírica francesa o de la lengua *d'oil* tiene mucho de común con la provenzal por haber salido en gran parte de ella, hablaremos a la par de entrambas. Chrétien de Troyes y Gautier d'Epinal son acaso los dos *trouvères* más antiguos que conocemos. Vivieron en tiempo del conde de Flandes, Philippe d'Alsace, que heredó aquella provincia en 1168 y murió en 1191. Esta es la época en que comienza la lírica francesa, también cortesana y gran imitadora de la provenzal, aunque sin duda deba algo a la anterior popular, que nos es desconocida. Siguiendo el orden de géneros, de Pierre Aubry, la primera clase de *chansons à personnages,* esto es, en la que intervienen otras personas que el poeta, pudiéramos pasar por alto las *chansons d'histoire* o *de toile,* las más antiguas, del siglo xii y propias de la lírica francesa, escritas en el verso decasílabo generalmente de las canciones de gesta. Pero es muy de notar que ya en ellas la dama, que suele ser la que canta en su soledad, mientras el esposo anda a sus caballerías, es maltratada por él, cuando vuelve, y está él pintado como odioso y aun grotesco, siendo ella, por consiguiente, como una malmaridada que se echa fogosamente en brazos del amigo. Y aquí

no tienen nada que ver las canciones de primavera
con su amor libre [1].

Las *chansons dramatiques* son de malmaridada,
monólogo, como dice Jeanroy, de la mujer que desprecia y aborrece a su marido, que aquí ya es de estado villano y que acoge las proposiciones del caballero. Es una manifestación del odio que al villano
tenía la sociedad cortesana y culta, para quien se
escribía esta poesía, inmoralísima, según el mismo
autor. La malmaridada es hembra "de parfaite im-
pudeur"; la *chanson dramatique* "serait monstrueuse
si elle était autre chose qu'un jeu" [2]. Son además
hombres los que la escriben, aunque sea mujer la que
la canta. Hemos visto en el *Cancionero de Abencuzmán* este tema citado como recuerdo de poesía popular más añeja; mal pudo, pues, venir a nuestra lírica popular desde Francia. Ni siquiera vino a la

---

1   A estas canciones responden en castellano los romances épicolíricos, trágicos los más, como el del Conde de
Alarcos. Como populares que son enteramente tienen un
más alto valor estético que los franceses, que son cultos,
como se ve por la métrica provenzal, con estribillo o finida.
El mejor acaso es el primero que trae Bartsch y que, sin
embargo, es infinitamente inferior si se compara con el
del Conde de Alarcos y con cualquiera otro de los nuestros. Véase la estrofa primera.

"Quant vient en mai, que l'on dit as lons jors,
que Franc de France repairent de roi corr,
Raynauz repaire devant el premier front,
si s'en passa lez lo mes Arembor,
ains n'en dengna le chief drecier a mont.
E Raynauz amis!" (estribillo o *refrain.*)

2   Basten estos versos (Bartsch, I, 21):
"Ye ferai novel ami
an despit de mon mari."

"S'on trovast leal ami,
ja n'ëusse pris mari."

lírica culta. En la popular es muy otro el tono de los cantares de malmaridada. No hay intento algunc de burlarse de la clase de los villanos. Los galanes, como es natural, aprovéchanse de la ocasión para requerirla de amores:

> La bella malmaridada
> de las lindas que yo vi,
> acuérdate cuán amada,
> señora, fuiste de mí.

Ella se lastima de su desgracia; pero no se rinde porque sí ni generalmente, ni se deja arrastrar por el vil interés. Cuando corresponde, no es por villanía; es dama, generalmente, de la misma clase que el caballero, y su esposo no es villano, sino caballero de alto linaje, y el desenlace es caballeresco y trágico, sobre todo en los romances y formas más narrativas. No quedan en mal lugar ni ella ni el marido, como sucede en francés. Ella es honrada, a pesar de su desgracia, o sucumbe y acaba trágicamente señoreando el pundonor caballeresco del digno esposo. Véase, por ejemplo, el romance: *¡Ay cuán linda que eres, Alba!* No puede darse mayor diferencia y prueba de ser aquí popular el tema; en Francia, cortesano. Aquí es la triste realidad la que llora y endecha por boca de la desdichada; allí es una burla y desahogo de caballeros que desembuchan su odio al villano del esposo por boca de la misma esposa, desvergonzada y tan villana como él. A nuestra lírica se aplica lo que justamente dice Jeanroy (pág. 154) del tema de la malmaridada:

"Mais le mariage lui-même est respecté dans les chansons vraiment populaires; il est même considéré sous l'aspect le plus austère, souvent le plus triste."

Triste es siempre y austero en la lírica popular

castellana y hasta trágico, y nunca se ve la intención de burlarse del marido, como en francés y en provenzal. Oigamos a Jeanroy (pág. 156):

"Pour ne citer que ceux qui sont nés dans la patrie del'amour conventionnel célébré dans les chansons (la Provenza), qui ne voit inmédiatement que l'auteur de *Flamenca* (obra de 1234) a eu pour but de glorifier l'amant et de rabaisser le mari?"

La *pastourelle* no se halla en nuestra lírica popular, pues la serranilla, con la cual ha sido confundida, veremos que es cosa muy diferente, por lo que no añadiremos nada más aquí, dejándolo para después, al tratar de Juan Ruiz.

L'aube, en provenzal *alba*, canto del alba o alborada, la tenemos ya en algunas coplas de zéjel cordobés, cuya primera copla vimos. Discute Jeanroy si es monólogo de la amada al irse el amante, al amanecer, o de éste, o diálogo de entrambos, y prefiere el monólogo de la mujer como más antiguo y popular. Cuestiones de lana caprina. Más antiguo es el zéjel dicho (copla 4), en el que es el amante el que comienza y hay diálogo:

> Alborea el alba: ¡alba maldita!
> ¿Por qué viene el alba?
> Me levanto a coger la capa apresuradamente.
> Ella me dice: ¿Te vas? ¿Qué quieres hacer?
> Deja la capa y estate aquí conmigo.
> Yo le contesto: No, ¡déjame!, debo marcharme.

Es, pues, un diálogo de los dos. En las alboradas castellanas hay diálogo igualmente; o habla ella sola o solo él. También dice Jeanroy que en la alborada de Francia hay tres personajes principales: los amantes y el velador de la torre, que, según costumbre feudal, tocaba el cuerno y cantaba al alborear. Nada de eso hay en España; sólo los gallos anuncian el día:

Ya cantan los gallos,
buen amor, y vete:
cata que amanece.

Tal es la alborada más sencilla castellana, en la que comienza ella, como es natural, por más pudorosa y comprometida.

La segunda subdivisión de Aubry es la de *la poesíe courtoise,* que comprende *les chansons courtoises* acerca del amor ideal que ya hemos visto; *les chansons religieuses,* que se cultivaron poco y pueden ponerse con las anteriores, por ser tan parecido el amor en entrambas, llevado en las segundas a lo divino; y finalmente el debate o discusión o disputa, ya *le débat* propio, en provenzal *partimen,* ya *le jeu parti,* en provenzal *tenso.* El *partimen,* en que uno deja a su contrincante escoger una opinión para defender la otra, es ejercicio escolástico ajeno al arte popular que no puede darse en nuestra lírica. El *debate* es disputa o diálogo libre sobre cualquier cosa. Nada de particular ofrece en la lírica castellana y es como un coloquio cualquiera que de ordinario forma cuadritos dramáticos por hablar los mismos personajes, pero que nada deben a la literatura francesa. Los hay en castellano admirables, sobre todo amorosos y pastoriles. El *débat* francés o provenzal fué imitado solamente por nuestros poetas cultos.

Hay en nuestra lírica popular otros muchos temas que no hay en la culta francesa ni provenzal. Entre otros el que por antonomasia se llama *villancico,* esto es, el *de navidad,* que no lo hallo en aquellas literaturas y que en la nuestra ofrece admirables dechados de gran variedad, delicadeza y ternura. Otro género nuestro es el pastoril, pero pastoril de verdad, no como solaz de gente urbana que fantasea entre pastores felicidades que no hay, sino como idilios de pastores de toda clase y casi siempre en su propio lenguaje. Los cantares que los gallegos llaman *de amigo,* son exclusivos de la lírica popular gallega y castellana.

Exclusivos son de la lírica castellana los cantares corales, en que se repite un corto estribillo tras cada verso o cada dos versos, como los imitados de los aldeanos por Lope y Tirso o tomados de ellos. Los cantares de amores ofrecen todas las situaciones y estados de ánimo de los que se quieren, la recuesta o requerimiento de amor, el desdén y la aceptación, el piropo y el requiebro, el diálogo amoroso, el oaristis, la despedida, la ausencia, la alborada, la serenata, la ronda, el abandono, las penas y desengaños. Propios de España son también los cantares de romería y de camino, los de leva, los de mozas, los de borrachos, los de oficios. Es la vida entera cantada, no sólo las ideas de los cortesanos, la que bulle en nuestra lírica popular, que bien se ve no deber nada a la provenzal ni a la francesa. Del tema de la que meten monja contra su voluntad dice Jeanroy que no se halla en la Edad Media "dans les redactions étrangères". Viejísimo es entre nosotros este tema:

> No quiero ser monja, no,
> que niña namoradica só.

No tenemos nosotros los desvergonzados serventesios; pero sí cantares satíricos, jocosos y humorísticos, llenos de ingenio y donaire.

Pero lo mas propio y característico de nuestra lirica popular son los villancicos simples, las flores mas sencillas, suspiros naturales y gérmenes de toda la lírica. Tiene que haberlos en toda lírica popular y de ellos ha de brotar toda ella por natural evolución, pues son parte del idioma, como los refranes y frases. Son la más clara prueba de ser popular nuestra lírica. Por ser cultas, no se hallan en la provenzal ni en la francesa, ni menos se explica en ellas, por consiguiente, toda la lírica por natural evolución del villancico simple. Hay en la francesa algo que al villancico se parece: es el *refrain,* exclamaciones, frases sueltas, sentencias harto desleídas en un largo verso suelto, sin rima comúnmente, que los poetas dieron en meter en sus poesías desde el siglo XIII, pero que el mismo Jeanroy afirma ser de origen culto y de tan poco atadero con las poesías, que en la *Romania* (t. XXX, 1901, pág. 425) dice:

"Aux chansons purement courtoises, où le refrain n'est qu'un ornement artificiel."

Difieren, pues, estos *refrains* de nuestros villancicos simples como la noche del día y como lo cortesano de lo popular. No hay cosa más popular y vieja que nuestros villancicos, tan vieja como los refranes, tan vieja como el idioma, no hay elixir poético más concentrado ni suspiro más natural y más sentido. De ellos salió toda nuestra lírica por natural evolución. En Francia sólo vemos que se ingieren en largas composiciones con cantares de baile, al modo que se ingirieron en nuestras ensaladas, puestos en boca de las gentes del pueblo. Los más excelsos poetas nuestros los glosaron y, cuando los pretendieron imitar, inventándolos de su cabeza, fracasaron enteramente. Tales son sus *letras* y *motes* cultos, parecidos a los *refrains,* que les servían para justas y torneos y para entretenimientos literarios en los saraos, como puede verse en *El Cortesano;* de Luis Milán y en el *Cancionero de Costantina.*

Las teorías de Jeanroy sobre los géneros principales fueron modificadas, al dar cuenta de su obra, por Gaston Paris y J. Bédier. Gaston Paris en el *Journal des Savans* (nov. y dic. de 1891, marzo y julio de 1892) trajo los géneros de los bailes y cantos corales populares de primavera, suponiendo que los imitaron los poetas cultos. La lírica francesa comenzó, según él, en 1150 y llegó allá de Provenza. J. Bédier rectificó esta teoría en un eruditísimo artículo de la *Revue des Deux-Mondes* (*Les fêtes de Mai et les commencements de la poésie lyrique au moyen âge*, 1896, mai). Recoge las tradiciones foklóricas y cantares populares modernos franceses sobre aquellos festejos primaverales, recordando el magnífico tratado de Wilhelm Mannhardt, *Baum-und Feldkulte*, dos vols., Berlín, 1877, y las halla sintetizadas en la casi única balada provenzal, cuyas dos primeras de sus cinco coplas son éstas:

> A l'entrada del tems clar, eya,
> per joja recomençar, eya,
> e por jelos irritar, eya,
> vol la regina mostrar
> qu'el'est si amoroza.
> *A la vi'a la via, jelos,*
> *laissaz nos, laissaz nos*
> *ballar entre nos, entre nos.*
> El'a fait per tot mandar, eya,
> non sia jusqu'a la mar, eya,
> piucela ni bachalar, eya,
> que tuit non venguan dançar
> en la dansa jojoza.
> *A la vi'a la via, jelos,* etc.

Puede verse su música en Pierre Aubry, *Trouvères et troubadours*, 1909, pág. 60, y su traducción es:

I. Au retour du temps clair, pour recommencer à être en joie et pour irriter les jaloux, la reine veut montrer qu'elle est très amoureuse. Fuyez loin, très loin, jaloux, laissez-nous, laissez-nous danser entre nous, entre nous. II. Elle a fait partout savoir que d'ici jusqu'à la mer il ne doit être jeune fille ou jeune garçon qui ne vienne danser en la danse joyeuse. Fuyez loin, etc."

La reina de mayo o maya con el corro (*carole* en francés es la *rueda* o *corro* que bailaba) llama a toda la juventud para que baile y aleja de sí a los maridos (*vilain*, *jaloux*). Es el amor libre con el que la casada se entrega al amigo. De estas danzas populares salieron, según Bédier, antes de 1140, esto es, cuando aparecen las más antiguas poesías cultas, las de Marcabrú, los tres géneros cortesanos: las *reverdies* o cantares de primavera; las *chansons à personnages*, que se reducen al de la malmaridada, como hemos visto, y las *pastourelles*. Pero difiere de Gaston Paris en que supone que los poetas cortesanos no imitaron los cantares del pueblo tal como ellos eran, sino que inspirado en ellos algún poeta de corte señorial o varios, fundaron la poesía bucólica de estos tres géneros, con las ideas propias cortesanas:

"Un peu avant 1150, se développe dans les cours chevaleresques un certain goût de poésie pastorale; les fêtes du printems, célébrées à la fois par les vilains et les seigneurs, les chansons de maieroles et de danse en sont à la fois le ferment et l'aliment. De nobles poètes s'amusent à exploiter ces thémes: ainsi ont procedé, presque en tout temps, les poètes bucoliques. C'est un jeu aristocratique, c'est une mode de société, ou, si l'on ne craint pas l'anachronisme du terme, une mode de salon."

De estos tres géneros sólo conocemos en la lírica culta castellana ejemplos del primero, esto es, el de las *reverdies* o cantares de primavera, que probablemente están inspirados en la poesía provenzal. La *Razón de amor*, que veremos después, hecha por un escolar a principios del siglo XIII, que anduvo fuera de España, idilio en que metió la *disputa del agua y del vino*, asunto muy tratado en Francia. El *Cosante* de don Diego Hurtado de Mendoza, de fines del siglo XIV, es otro cantar de primavera. Entrambas obras tienen, sin embargo, no poco de la lírica popular castellana. Los otros dos géneros, la malmaridada y la pastorela, ya vimos que no vinieron a Castilla, sino que se nacieron en ella (hablo de la serranilla) y como cosa añeja se recuerda la malmaridada en los cantares de Abencuzmán. En el mismo *Cancionero* del poeta cordobés se trata de las mayas de primavera, y como el tema ha dado bastantes cantares castellanos populares, bueno será recordar lo que sobre esto escribió Rodrigo Caro en sus *Días geniales* (página 283):

"Júntanse las muchachas en un barrio o calle y de entre sí eligen a la más hermosa y agraciada para que sea la Maya; aderézanla con ricos vestidos y tocados, corónanla con flores o con piezas de oro y plata como reina, pónenle un vaso de agua de olor en la mano, súbenla en un tálamo o trono, donde se sienta con mucha gracia y majestad, fingiendo la chicuela mucha mesura; las demás la acompañan, sirven y obedecen como a reina, entreteniéndola con cantares y bailes y suélenla llevar al corro. A los que pasan por donde la Maya está piden para hacer rica a la Maya y a los que no les dan les dicen. "Barba de perro, que no tiene dinero", y otros oprobios a este tono."

Estos cantares son a la primavera, a las flores, al amor y salen a relucir las aves amorosas: el ruiseñor que canta sus amores y la calandria que canta la venida del día. Entre nosotros el *cantar de sanjuanada* o del buscar novio la noche de San Juan y los árboles que los mozos plantaban a las puertas de sus novias y el enrame, diferénciase del *cantar de prima-mavera o Maya,* esto es, del primero de mayo.

Pero es muy de notar que estos cantares de primavera y sanjuanada son de amor casto en castellano, son de noviazgo ideal y limpio; no son como las *reverdies,* cantares de amor libre, del mismo espíritu que los de *malmaridada* franceses. Porque ambos en Francia son cultos y deshonestos, y en España son honestos y populares. En nada se parecen nuestros cantares de sanjuanada y de primavera a la provenzal *A l'entrada del tems clar* ni a los correspondientes cantares franceses.

De propósito he retrasado hasta aquí *les chansons de danse,* que Aubry pone en la primera de sus dos clases *la chanson à personnages,* porque, según la nueva teoría, son las que inmediatamente parecen salir de los cantares y bailes de primavera y, sobre todo, porque son los géneros que Jeanroy llamó *à formes fixes,* esto es, de métrica fija particular, que tienen para nosotros especial importancia. Son la *balada,* el *rondel,* el *virelai,* etc. Son como gotas en el mar de las demás composiciones que forman la lírica provenzal y francesa, todas las cuales, cuanto a la métrica, siguen el sistema cordobés, según hemos visto. Las poesías *de forma fija* son una excepción, en cierto sentido.

La balada, en provenzal *balada,* no se halla hasta mediados del siglo XIII y en provenzal no hay, según Jeanroy, más que dos conocidas, *A l'entrada,* que hemos visto, y otra. Supongo será la que trae Raynouard cuando dice:

"Le plus communement la ballade avait un refrain, et ce refrain, formé par le vers qui commençait la pièce, ou seulement par les premiers mots de ce vers, était

répété plusieurs fois dans chaque couplet" (M. Raynouard, t. H, pág. 241):

> *Coindeta sui,* si cum n'ai greu cossire
> per mon marit, quar no'l voill ni'l desire,
> qu'ieu be us dirai per que soi aisi drusa,
>   *coindeta sui;*
> quar pauca soi, joveneta e tosa,
>   *coindeta sui;*
> e degr'aver marit don fos joiosa,
> ab cui tos temps pogues jogar e rire:
>   *coindeta sui.*

Siguen otras coplas semejantes con el mismo estribillo. Traducción:

> *Gentile suis,* ainsi que j'en ai grief chagrin
> par mon mari, car je ne le veux ni ne le desire,
> vû que bien je vous dirai porquoi je suis ainsi amante,
>   *gentile suis;*
> parce que petite je suis, jeunette et fillette,
>   *gentile suis;*
> et je devrais avoir mari dont je fusse joyeuse,
> a qui en tout temps je pusse jouer et rire:
>   *gentile suis.*

No parece claro lleven estas dos baladas provenzales villancico a la cabeza, aunque en la segunda
puede tomarse como tal la frase *Coindeta sui,* con
que comienza y que se repite como estribillo.

En francés está más claro el *refrain* que encabeza
la llamada *ballette,* que floreció a mediados del siglo XIII, fecha del manuscrito de Oxford en que
se hallan. Constaba (Jeanroy, pág. 403) de coplas
monorrimas o cruzadas y de un *refrain* que iba al
principio y tras cada copla. Tales *refrains* de ordinario no son verdaderos villancicos y pueden verse
en Jeanroy (págs. 394-396). El último o últimos versos de cada copla rimaban con el verso o versos del

refrain. Ello no es más que la forma más sencilla del zéjel de Abencuzmán, esto es, el sistema castellano de *Villancico con coplas y estribillo,* aunque perdido, de ordinario, el espíritu del sistema, cuando el alma de la composición, el villancico, queda reducido a algo mecánico, a un *refrain* que no tiene que ver con ella. Ejemplo:

> Kant li, vilains vai(n)t a marchiet,
> il n'i vait pas par berguiguier,
> mais por sa feme a esgaitier,
> ke nuns ne li forvoie.
> *An cuer les ai les jolis malz, coment en guariroie?*

No pone Jeanroy a la cabeza el estribillo, pero advierte (pág. 402) que

"les manuscrits qui nous ont conservé des *ballettes* placent ordinairement le refrain en tête de la pièce, sans doute parce qu'il était en réalité chanté, et repris en choeur au début, puis ils le répètent souvent intégralement a la fin du dernier couplet, et ils en répètent même quelque fois les premiers mots à la fin du premier et du second couplet."

Hay *ballettes* con villancico a la cabeza que están más ligados con la idea de las coplas:

> *E amiete doucete, je vous ai*
> *toz jors loialment servi et servirai.*
> Deus, en un preielet estoie
> l'atre jor;
> par deleis mon amin seoie
> en un destor,
> a cui ai dit par dousor
> et de cuer gai:
> "Amis dous, je sans pour vous
> les malz que j'ai."
> Duez, can ferai?
> *E amiete doucete, je vous ai*
> *toz jors loialment servi et servirai.*

Recuérdese nuestro villancico.

> *De os servir toda mi vida*
> *holgaré*
> *y sirviéndoos moriré.*

Véase este otro cuyo *refrain* es verdadero villancico, que las coplas declaran:

> *Amis, amis,*
> *trop me laissie(z en) estrange païs.*
> L'ame qui quiert Dieu de (toute s'ent)ente
> souvent se plaint (et) forment se demente,
> et (so)n ami, cui venue est trop len(te)
> va regretant, que ne li atalente.
> *Amis, amis,*
> *(trop me laissiez en estrange païs).*
> Trop me laissiez (ci) vous longue(m)ent querre
> en cel regnes et en (m)er et en terre,
> (e)nclose sui en cest cors qui me serre
> (d)e ceste char qui souvent me fait guerre.
> *Amis, amis,*
> *(trop me laissiez en estrange païs).*

Esta poesía de abandonada, a lo divino, es enteramente a la castellana, aunque el villancico no tiene la enjundia que tienen los nuestros. Ambos ejemplos están tomados de Jeanroy (pág. 479). Véase este otro *refrain* tomado de J. Bédier (*Rev. Deux-Mondes*, 1896, *mai*), que juzga sea acaso popular:

> *Au vert bois deporter m'irai*
> *m'amie i dort, si l'esveillerai.*

Es de los *refrains* más delicados. Compárese, sin embargo, con aquel castellano:

> *A la sombra de mis cabellos*
> *mi querido se adurmió:*
> *¿Si le despertaré yo?*

Los *refrains* franceses los estudió Jeanroy, sacando como conclusión que no son populares, sino cultos de origen. Precisamente en el sistema castellano el villancico o estribillo es lo más popular y tradicional de la composición. El *refrain* cantábalo todo el corro; las coplas, el solista que guiaba el canto y la danza: todo como vimos en Córdoba a principios del siglo XIII, antes de que hubiera *ballettes* en Francia ni *baladas* en Provenza.

¿Fueron éstas desde Córdoba o pasaron allá desde Castilla? Tanto monta; pero la voz *ballette, balada,* es española de origen y puede verse en *La lengua de Cervantes* (t. II, artículo *Bala*). La limitación del vocablo para un solo género de canto y baile fuera de España confirma haberse tomado del castellano, donde tiene sentido más general y propia etimología. Lo natural es, pues, que de Castilla fuera a Francia este género lírico con su nombre. Además, el sistema poético de la *ballette* es de obras cultas; en España tan sólo se halla en obras populares. Ahora bien, las populares españolas no pudieron venir de las cultas francesas y las cultas francesas de este sistema poético sólo pudieron venir de las populares que se conocen, que son las castellanas. No sé que se dé el caso de que un sistema poético popular provenga de otro culto y lo contrario es lo común en todas las literaturas. Si se opone que pudiera venir el uso culto francés, de ese sistema, de uso popular francés anterior, primero había que probar que lo hubo. En segundo lugar, tal suposición se deshace con otro argumento que prueba provenir ese sistema francés del sistema castellano. El argumento es este: el sistema de cabeza, coplas y estribillo es tan popular castellano que dió origen al cordobés y es el único que se ha usado siempre en España, y esto con las variadas formas que muestran las poesías de la

Floresta. Toda ella es de ese sistema. Ahora bien, en Francia sólo se halla, como excepción, en el mar inmenso de la lírica francesa que no sigue ese sistema, sólo se halla en la *ballette* y no ha sido sistema ni universal ni de siempre ni exclusivo de la lírica francesa, como lo ha sido de la popular castellana. ¿Quién va a creer que de un caso limitado de una lirica culta pasara el sistema a otra lírica popular donde se generalizara, durara siempre y fuera sistema exclusivo de ella? Pero ¿qué es pasar? No había lírica francesa y ya vivía tan pujante el sistema en castellano, que en el siglo ix tomólo Mocádem para aplicarlo al árabe. La antigüedad, la popularidad, la universalidad, la perpetuidad y la exclusividad del sistema del villancico en España convencen que de aquí pasó a Francia, donde sólo se halla en composiciones cultas, y no dura siempre, y no es sistema único y exclusivo. Como cosa ajena, el villancico de la cabeza, si alguna vez lo es de veras, comúnmente no lo es más que bastardeado; no es el germen de toda la pieza, como lo es siempre el castellano, verdadero villancico que se cantaba no menos solo de por sí, por tener vida propia, lo cual no sabemos sucediese a los *refrains* franceses.

En Italia hallamos ya entre las obras de Ser Noffo, de Dante de Majano, etc., la llamada *canzone,* que, como dijo Schack, tomándolo de *Scelta di poesie liriche,* Florencia, 1839:

"Empiezan con una estrofa corta y donde terminan siempre con el mismo consonante las demás estrofas más largas. Esta estructura tienen casi todas las *canzoni a ballo* de Lorenzo de Médicis (*Poesie del magnífico Lorenzo de Medici,* Londra, 1801; pág. 196). Lo mismo se advierte en la gran colección de antiguos cantares carnavalescos (*Canti carnascialeschi andati per Firenze*, etc., 2, ed., 1750. I, 36)."

El beato Jacopone de Todi compuso este cantar, que le abrió las puertas del convento de franciscanos:

> *Oid el nuevo desatino*
> *que allá en la mente imagino.*
> Porque mal la vida empleo
> tan sólo morir deseo
> y el mundano devaneo
> dejar por mejor camino.

Otro cantar:

> *En la paz del cielo mora*
> *quien la pobreza enamora.*
> Va por la segunda senda
> sin envidia ni contienda,
> no teme que nadie venda
> o robe lo que atesora, etc.

Estas dos composiciones son propiamente *moaxajas* y llevan el ternario monorrimo. La *ballata* italiana no difiere de ellas.

"Las relaciones entre los judíos andaluces y los italianos —dice Schack— eran varias y frecuentes. Los italianos tenían además no pocas ocasiones de tratar directamente con los muslimes. Ya en el siglo IX se habían establecido numerosos muslimes en los principados de Benevento y de Salerno y habían en parte abrazado el cristianismo. Otros... por las discordias civiles que desolaron las tierras muslímicas buscaron un refugio en Italia, y otros, por último, en mayor número, vinieron por negocios de comercio a los puertos de Italia y aun se establecieron allí."

Este sistema debieron de llevarlo a Italia los semitas españoles y no creo haya quien lo tenga por italiano de origen al advertir que es derivado del sistema mucho más general castellano, perdido el estri-

billo y su uso limitado en Italia, donde el sistema
poético común es muy otro. Y es muy de notar que
este sistema de *Canzoni* no se halla entre los poetas
sicilianos del tiempo de los Hohenstaufen ni entre
los poetas árabes que vivieron y dominaron la isla
desde el año 827. No pasó, pues, de Sicilia a Italia,
sino de la España árabe, ya que, si hubiera ido allá
de Castilla, hubiera pasado el sistema castellano del
villancico con coplas y estribillo, que allí no se halla.

Entre las *chansons a dancer,* a las que pertenece
la *ballette,* dice Jeanroy que:

"La forme la plus simple et la plus ancienne de toutes
était composée de couplets que chantait un soliste et que
suivait un refrain repris par le choeur."

Este sistema, efectivamente, es el provenzal que
Ribera ha probado venir del sistema de Abencuzmán,
perdida la cabeza o estribillo inicial. Es derivación
del sistema castellano. Jeanroy da la *ballette* como
una innovación de este sistema; pero sucedió al revés, que el de la *ballette* era el primitivo, el primitivo castellano y de siempre, del cual salió el otro al
llegar el cordobés a Provenza.

La chanson baladée es, según P. Meyer (*La poésie des trouvères et celle des troubadours,* en *Romania,* t. XIX (1890), pág. 23), una variedad de la *ballade,* nombre que tomó la *ballette* desde la mitad del
siglo XIII (si en cierta cita es *ballade* la voz *barade*)
y por lo menos tenemos ejemplos de Adam de la Halle desde 1300. Fué al Norte de Francia desde Provenza, donde el nombre *ballada* se conoce desde fines del siglo XII y "est une chanson à refrain ayant
ordinairement de trois á cinq couplets". Distínguese
la chanson baladée de la *ballade* en "que le refrain a
la mesure d'un demi-couplet, et reproduit la mesure

et les rimes de la seconde partie de chaque couplet".
Es una clase de *villancico con coplas y estribillo*.

En francés *le rondet* o *rondel,* es del siglo XIV y
consta: 1.°, de dos versos como *refrain;* 2.°, otro
verso; 3.°, el primer verso del *refrain;* 4.°, dos versos; 5.°, los dos versos del *refrain.* Así Jeanroy, que
añade el ejemplo siguiente (pág. 406):

> *Hareu, li maus d'amer*
> *M'ochist!*
> Il me fait désirer,
> *Hareu, li maus d'amer;*
> Par un douch regarder
> Me prist.
> *Hareu, li maus d'amer*
> *M'ochist!*

Como se ve, este sistema es nuestro *villancico
con vuelta;* pero sólo una clase determinada de él,
pues el sistema castellano es libérrimo y admite los
versos que se quiera y permite poner el estribillo o
parte de él en cualquier lugar. Esta sistematización
y limitación culta en un caso determinado del general y popular sistema castellano prueba que de
Castilla pasó el género a Francia. Jeanroy dice:

"On admet ordinairement que la naissance du rondet
n'est guère antérieure au XIV siècle, époque à la quel-
le nous le voyons surtout cultivé. Nous avons déjà re-
marqué qu'il remonte beaucoup plus haut, et que, dès
la fin du XIII siècle, il juissait d'une grande vogue. En
effet, tous nos refrains ne sont que des fragments de
rondets."

¿Cómo prueba esto último Jeanroy? Con dos solos casos en que se hallan estrofas algo parecidas
a los rondeles. Son las dos siguientes (pág. 112):

> Aaliz main se leva,
> —*Bon jor ait qui mon cuer a*

> biau se vestit et para,
>   desoz l'aunoi.
> —*Bon jor ait qui mon cuer a,*
>   *n'est pas o moi.*

(Bartsch, *Romanzen und Pastourellen*, Leipzig, 1870, II, 86.)

> C'est la jus enmi les prés,
> —*J'ai amors a ma volonté,*
> dames i ont bauz levez,
>   gari m'ont mi del.
> —*J'ai amors a ma volonté*
> teles com je vuet.

(Guillaume de Dôle, f. 97.)

Pero estos no son rondeles, pues no son villancicos o *refrains* desenvueltos en coplas, sino estrofas narrativas como las demás de la obra, en que se ingieren *refrains;* sino que la casualidad hizo que se repitan aqui como en los rondeles. Y sin embargo, de estos falsos rondeles, y además descabezados, quiere Jeanroy que saliesen los rondeles del siglo XIV:

"Q'on veuille bien écrire en tête des deux pièces que nous avons citées le refrain qui en forme les deux derniers vers: on obtiendra un rondel."

¡A un cadáver de hombre descabezado pégale la cabeza que le falta y cátale hombre vivo! Tal me parece discurrir aqui el discreto historiador Jeanroy. Pero seguirá cadáver, porque le falta la vida. De esa manera mecánica, y analizados sobre el papel, no se desenvuelven los géneros literarios. El rondel o rondet verdadero no es más que un villancico desenvuelto, esto es, con versos tan líricos como él, que lo declaran; no son versos narrativos de los cuales se despegue el *refrain* y a los cuales se les pueda pegar una cabeza. La cabeza es el todo; lo

demás es su explicación, y no puede haber primero
explicación y añadirle luego lo que se ha de explicar.
Y, de hecho, el mismo Jeanroy trae un rondel posterior y dice que es difícil separar de él el *refrain*,
cosa indispensable para su teoría de que los *refrains*
salieron así apartándose de los rondeles. "Mais il
n'en est pas de même dans les deux pièces citées plus
haut." Porque no son rondeles. Pero en ellos había
de poderse separar el *refrain*, puesto que se trata de
probar que de ellos se separaron. Continúa: "dans
les deux pièces citées plus haut, où le refrain, purement lyrique, se détache nettement du couplet qui
est narratif. Ce sont ces refrains ordinirement lyri-
ques, qui se sont conservés, tandis que l'autre partie
de la pièce, la partie narrative, c'est perdue."

Si hay parte narrativa, no lírica, ya no es rondel,
pues en el rondel todo es lírico. En esas dos piezas
el *refrain* es cosa ingerida en una narración; por
eso puede separarse, como pudo meterse; pero el
rondel no es eso, es el *refrain* lírico liricamente desenvuelto: de él sale su declaración, de la cual no
puede separarse. No se metió el *refrain* en una narración en el rondel. Total, que los dos únicos ejemplos son como las demás narraciones francesas en
que se ingieren *refrains*, como ensaladillas en que se
meten villancicos y de las cuales se pueden separar;
no son rondeles. Y es más: "Ils (les refrains) sont
souvent qualifiés *rondets* (Renart le Novel, 2592,
7079), *rondets de carole* (ib. 6999)." Como nuestros
villancicos simples se llamaron coplas, cuartetas,
redondillas. De ellas salieron los villancicos con
vuelta, añadiéndoles la vuelta. Así de esos *refrains* o
rondets salieron o pudieron salir los *rondets* del siglo XIV, añadiéndoles la vuelta; de la vuelta no pudo
salir el villancico ni del rondel como los del siglo XIV

pudo salir el *refrain*, que es lo que Jeanroy pretende probar con esos dos únicos ejemplos, que no lo prueban.

Aparece, pues, sin saber cómo, en Francia, durante el siglo xiv, nuestro *villancico con vuelta*, con nombre de *rondet* o *rondel*. ¿De dónde pudo ir allá, sino de donde vivía y nació y es natural exclusivamente? En Francia fué género culto; en Castilla fué popular, por los cultos menospreciado y cuando más de los villanos tomado e imitado por Lope, Tirso, Valdivielso, etc. De lo culto no nace lo popular, sino que de lo popular nace lo culto. De Castilla pasó, pues, a Francia. En Castilla no sólo fué en todo tiempo popular, sino que es un sistema poético mucho más libre y general, es el villancico declarado de cualquier manera, repitiéndose variadísimamente entre otros versos (véase todo el tomo 3.º de la *Floresta*); en Francia es un caso particular de ese género universal, caso limitado en su estructura, que de Jeanroy hemos copiado. Es más: el género de *villancico con vuelta* es dentro de España un caso nada más de otro sistema más amplio, el del villancico, que se desenvuelve de otras maneras variadas, no usadas en Francia. Y ese sistema general que abraza toda nuestra *Floresta* es poesía popular, no culta como en Francia, donde hasta el *refrain* ha probado el mismo Jeanroy ser culto, por lo menos lo son los conocidos, aunque por ellos ha querido probar que los hubo antes populares. Esa literatura lírica popular, que Jeanroy quiere probar por atisbos que precedió a la lírica culta francesa, la únicamente conocida, la tenemos en castellano, no por atisbos, sino por infinidad de cantares. En Castilla hubo escasísima lírica culta; pero la popular vivió pujante; en Francia hubo una gran lírica culta, de la cual deducen por atisbos que hubo antes otra popular desconocida; otro tanto sucedió con la épica, popular en Castilla, culta en Francia.

Para mí, la razón de la gran poesia culta francesa está en que no se perdió en Francia la tradición latina entre literatos. Véase Faral, *Recherches sur les sources latines des contes ·et, romans courtois*, donde lo prueba. Lo sabemos además por la cultura latina del imperio de Carlomagno.· En la página 4, escribe: "Traude a dit, en parlant des XII⁰ et XIII⁰ siècles: C'est l'époque qu'on pourrait nommer *l'aetas ovidiana*, qui succède à *l'aetas vergiliana* des VIII⁰ et IX⁰ siècles et à *l'aetas horatiana* des X⁰ et XI⁰ siècles."

En los siglos VIII, IX, X, XI no hay en España obra alguna, castellana ni latina, que aluda a Virgilio ni Horacio; sencillamente porque la entrada de los árabes apagó toda cultura literaria. En el siglo XIII vuelve toda la cultura latina, apareciendo en el *mester de clerecia* como venida desde Francia. Berceo bebe en fuentes francesas y no menos los autores de los pequeños poemas de aquel mester. Hasta el siglo XV apenas habrá alusión clásica en España que no venga de esta fuente clérigofrancesa. Tal es la razón de la gran poesia culta de Francia y de la escasa de España, francesa de origen, que viene con los cluniacenses y romeros de Santiago; en cambio en el pueblo nace una epopeya y una lírica que nada tiene que ver con la antigüedad clásica; es poesía autóctona.

Cuanto a la manera de cantar *la ballette* y *le rondet*, Jeanroy no hace más que repetir lo que se hacia muchos años antes en Córdoba, cuando el solista entonaba la cabeza del zéjel y el corro, tras la copla del solista, repetía la cabeza como estribillo. Otro tanto supone el cantar de vela de Berceo: todos re-

petían el estribillo tras cada pareado, que cantaba
el solista.

Otro género francés, el *virelai,* cultivado en el
siglo xv, no es más que un caso particular del *villancico con coplas y estribillo,* el cual se añade después de los versos de la copla, que han de ser cuatro.
En España no hubo tal limitación. El *virelai* es de
importación posterior en Francia, como se importó
a Portugal el mismo villancico con coplas y estribillo en el siglo xv desde Castilla. G. de Machaut,
Froissant, E. Deschamps lo cultivaron en Francia,
como en Portugal otros poetas y aun lo modificaron
y variaron. Todo ello es lírica culta importada de
Castilla, donde vivía como popular y siguió siempre
viviendo hasta hoy, que se compone y canta como
hace siglos; más tarde se desenvolvieron otras formas francesas en manos de Charles d'Orléans,
Villon y Marot, como el *rondeau* de este último poeta. Todas ellas hallábanse contenidas en el general
sistema poético castellano y se usaron en España sin
nombres particulares y particular sistematización.
En Provenza el *virelai* llamóse *dansa* y se halla desde 1330 en Guillaume de Machaut, según P. Meyer.

En sus profundos estudios sobre la música medieval, *La Música de las Cantigas y la Música andaluza medieval en las canciones de trovadores y
troveros,* publicados en Madrid, 1923, trata de probar Julián Ribera que la música española, tal como
la ha interpretado en las *Cantigas* del siglo xiii, y
que difiere de la música monofónica, diatónica y
sin medida, llamada música eclesiástica, es la que
los autores medievales llamaban *musica ficta,* música falsa.

"A pesar del descrédito —añade— o desdén que supone el despectivo mote que se le adjudicó, ha tenido que

reconocerse a esa música una virtualidad extraordinaria: la de alterar la escala diatónica eclesiástica, infiltrándole elementos de tonalidades nuevas, de las cuales
se dice que han abierto el camino a las modalidades modernas de mayor y menor. Aún más: se afirma que esa
música introdujo una noción que parecía no deber entrar
nunca: la de la nota sensible."

Véanse estas afirmaciones en Aubry, *Trouvères
et troubadours*, págs. 185 y 175. Gevaert vió en España el origen de esa *musica ficta*, cuando escribió
(G. Morphry, *Les luthistes espagnols du xvi siècle*,
tomo I, pág. IX):

"La evolución más importante y más misteriosa de la
música europea se desarrolla ante nuestra vista y se nos
hace inteligible en sus fases sucesivas (leyendo los textos de los vihuelistas españoles), en los cuales hay plenitud de acordes, modulaciones sorprendentes, que se dirían nuevas en el siglo XVIII, modo mayor y menor, nota
sensible, etc., etc."

Y añade (pág. XII):

"Hay un hecho incontestable: los libros de los vihuelistas encierran los únicos monumentos auténticos de la
monodia armonizada anteriores a la creación de la ópera. Revelan, pues, a nuestro modo de ver, el estado embrionario de la música moderna, la cual tiene por principio esencial la reunión de la melodia vocal con la polifonia de los instrumentos."

Y Riman (*Handbuch der Musikgeschichte*, II,
primera parte, pág. 217) dice que los vihuelistas españoles del siglo XVI son una importante fuente de
nuestros conocimientos del manejo de la *musica
ficta*. Ribera trata de demostrar que la música de
las *Cantigas*, esto es, aquella música española popular, en la que interviene esa *musica ficta*, pasó
de España a Francia y a los demás pueblos de Eu

ropa y la halla en la música de los trovadores y troveros franceses. Todo ello podía barruntarse, pues habiendo pasado a Francia y al resto de Europa la métrica hispanoarábiga, ¿cómo no iba a pasar con ella la música? Música y letra o metros líricos van a la par y adonde iba la una tenia que ir la otra. Al mismo tiempo coincide conmigo suponiendo como cosa evidente que el zéjel pasó a Francia, a Italia y hasta Inglaterra y que el rondel es de origen español. Tenia yo escrita esta mi obra para cuando Ribera publicó *La Música andaluza medioeval*, donde coincide con mi doctrina [1], de modo que cada uno de nosotros habia llegado por diverso camino a las mismas consecuencias. Pero Ribera cree que la tal música nos vino por medio de los árabes. Yo me sospecho que, así como los árabes tomaron de los españoles la lírica, debieron de tomar la música con ella y de hecho esta música está hecha para coplas a la manera española y no conviene a la métrica arábiga, que no es estrófica. Este punto queda por dilucidar; pero indico mi sospecha, bastante fundada.

Cuando Mocádem dió en cantar villancicos en castellano añadiéndoles coplas en árabe vulgar con mezcla de palabras castellanas, como después las añadía Abencuzmán, debió de cantarlos con la música con que los cantaban los españoles. No cabe en ello la menor duda; pues, aunque los hubiese traducido, hubiera conservado la música original, como sucede ahora y sucedió siempre. Las coplas arábigas llevarían la música de las coplas correspondientes castellanas, pues era y es siempre una la música del estribillo y la de las coplas. La música arábiga lle-

---

1 Mi obra fué presentada al premio de la Grandeza de España el año 1922 y la obra de Ribera salió el 1923.

gada de Oriente sirvió, sin duda, para la poesia arábiga culta en España; pero la nueva lirica arábiga,
nacida de la castellana, es imposible tomase esa música oriental, dejando a un lado la música con que
en castellano se cantaba. Música y letra van a la
par, mayormente cantándose el villancico y estribillo en castellano. La música de *Las Cantigas* no ha
probado Ribera fuese música arábigooriental, de la
cual no se conserva nada y sólo se conoce por los
escritos que de ella hablan. Es música popular como
para poesia del sistema lírico castellano en que están
escritas *Las Cantigas;* esa música ficta, tan ajena
a la sencillez de la' música griega, no es de creer in-
formara la música arábiga oriental que de ella pro-
cedió; es la característica de algo indígena de España que siempre se conservó. La música del *Cancionero de Barbieri,* de fines del siglo xv, es continuación de la música de las *Cantigas.* Aunque las
hayan retocado y armonizado los músicos de aquella
época,. las melodías son viejas, populares, algunas
difieren de las de *Las Cantigas,* y he de hacer notar
que el número 141 de *Las Cantigas* tiene tal parecido con el número 6 o barcarola de los *Lider ohne
Worte* de Mendelssohn que da que pensar dónde
halló este músico alemán semejante melodia, pues
no parece hecho casual. Ingeniosa es la adaptación
que Ribera hace de los ritmos arábigos, citados por
los autores árabes, a la música de *Las Cantigas,* de
modo que cualquiera diria que hasta el ritmo de las
coplas castellanas arabizadas en España habian salido de los versos árabes clásicos; pero así como la
métrica hispanoarábiga no salió de la arábiga clásica sino de la castellana, de la castellana salió la música con que se cantó, no de la música arábigooriental. El portentoso hallazgo de Ribera está en haber

descifrado la música de *Las Cantigas* y toda música medieval, hasta él casi indescifrable, como puede verificarlo cualquiera cotejando el texto del siglo XIII con la transcripción moderna que nos ha dado, como lo he cotejado yo, quedando enteramente persuadido de su acierto. Pero esa música es la tradicional española de antes del siglo XIII, como lo es de la música posterior hasta el día de hoy, con sus tonadas hasta de jota, cante hondo, etc.; no provino de la música arábigooriental, en la cual, sin duda, no habia música ficta.

III

Hasta el siglo XIV. Lírica galaicoportuguesa.

La lírica popular es, por consiguiente, antiquisima en España y, merced a la gran civilización de los árabes españoles que tanto escribieron, conservamos noticias ciertas y terminantes, no sólo de que la hubo, sino de lo pujante que vivia en el siglo IX, puesto que ella dió origen a una nueva poesia popular arábigoespañola en manos de Mocádem en aquel siglo, la cual cultivada por otros muchos poetas, es ya semipopular y semiculta en el *Cancionero de Abencuzmán* al principio del siglo XII. Pero en la Edad Media en ninguna parte de Europa les ocurrió a los escritores hablar de la poesia popular ni menos recogerla hasta el siglo XV y así no hay en ninguna parte poesias populares del todo, conocidas hasta aquel tiempo. En España la colección más antigua es el *Cancionero d'Herberay,* de mediados del siglo XV. Desde fines de aquel siglo se recogen y se imprimen a los comienzos del XVI en pliegos sueltos, romances y cantares, la epopeya y la lírica del pueblo.

Los romances del siglo XII y XIII hallámoslos en parte prosificados en la *Crónica general* de Alfonso X; de los cantares líricos sólo tenemos rastros en la literatura culta. El más antiguo villancico que con certeza conocemos es un cantarcillo que trae don Lucas de Túy en su *Crónica* latina, escrita en el siglo XIII. Dice que un diablo en figura de pescador andaba orillas del Guadalquivir y "quasi plangens, modo chaldaico sermone, modo hispano, clamabat dicens", y como endechando ya en caldeo, ya en español, clamaba y decía:

> En Calatañazor
> perdió Almanzor
> el atamor.

Que, según él, significaba que Almanzor, después de tantas victorias sobre los cristianos, habia perdido en aquel combate su tambor, esto es, su alegría: "In Calatanazor perdidit Almanzor tymbalum sive sistrum, hoc est, laetitiam suam." Era para los árabes como endecha, para los cristianos como cantar de gala y victoria. Lo probable es que lo cantasen los cristianos en son de gala (tal es el *iblis*) y luego lo repitieran en son de endecha los vencidos árabes. Es de todos modos uno de aquellos dichos o *loft*, de que habla Abenbasam, que se cantaban en castellano y sobre los cuales Mocádem, un siglo antes, como sobre estribos hacía coplas arábigovulgares. Tal se cantaba a fines del siglo X o comienzos del XI. Acaso tuviera coplas y sólo se conservó el villancico o estribillo monorrimo.

Cuando Alfonso VI, a poco de la conquista de Toledo (1085) mudó el rito mozárabe por el romano, por dar gusto a los monjes cluniacenses franceses, el pueblo llevólo muy a mal y sacó aquel refrán, que bien pudiera haberse también cantado, como otros muchos refranes, sobre todo históricos:

> Allá van leys
> do quieren reys.

A la primera decena del siglo XII se refiere aquel cantar que traen los cronistas de Avila y el *Nobilia-*

rio, escrito por Argote de Molina (Juan Martín Carramolino, *Histor. de Avila,* 1872, pág. 257, tomo II):

> Cantan de Oliveros
> e cantan de Roldan,
> e non de Zurraquin
> que fué buen barragan.

O de otra manera, posteriormente:

> Cantan de Roldan
> e cantan de Olivero
> e non de Zarraquin
> que fué buen caballero.

De la primera mitad del siglo XII sabemos, por la *Crónica de Alfonso VII,* escrita en latín, que los soldados cantaron himnos de victoria, que los grandes entonaron loas al emperador recién ungido, que las viudas toledanas endecharon la muerte de Munio Alfonso, que doncellas y juglares entonaron canciones de boda a la bastarda del emperador; que cristianos, moros y judíos cantaron, *cada nación en su idioma,* la entrada del rey en Toledo, al volver victorioso de los moros. Así en la edición de Flórez, en la *España Sagrada* (tomo XXI, pág. 379), hablando de esto último, año de 1139, se lee:

"Post haec autem Imperator disposuit venire Toletum; sed cum populus audisset quod Imperator venisset Toletum omnes Principes Christianorum, Sarracenorum et Judaeorum et tota plebs civitatis longe a civitate exierunt obviam et cum tympanis et cytharis et psalteriis et omni genere musicorum, unusquisque eorum, *secundum linguam suam,* laudantes et glorificantes Deum, qui prosperabat omnes actus Imperatoris, necnon et dicentes: *Benedictus qui venit in nomine Domini,* et benedictus tu et uxor tua et filii tui et regnum patruum tuorum et benedicta misericordia tua et patientia tua."

Habia, pues, lirica popular castellana en 1139.

De principios del siglo XIII es la *Razón de amor,*
compuesta por un clérigo aragonés. Es acaso la primera poesía lírica que conocemos:

> Qui triste tiene su corazon
> venga oir esta razon
> odrá razon acabada
> feyta d'amor e bien rimada.
> Un escolar la rimó
> que siempre dueñas amó,
> mas siempre hobo crianza
> en Alemania y en Francia,
> moró mucho en Lombardia
> para prender cortesia.
> En el mes de abril, despés yantar,
> estaba so un olivar.
> Entre cimas de un manzanar
> un vaso de plata vi estar;
> pleno era de un claro vino,
> que era bermejo e fino;
> cubierto era de tal mesura,
> no lo tocás la calentura.
> Una dueña lo hi heba puesto,
> que era señora del huerto,
> que cuan su amigo viniese
> de aquel vino a beber le dise.
> Qui de tal vino hobiese
> en la mana cuan comiese
> e dello hobiese cada dia
> nuncas más enfermaria.
> Arriba del manzanar
> otro vaso vi estar:
> pleno era de un agua frida,
> que en el manzanar se nacia.
> Bebiera della de grado,
> mas hobi miedo que era encantado.
> Sobre un prado pus'mi tiesta

que no m'hiciese mal la siesta, [1]
parti de mí las vistiduras,
que no m'hicies mal la calentura. [2]
Pleguem'a una fuente perenal, [3]
nunca fué homne que vies tal,
tan gran virtud en sí habia,
que de la fridor que de hi ixia
cien pasadas aderredor
non sintriades la calor.
Todas yerbas que bien olien
la fuent cerca sí las tenie:
hi es la salvia, hi son as rosas,
hi el lirio e las violas,
otras tantas yerbas hi habia,
que sol nombrá no las sabria;
mas el olor que de hi ixia
a homne muerto resucitaría.
Pris'del agua un bocado
e fuí todo esfriado.
En mi mano pris una flor,
sabed non toda la peyor
e quis cantar de fin de amor;
mas vi venir una doncella,
pues [3] naci non vi tan bella:
blanca era e bermeja,
cabellos cortos sobre el oreja,
fruente blanca e lozana,
cara fresca como mazana,
nariz egual e direita,
nunca viestes tan bien feita,
ojos negros e ridientes,
boca a razon e blancos dientes,
labros bermejos, non muy delgados,
por verdad bien mesurados,
por la centura delgada,

1 El calor.
2 *Plegar,* llegar en Aragón.
3 *Pues,* despúes que.

bien estant e mesurada,
el manto e su brial
de jamet era, que non de ál,
un sombrero tien en la tiesta
que no l'hiciese mal la siesta;
unas luvas [1] tien en la mano,
sabed, non gelas dió villano.
De las flores viene tomando,
en alta voz de amor cantando.
E decia: "*¡Ay, meu amigo,
si me veré jamás contigo!
amé sempre e amaré
cuanto que viva seré.*
Porque eres escolar
quisquiere te debria mas amar.
Nunca odi de homne decir
que tanta bona manera hobo en sí.
Mas amaria contigo estar,
que toda España mandar.
Mas de una cosa só cuitada:
he miedo de seder engañada,
que dicen que otra dueña
cortesa e bella e buena
te quiere tan gran ben,
por ti pierde su sen, [2]
e por eso he pavor
que a esa quieras mejor;
mas si yo te vies'una vegada,
a plan me querries por amada.
Cuan la mia señor esto dicia,
sabed, a mi non vidia;
pero sé que no me conocia,
que de mí non hoiria.
Yo non hiz'aqui como villano,
levem'e prisla por la mano,
juñiemos [3] amor en par

---

1 Guantes.
2 Sentido, juicio.
3 *Juñir*, juntar.

e posamos so el olivar.
Dijle yo: "*Decid, la mia señor,*
¿si supiestes nunca de amor?
Diz ella: "A plan, con gran amor ando,
mas non conozco mi amado;
pero dícem'un su mesajero
que es clérigo e non caballero,
sabe mujo de trobar,
de leyer e de cantar,
dícem' que es de buenas yentes,
mancebo barbapunientes."
—"Por Dios, que digades, la mia señor,
¿qué donas tenedes por la su amor?"
—Estas luvas y es'capiello,
est'oral y est'aniello
envió a mí es'meu amigo,
que por la su amor trayo conmigo.
Yo conocí luego las alhajas,
que yo ge las habia enviadas.
Ella conoció una mi cinta man a mano,
que ella la hiciera con la su mano.
Tollios'el manto de los hombros,
besome la boca e por los ojos,
tan gran sabor de mi habia,
sol'hablar non me podia.
—"*¡Dios Señor, a ti loado,*
cuand' conozco meu amado,
agora e tod'bien comigo
cuand'conozco meo amigo! [1]
Una gran pieza alli estando,
de nuestro amor ementando,   [tornar
ella m'dijo: "El mio señor hora m'seria de
si a vos non fuese en pesar."   [redes,
Jo l'dij: "Id, la mia senor, pues que ir que-
mas de mi amor pensad fé que debedes."

---

1 Adviértase el paralelismo en este villancico, antes de
nacer la lírica galaicoportuguesa.

Ella m'dijo: "Bien seguro seid de mi amor,
nos vos camiaré por un emperador."
La mia señor se va privado,
deja a mí desconortado.
Queque la vi fuera del huerto,
por poco non fuy muerto.
Por verdad quisieram'adormir,
mas una palomela vi:
tan blanca era como la niev'del puerto,
volando viene por medio del huerto,
en la funte quiso entrá;
mas cuando a mí vido estar
entros'en la del malgranar.
Un cascabiello dorado
tray al pié atado.
En la fuent' quiso entrá,
mas cuando a mí vido estar,
entros' en el vaso del malgranar.
Cuando en el vaso fué entrada
e fué toda bien esfriada,
ella que quiso exir festino,
¡vertios el agua sobre l'vino
Aquí s'copienza a denostar
el vino y el agua a malevar...

(*Rev. hisp.* tomo XIII (1905). *Romania,* 1887.
Ms. 3576, Bibl. Nac. de Paris, fols. 124-128. *Razón
de amor con los denuestos del agua y del vino.*)

No acaban de decidir los autores si este idilio forma parte de *Los denuestos del agua y del vino* (cuyos dos primeros versos hemos visto), que en el manuscrito van tras él, como si fueran una sola obra.
Al principio del idilio se habla de los dos vasos de
agua y de vino, y al fin de él se dice que

¡vertios el agua sobre l'vino!

Y es una blanca paloma la que lo causa. Los denuestos abarcan las buenas y las malas cualidades del

agua y del vino, que se increpan mutuamente como
para mostrar su oposición. Pero la unión de entrambos encierra misterio: el misterio del amor, que unc
los extremos contrapuestos.

Berceo, en *El Sacrificio de la Misa* (21), dice:

> La paloma significa la su simplicidad.

Y poco después declara el misterio del amor por el
emblema de la unión del agua y el vino (61):

> El vino significa a Dios nuestro Señor,
> la agua significa al pueblo pecador:
> como estas dos cosas *tornan en un sabor,*
> assi torna el ome con Dios *en un amor.*

La misma comparación de la mezcla del agua y del
vino para expresar el amor hallamos en el *Libro del
amigo y del amado,* contenido en el capitulo CVII
de la novela *Blanquerna,* de Raimundo Lulio. En el
número 49 se lee (traduc. de 1749): "La mesma pro-
porción tiene la cercania entre el Amigo y el Amado,
que la distancia, porque *como mezcla de vino y agua,
se mezclan los amores del Amigo y del Amado.*"

Pero no es sólo emblema mistico religioso, como
en el sacrificio de la misa y en el Calvario, cuando
corrió agua y sangre del costado de Cristo, sino que
fué no menos emblema del amor profano. Hay un
cantar del siglo XV inexplicable, si no es por este
emblema (*Floresta,* tomo III, núm. 1841):

> No *pueden dormir mis ojos,*
> no *pueden dormir.*
>   Y soñaba yo, mi madre,
> dos horas antes del día
> que me florecía la rosa:
> el vino so el agua frida:
> no *pueden dormir.*

Según este cantar, *el florecer la rosa,* esto es,

el amor, es lo mismo que *el vino so el agua frida,*
esto es, que el verterse el agua en el vino:

¡vertios el agua sobre l'vino.

Ambos cantares encierran como en cifra el famoso *Roman de la Rose.* Por consiguiente, el idilio y
los denuestos son una sola composición amorosa.
Fué compuesta por un clérigo aragonés: es, pues, de
origen culto. Pero hay en el idilio tres verdaderos
villancicos tomados del pueblo, que he impreso en
bastardilla. El lector hecho a la *Floresta* convendrá
en ello, ya se mire el octosílabo, al tono, a las ideas,
enteramente populares y que recuerdan otros villancicos conocidos. Si ello es así, tenemos aquí una en-
saladilla como la de Santillana, del siglo xv, que comienza *Por una gentil floresta,* narración parecida
en la que metió su autor villancicos populares. Otras
muchas hay por el estilo compuestas en diversas
épocas. De aquí se saca que la lírica culta se presenta desde el principio inspirándose en la popular.
De aqui que los versos tiendan al octosílabo.

Del provenzal hemos dicho que tiene no poco esta
canción. *Los denuestos del agua y del vino* imitó-
los de varios *debates* sobre lo mismo que corrían
en Francia. El idilio presenta una escena de las comunes en cantares de primavera y de amor provenzales y franceses, aunque la acción aquí tratada no
ticne semejante en ninguno de los conocidos y el
aroma delicadísimo de huerta y de amor, que todo
él respira, es cosa que no puede imitar el poeta si
no lo siente él mismo.

En el *Duelo de la Virgen,* del poeta riojano Berceo, leemos este cantar:

¡Eya velar, eya velar,
¡eya velar!

Velad, aljama de los judios,
¡eya velar!
Que non vos hurten el Hijo de Díos,
¡eya velar!
  ca hurtarvoslo querrán
¡eya velar!
Andrés e Peidro e Joan.
¡Eya velar!
  Non sabedes tanto descanto
¡eya velar!
que salgades de so el canto.
¡Eya velar!
  Todos son ladroncillos
¡eya velar!
que asechan por los pestiellos.
¡Eya velar!
  Vuestra lengua tan palabrera
¡eya velar!
havos dado mala carrera.
¡Eya velar!
  Todos son omnes plegadizos
¡eya velar!
rioaduchos, mescladizos.
¡Eya velar!
  Vuestra lengua sin recaudo
¡eya velar!
por mal cabo vos ha echado.
¡Eya velar!
  Non sabedes tanto de engaño,
¡eya velar!
que salgades ende este año.
¡Eya velar!
  Non sabedes tanta razon,
¡eya velar!
que salgades de la prision.
¡Eya velar!
  Tomasejo e Mateo
¡eya velar!
de hurtarlo han gran deseo.

¡*Eya velar!*
El discípulo lo vendió:
¡*eya velar!*
el Maestro no lo entendió.
¡*Eya velar!*
Don Filipo, Simon e Judas
¡*eya velar!*
por hurtar buscan ayudas.
¡*Eya velar!*
Si lo quieren acometer.
¡*eya velar!*
hoy es dia de parecer.
¡*Eya velar!*
¡*Eya velar, eya velar,*
eya velar!

Tenemos aquí un cantar como jamás lo escribieron los poetas cultos. El estribillo ¡*eya velar!*, segundo verso del villancico, se repite tras cada verso de los pareados de que consta la composición, y todo el villancico se repite al fin.

Hay en castellano bastantes cantares corales por el estilo, por ejemplo, aquel del *Cancionero de Barbieri*:

Serviros hía y no oso:
¡*so mozo!*
Señora de mi vida,
¿por qué sois desconocida?
¡*So mozo!*

Y así las demás coplas de pareados con el estribillo; pero al fin no va el villancico. Lleva al fin villancico como estribillo y detrás de cada copla de cinco versos y detrás de cada verso el cuarto del villancico el otro de Lope de Vega:

Deia las avellanicas, moro,
que yo me las varearé,
tres y cuatro en un pimpollo,
que yo me las varearé.

En otras composiciones corales hay otros sistemas; pero siempre tras cada copla y tras cada verso de las coplas repítese a manera de estribillo el último verso del villancico. Este sistema coral es exclusivo del castellano y no pasó a la poesía arábigo-española cordobesa. Es un cantar de vela el de Berceo de lo más complicado de la lírica castellana. En *Las almenas de Toro,* de Lope hay otro cantar de vela. El de Berceo está copiado de los que se cantaban en los castillos: el estribillo debían repetirlo todos para no dormirse y uno entonaba la canción, cantando el villancico y las coplas.

Este cantar de Berceo es de importancia capital para la lírica popular castellana, por estar hecho conforme al patrón popular y ser de lo más antiguo que tenemos en nuestro idioma, de la primera mitad del siglo XIII. ¿Cómo y por qué le ocurrió a Berceo escribir este cantar? Un villancico de lo más complicado que se da después en la lírica popular no pudo ser ocurrencia sin precedentes: no nació la lírica popular, con este cantar, de la cabeza de Berceo armada de todas armas, como Minerva de la cabeza de Júpiter. Los que sueñan que en Castilla no se cantó más lírica que la galaicoportuguesa pudieran salirnos con que Berceo no hizo aquí más que imitarla en castellano. Tal sueño y opinión se desmorona al primer papirotazo. Los sistemas poéticos y turquesas en que están vaciadas las poesías de los cancioneros galaicoportugueses son de origen provenzal: *coplas y estribillos.* En todos los cancioneros portugueses no se halla una sola poesía *con villancico a la cabeza,* como germen que se desenvuelve en la composición, ni siquiera como pura cabeza métrica, a la manera de Abencuzmán. El sistema de villancico a la cabeza es exclusivo de nuestra lirica popular y lo hallamos tan sólo en Alonso *el Sabio*, ya veremos por qué, y en este cantar de Berceo. El sistema coral, en el que se repite el estribillo tras cada verso, como en este cantar de Berceo y en otros que hemos visto en la *Floresta*, también es exclusivo de nuestra lírica popular. Tráigase un solo ejemplo de poesía galaicoportuguesa de los cancioneros donde haya villancico a la cabeza o un solo ejemplo donde como estribillo se repita parte de él tras cada verso. No hay ejemplo de lo uno ni de lo otro ni de las dos cosas a la vez. Las dos cosas son exclusivas de la lírica popular castellana y del cantarcillo de Berceo. No imitó, pues, Berceo a los poetas galaicoportugueses.

Pero ¿cómo les iba a imitar, si lo más probable es que cuando Berceo lo escribió no sabía que tales poetas hubiera en el mundo? El *Cancionero del Vaticano*, con sus 127 poetas, abraza desde Alfonso III (1245) hasta Alfonso IV († 1357). El rey don Diniz comenzó a reinar el 1279 y su corte fué centro de los trovadores de León y Castilla. Ahora bien, antes de 1245, y por de contado antes de 1279, que es cuando cundió más por Castilla la moda de poetizar los cortesanos en galaicoportugués, escribió Berceo su cantar, esto es, poco después de 1220, año que fué ordenado, pues en la copla 208 del *Duelo de la Virgen*, dice a pocas coplas del cantar:

> Madre, a ti comendo mi vida, mis andadas,
> mi alma e mi cuerpo, las órdenes tomadas.

Lo que indica que poco antes había sido ordenado y en escrituras de 1220 comienza a firmarse *Diaconus de Berceo*.

Bien sé que Michaelis de Vasconcellos quiere que hubiese ya poetas galaicoportugueses desde el año 1200; pero, si los hubo, para el caso

es como si no los hubiera, porque probablemente ni Berceo los conocía ni acaso los conociera nadie fuera de los mismos poetas cortesanos y sus amigos. Yo creo que a la Rioja no había llegado tal noticia de poetas, si es que los hubo. Bastante después
de Berceo escribió Alfonso X sus *Cantigas*, el más
antiguo de los cancioneros galaicoportugueses, y sólo hacía 1279 fué cuando por Castilla cundió aquella moda.

Pero para nada necesitamos tales cronologías. El
siglo VIII, que hubiera habido poesía galaicoportuguesa queda probado que Berceo no la tuvo en cuenta en
su cantarcillo, pues su sistema poético no tiene que
ver con el de aquella escuela cortesana. Es en su hechura y sistema poético de lo más complicado que
se compuso en la lírica popular castellana y sólo en
ella, en todo tiempo. Berceo, con su cantarcillo, des-
miente rotundamente a los que sostienen que en Castilla no hubo otra lírica que la galaicoportuguesa,
pues el cantar en castellano está compuesto y en estructura desconocida para aquellos cortesanos poetas.

Este cantar prueba varias cosas importantísimas.
Primero, que había en la primera mitad del siglo XIII
lírica popular en Castilla, y muy vieja y desarrolla-
da, pues lo fantasea el poeta entre los judíos de Je-
rusalén, conforme a lo que en su tiempo cantaba el
pueblo y siguió cantando, ya que se parece sustancialmente al cantar de vela que trae Lope y el sistema es el de todos los villancicos posteriores y en
especial de los corales.

En segundo lugar prueba que aquella lírica popular no había venido de Portugal y mucho menos de
Galicia, pues "la irrupción de la poesía popular (gallega) en el arte culto (portugués) ha de referirse
principalmente al reinado de don Diniz", como dice

Menéndez y Pelayo, y además ni en Galicia ni en Portugal llevaban los cantares villancico alguno a la cabeza, desenvuelto en el resto de la composición, ni se repetía el estribillo tras cada verso.

En tercer lugar prueba que aquella lírica castellana era la antiquísima del siglo IX, que en el XII originó el sistema de Abencuzmán, pues el villancico, alma de la composición lírica castellana, bastardeó en Córdoba en pura fórmula o cabeza métrica, dejan de ser verdadero villancico.

No tomó, pues, Berceo su cantarcillo de la lírica portuguesa ni de la gallega, donde no parece por ninguna parte el sistema de villancico ni aun se hallan tales cantos corales, sino de la popular castellana. La cual era tan común y corriente, cuando dicen que sólo se cantaba en Castilla lírica galaicoportuguesa y aun años antes, que un poeta puramente erudito y del mester de clerezía como Berceo, que siempre escribía en metro francés y a la francesa, según corría por entonces la moda, fantaseó aquí un cantar coral de vela, con su villancico y estribillo, arrastrado de la corriente lírica popular castellana y sin que nada huela en él a la cortesana galaicoportuguesa ni a la popular gallega, que aun no habían venido a Castilla. El tono de la portuguesa, enteramente provenzal, es erudito hasta en la imitación que sus trovadores hacen de los cantares populares gallegos, llegando casi a convertir en fórmula los recursos del paralelismo y de la repetición. En Berceo nada hay de formulario; todo es fresco, vivo, real.

La corriente de la lírica popular castellana, no sólo arrastró a Berceo, sino al mismo rey Alfonso *el Sabio*. En sus mocedades poetizó en galaicoportugués, enteramente a la manera provenzal, como los cortesanos portugueses; pero, cuando quiso componer

sus *Cantigas* para que se cantasen en su capilla real
y en las iglesias de Sevilla y Murcia, ya que no las
escribió en castellano, porque sin duda menosprecia-
ba el arte popular, sino en galaicoportugués conforme a la moda de los cultos y de la corte y según él
tenía costumbre desde sus verdes mocedades, siguió,
con todo eso, el sistema de la lírica popular castellana y no el de la cortesana galaicoportuguesa.

Nadie, que yo sepa, ha advertido en ello; pero ello
es más claro que la luz. Su *Cancionero* es el más antiguo que conocemos de los galaicoportugueses y en
él está de manifiesto el sistema castellano. Abrase
por cualquier parte y se hallará a la cabeza de todas
sus *Cantigas* un villancico que después desenvuelve
en las coplas, repitiendo al fin de todas ellas a modo
de estribillo todo el villancico o parte de él. Ejemplo, pág. 537 del tomo II, *Cantiga* 384:

(VILLANCICO)

A que por muy gran fremosura
e chamada Fror das frores,
mui mais lle praz quando lle loam
seu nome que d'outras loores.

(COPLAS)

D'esto direi un miragre,
segundo me foi contado
que auêo a un monge
boo et ben ordinado
et que as oras d'esta Uirgen
dizia de mui bon grado,
et mayor sabor end'auía
d'aquesto que d'outras sabores.
A que por mui gran fremosura
e chamada Fror das frores...

Y así continúan las demás coplas. Abrase ahora
la *Floresta* por la sección del *Villancico con coplas*

y estribillo, y en toda ella se hallará este mismo sis tema. Abranse después los demás *Cancioneros* ga laicoportugueses y en todos ellos no se verá una com posición siquiera que lleve villancico, ni entre las qu siguen la manera provenzal ni entre las que sigueı la manera popular gallega. La conclusión se impone Puesto que este es el sistema del cantar de Berceo anterior a las *Cantigas,* y el de toda la lírica popula castellana posterior, desde que la conocemos, Alfon so *el Sabio* no hizo más que dar gusto al pueblo cas tellano, que había de oír en el templo sus *Cantigas* adoptando su sistema lírico, desconocido en la es cuela gallega y portuguesa antes y después de él.

La *Cantiga* 279 (pág. 391, t. II), es en su primer copla un verdadero *Villancico complejo o con vuelta,* como los de la *Floresta* y como no se hallará eı ningún *Cancionero* portugués:

> *Santa Maria, ualed' ¡ai, Sennor!*
> *et acorred' a uosso trobador,*
> *que ma-lle uai.*
>   Atan gran mal e atan gran door
> *Santa Maria, ualed' ¡ai, Sennor!*
> como soffr'este uosso loador;
> *Santa Maria, ualed' ¡ai, Sennor!*
> et sâe iá, se uos en prazer foȓ,
> do que diz "¡Ai!"
> *Santa Maria, ualed' ¡ai, Sennor!*
> *et acorred' a uosso trobador,*
> *que ma-lle uai.*

No solamente tiene estribillo final, sino que en medio de la copla repite versos del villancico. Recuérdese aquel otro:

> *Morenica me era yo:*
> *dicen que sí, dicen que nó.*
>   Otros que por mí mueren
> *dicen que nó.*

Morenica me era yo :
dicen que sí, dicen que nó.

El sistema de las *Cantiga*s es, pues, el del villancico, sistema exclusivamente castellano, desconocido en Galicia y Portugal hasta que allí pasó desde Castilla en el siglo XV y usado en Castilla en todo tiempo, antes y después de Alfonso X. Luego al seguirlo el rey *Sabio* fué por condescender con el gusto de su pueblo, que había de oír sus *Cantigas* en los templos. Cuanto a la estructura de las coplas, las hay monorrimas y alternas o cruzadas de 2 y 3 rimas. Monorrima es la cantiga V:

Villancico.................	....................soffrer
	........................pôer
	...........................diz
	................emperadriz
Copla I..................	...............Beatriz
	.........................fiz
	........................joyz
	....................vencer
Estribillo..............	....................soffrer
	.........................pôer

La Cantiga II, ya no es monorrima:

Villancico..................	....................varôes
	........................*Maria*
	........................dôes
	...........................*fia*
	...................manna
	....................prelado
	...................Espanna
	...................chamado;
Copla....................	...................vestidura
	...................Parayso
	....................mesura
	........................siso
	...........................*dia*
Estribillo................	....................varôes
	........................*Maria*

El último verso rima con los pares del estribillo.
Y nótese que no riman con todos los versos del estribillo los últimos de la copla, como en el sistema ára-
bigo, por ejemplo en Obada:

ABAB, *cdcdcd*, abab,
ABCDE, *fgfgfg*, abcde;

sino tan sólo el último, conforme se practicó después más comúnmente en castellano. No viene, pues
el sistema de las *Cantigas* del arábigoespañol, sino del
antiguo castellano. Esto mismo dedujo Ribera cuando
dijo (pág. 48):

"Se nota aun en Alfonso *el Sabio* un procedimiento
de técnica *más arcaica* que la de Abencuzmán: Alfonso *el Sabio,* no sólo sigue fielmente la tradición coral,
con el estribillo tras cada estrofa, sino que en mucha.
cantigas deja sin rimar las cesuras interiores de la
cuarteta, por lo cual no aparecen las estrofas regulares de 8, 9, 10 ni 12 versos de la tradición musulmana, sino sólo cuartetas de versos largos, a veces de
24 sílabas, que a los editores se les antojaron décimas, cuando en realidad no son más que cuartetas (números 151, 179, 369, en los cuales el editor divide los
versos de 16 sílabas en dos de 8 + 8, y los de 24
en tres, 8 + 8 + 8, con lo cual resultan *décimas* lo
que no son más que *cuartetas*). Ese es método más ar-
caico, o más vulgar y sencillo que el de Abencuzmán,
en el que por medio de cesuras rimadas se desenvuelve la forma primitiva, hasta llegar a la duodécima, con doce rimas perfectas."

En suma, que Alfonso X sigue el sistema popular
castellano, más antiguo que el de Abencuzmán, y que
el provenzal, y que el galaicoportugués. En cambio,
en su juventud hizo Alfonso X poesías eróticas ga-

laicoportuguesas enteramente a la provenzal. Así el número 73 del *Cancionero del Vaticano,* que es suyo, no tiene villancico, pero sí estribillo, y los versos de las coplas riman variadamente. En cambio, en el núm. 77 se hallan los tres monorrimos y el estribillo, pero no el villancico.

Si el sistema métrico de las *Cantigas* es el popular castellano, no es menos castellana y popular su música. Julián Ribera ha hecho un gran descubrimiento al descifrarla en su obra *La música de las Cantigas,* Madrid, 1922. Por su ritmo y tonalidad se parece enteramente esta música a la popular de las diferentes regiones españolas de nuestros días. Hay aires andaluces, hay cante jondo, hay bailables, hay como habaneras y hasta jotas entre las piezas musicales de las *Cantigas.* Todos son aires populares, que nada tienen que ver con la música eclesiástica. Se ve que el rey *Sabio* tomó e imitó la música de los cantares populares españoles para las cantigas que compuso con el fin de que se cantasen en Sevilla y Murcia y demás iglesias de España. De esta manera inesperada se nos ha descubierto la música popular de los villancicos y coplas que cantaba el pueblo castellano en el siglo XIII.

Ya hemos dicho que la tal música no es de origen arábigo, como sostiene Ribera, sino tan español como el sistema métrico que los árabes tomaron con la música a la par del pueblo castellano. El *Cancionero de Barbieri,* del siglo XV nos presenta otra abundante colección de música española. Luego vienen los vihuelistas del siglo XVI. En todas estas fuentes puede estudiarse la música medieval española. Música popular como lo es la lírica. Del estudio del *Cancionero de Barbieri* y de nuestros vihuelistas sacó Riemann (*Handbuch*) estas consecuencias: Primero,

que el arte musical español se desenvolvió con entera independencia del arte musical europeo; segundo, que España en materia de composición musical
estaba a la altura de las más cultas naciones de Europa, y tercero, que en materia de música instrumental probablemente había ido antes a la cabeza
de todas. El estudio de las *Cantigas* y la influencia
que de este estudio saca Ribera que tuvo la música española desde el siglo XIII en la francesa, pueden verse en sus dos obras *La música de las Cantigas*, 1922, y *La música andaluza medioeval en las
canciones de trovadores y troveros*, 1923. Nuestra
lírica y nuestra música iban a la par, y son de increible importancia en la lírica y música europea.

Para que pueda cotejarse con la lírica castellana,
conviene declarar aquí la forma, el fondo y el espíritu de la poesía popular gallega medieval. No sabemos de ella más de lo que hay en los cancioneros galaicoportugueses. Teófilo Braga supone que los
cantares no a la provenzal, que se hallan en ellos ·
están atribuidos a los mismos poetas cultos que compusieron los cantares provenzales, están tomados del
pueblo gallego y algo retocados. M. P. Meyer los cree
compuestos por los mismos poetas cultos, y después
popularizados. M. Monaci supone que son enteramente populares, aunque no dice si son copias puntuales
o retocadas. Alfred Jeanroy dice que todos los cantares no provenzales y que llevan algo de inspiración popular gallega son fundamentalmente de la misma clase, que están imitados de los populares por los
mismos poetas cultos a quienes se atribuyen, tomando del pueblo el ritmo y la sencillez de estilo; pero
que las ideas son de los mismos poetas y prueba
realmente que hay demasiado refinamiento en ellos,
extremada cortesanía, coqueteo e ingeniosidad en las

mujeres que los cantan para que sean ideas populares. Sin embargo, como tiende a dar por francés de origen cuanto hallándose en Francia se halla también fuera de Francia, fundado en la celebridad que tuvo la poesia francesa medieval por toda Europa, extendiéndose e imitándose en Alemania, Italia y Portugal, extrema a veces las cosas y da por francesas de origen ideas, situaciones y expresiones que se dan en todas partes donde haya lírica, como en otros lugares él mismo reconoce. Llega a decir que las palabras *baylada, ensalada* y *chacota* son originariamente francesas, y que Gil Vicente tomó su lírica del francés Eustache Deschamps y de Froissart. Yo no extraño nada de esto, porque, fuera de los hispanistas, en Francia se desconocen demasiado las cosas españolas, comenzando por el idioma castellano, y porque no teniendo noticia Jeanroy del sistema y de la naturaleza de la lírica popular castellana y no hallando ciertas particularidades de la lírica de Gil Vicente en la galaicoportuguesa de los cancioneros, por haberlas tomado de la popular castellana, acudió a dichos poetas franceses, donde hallaba mayor parecido por lo que ya vimos de los *genres a forme fixe* franceses, que allá fueron de Castilla.

En las poesías gallegas de los cancioneros hay dos sistemas poéticos. El uno es el común al provenzal y francés que del provenzal salió, el del estribillo tras las coplas. El otro es exclusivo y característico de la mayor parte de los *cantares de amigo;* esto es, de los cantados por mujeres enamoradas de sus amigos, y son los que, según todos, llevan más señalada la inspiración popular gallega. Veamos en qué consiste. Son cantares dobles que cantaban dos coros, como la danza prima asturiana. En el ejemplo que voy a copiar,

de Joham Zorro (*Canc. Vatic.*, núm. 753), el primer
coro canta coplillas rimadas en -*io* y el segundo responde con otras en -*áo*:

> Per ribeyra do rio
> 1 vy remar o navío:
> *¡et sabor ey da ribeyra!*
> Per ribeyra do alto
> 2 vy remar o barco:
> *¡et sabor ey da ribeyra!*

> 1   Vy remar o navío;
> 3 hy vay o meu amigo:
> *¡et sabor ey da ribeyra!*
> 2   Vy remar o barco,
> 4 hy vay o meu amado:
> *¡et sabor ey da ribeyra!*

> 3   Hy vay o meu amigo,
> quer me levar consigo:
> *¡et sabor ey da ribeyra!*
> 4   Hy vay o meu amado,
> quer me levar de grado:
> *¡et sabor ey da ribeyra!*

He separado las coplas, cada una con sus dos partes, en -*io* y en -*áo*, cantadas por los dos coros. La
mayor parte de las palabras son las mismas, meno
las finales, que son las rimadas:

per ribeyra *do rio*	per ribeyra *do alto*
vy remar *o navio*	vy remar *o barco*
hy **vay** *o meu amigo*	hy vay *o meu amado*
quer me levar *consigo*	quer me levar *de grado.*

Esto es lo que se llama *paralelismo* de dos versos,
que son paralelos en la rima e iguales en las demás
palabras. Pero además hay muchos versos repetidos,

que ha señalado con los mismos números. Cada copla no tiene más que dos versos y el estribillo, y el segundo de estos versos se repite para formar el primer verso de la copla siguiente. No hay, pues, más que un verso nuevo en cada copla; pero, como la composición está formada por el entrecruce de dos partes, cantadas por diferentes coros, la repetición del segundo verso de la primera copla está en la copla tercera, y así sucesivamente. El sistema se reduce, por consiguiente, a la repetición y paralelismo de versos entrecruzándose las coplas de dos coros. Sistema harto sistemático, por cierto, y que no es de suponer se tomara de la poesia popular gallega. En ella me figuro yo que sólo había los tres elementos del *paralelismo*, la *repetición* y el *entrecruce* de dos coros. Estos elementos los tenemos todavía en Asturias, por ejemplo en la *danza prima* y en el romance entrecruzado de *¡Ay probe Juana de cuerpo garrido!* Pero el sistematizar tanto esos elementos debe de ser obra de los poetas cortesanos de los cancioneros y así hoy no se dan tan sistematizados cantares en Galicia. La repetición y el paralelismo se hallan no menos en la lírica popular castellana; pero no no por entrecruzarse dos coros, sino como recursos poéticos naturales, por ser maneras rítmicas propias del lirismo verdadero, como naturalmente en la música hay repeticiones y paralelismos de frases y trozos. No es más que el ritmo, *el repetir ordenado,* como se repiten los suspiros y toda manifestación sentimental. Estos elementos naturales hállanse demasiado artificialmente empleados en ese sistema para que él fuera popular. En castellano los hallamos empleados con mucha mayor libertad y todo el sistema castellano se funda precisamente en la repetición del villancico o partes de él como estribillo. Cotejados ambos sistemas se ve que, naciendo del mismo principio rítmico y con los mismos elementos, son enteramente opuestos. En el sistema castellano el villancico inicial es el germen que se desenvuelve y ofrece en la copla paralelismos y repeticiones como maneras expresivas del desenvolvimiento y declaración del germen o villancico, entre ellas su repetición total o parcial como estribillo. Admite, por consiguiente, gran libertad y toda la amplitud que la declaración necesite. En el sistema galaicoportugués no hay tal germen ni villancico inicial: la copla es el todo y el estribillo es como una condensación o extracto final del sentimiento. Y como no hay más que un nuevo verso en cada copla y todo lo demás es repetición de versos o repetición paralelística, apenas queda lugar para amplias declaraciones. Consiste el lirismo de este sistema en verdaderos suspiros repetidos en un cuadrito abocetado cuanto al paisaje y personajes; mientras que en el sistema castellano el villancico es un germen que puede desenvolverse con toda amplitud, hasta convertirse en árbol de extendido ramaje. Cuanto a la forma que tuviesen las composiciones populares gallegas, creo yo que se parecerían a las que hoy presenta: hay repetición, paralelismo y estribillos; pero no tan sistematizados, de suerte que daría lugar a mayores ensanches. De todos modos el alma del sistema castellano está en el villancico y el alma del sistema gallego en la copla, o, si se quiere, en el estribillo que la condensa. El sistema castellano va de dentro a fuera, abriéndose y desenvolviéndose el germen; el gallego va de fuera adentro, condensándose y encerrándose la copla en el estribillo. No parece que en la lírica gallega hubiese villancico, pues lo hubieran puesto en alguna composición al menos los poetas cultos que la imitaron, y hoy mismo no lo hay, a no ser por imitación del sistema castellano.

Viniendo ya al fondo, los temas tratados por la lírica gallega se ve por los cancioneros que son los mismos de la lírica castellana, como que son populares, y castellano es no menos el de las romerías, que Jeanroy da por exclusivo de Galicia; pero en la castellana hay bastantes que no trata la gallega y los comunes ofrecen más rica variedad de situaciones. Ya dijimos que en la gallega hay la particularidad de que la mujer se adelanta al hombre en las relaciones amorosas. Aunque ello estribe en algún fundamento cierto de la psicología femenina gallega, acaso extremaron sus consecuencias los poetas cultos. A ellos se debe claramente lo del coqueteo, ingeniosidad y cortesanía que muestran también las mujeres en los *cantares de amigo*. La manera de exponer los temas populares es, por consiguiente, cosa de los poetas cortesanos, aunque haya frases que huelen a populares, así como rasgos delicados en el mezclar el paisaje con el estado afectuoso, en lo que conviene la poesía gallega con la castellana y con toda poesía popular. No menos popular es cierta vaguedad poética, que se desvaha de algunas metáforas y alegorías o de alusiones o creencias, evocadas tan solamente y que parecen abrir horizontes hacia el infinito. No es que haya idea alguna panteista, como en la poesía alemana; pero sí una manera de ver el alma reflejada en la naturaleza o de llamar, como quien dice, a la naturaleza para que nos acompañe y armonice con el estado afectuoso del alma. Todo ello con evocaciones, metáforas o ligeras alusiones que expresan más por su vaguedad que si se diseñaran las cosas con todos sus perfiles.

Como en esta parte la lírica culta es tan pobre y

a ella tenían ojo solamente los que han hablado contra la lírica castellana echando menos este elemento tan poético, conviene traer ejemplos de nuestra lirica popular que gana en él a la gallega. ¿Qué no dice el recuerdo de la verde oliva en estos versos?

> A la verde, verde,
> a la verde oliva,
> donde cautivaron
> a mis tres cautivas.

Véase la fuerza trascendental de la alegoría:

> *A los baños del amor*
> *sola me iré*
> *y en ellos me bañaré.*
>
> ....
>
> A los baños de tristura
> *sola me iré*
> *y en ellos me bañaré.*

Sólo el paisaje lo dice todo:

> *Alta estaba la peña,*
> *nace la malva en ella.*
> *Alta estaba la peña,*
> riberas del río,
> *nace la malva en ella*
> y el trébol florido.

Nada expresamente del amor, con ser cantar de amor; pero todo el paisaje lo refleja de una manera vaga: la altura y dificultad, la malva que cura, el trébol de la buena dicha.

> *Allá se me ponga el sol*
> *donde tengo el amor.*

> *Aquellas sierras, madres,*
> *altas son de subir.*

¡Ay luna, que reluces,
toda la noche que me alumbres!

———

Bailan las serranas
y los verdes sauces
hacen son con las hojas
para que bailen.

———

¿Cuál es la niña
que coge flores,
si no tiene amores?

———

De los álamos vengo, madre,
de ver como los menea el aire.

———

Dentro en el vergel
moriré,
dentro en el rosal
matarme han.

La rosa es símbolo del amor.

Dos ánades, madre,
que van por aquí,
mal penan a mí.

Y ¿por qué le dan pena? Por verlos juntos como felices amantes:

al çampo de flores
iban a dormir.

———

Mimbrera, amigo,
so ia mimbrereta

....

Entre tantas ingeniosidades cortesanas brilla ésta que las sobrepuja y, sin embargo, es popular por el modo y metáfora natural:

Ojos morenicos,
irme he yo a querellar
que me queredes matar.

Si os partieredes al alba,
quedito, pasito, amor:
no espanteis al ruiseñor.

Dice ella al despedir a su amado, para que el ruiseñor entretenga su soledad.

Si tantos halcones
la garza combaten...

Que miraba la mar
la mal casada,
que miraba la mar
¡cómo es ancha y larga!

Tras la forma y fondo hay que considerar el espiritu de la poesía gallega, lo más admirable de los *cantares de amigo*, en lo cual acertaron los poetas cultos de los cancioneros por manera sorprendente. Bebieron realmente el espíritu popular. Por él se distinguen al punto las poesías de inspiración gallega de las eruditas a la provenzal, enteramente cultas. Y ese espíritu es el mismo de la lírica popular castellana. Dificultoso es deslindar en qué consiste y aprisionar con palabras lo que por inmaterial no da asidero y se evapora al pretender cogerlo. Es un vaho impalpable que brota de esas poesías gallegas y castellanas, que las envuelve y lo respiramos y como que nos embriaga. Tal es el espíritu poético. Acaso podrá cifrarse en tres cualidades: la sinceridad, la delicadeza, la sensibilidad. *Sinceras*, que no llevan intención ajena a la expresión del sentimiento, intento y objeto del lirismo; que no huelen a nada de afectado, de literario, de libresco, de erudito, de interés o vanagloria propia del autor; en suma, que son todo verdad. La verdad encanta y el embuste da en rostro. Sinceras son nuestras poesías populares y lo fueron las gallegas, pues fácilmente apartamos en las de los cancioneros lo postizo, que les añadieron los poetas cortesanos. *Delicadas* en la expresión, que frases y palabras ajustan y entallan a la idea como si con ella se hubieran nacido, sin faltar ni sobrar, sin menguas ni floripondios, como casta vestidura lo más delgada y sutil, que deje tran parentar la idea llevando los ojos a ella sin detenerlos en su propio tejido, hechura ni pliegues. Cuanto más natural, sencilla y vaporosa sea la forma, menos llamativa, de menor grosor material o brillantez sobrepuesta, tanto más limpia y transparentemente dejará ver el fondo. *Sensibles* llamo las poesias cuajadas de sentimiento, que sean puro sentimiento, el alma afectiva toda entera, que afuera sale, expresándose mediante el lenguaje y las ideas, que son las que inmediatamente el lenguaje expresa. Este es el fondo de la poesía lírica, como la delicadeza expresiva es su forma y la sinceridad es la verdad y realidad del lirismo, sin pegotes ni embustes. El sentimiento que arraiga en lo más hondo del alma del cantor tocará a las raíces del alma del pueblo todo entero, de la raza, y así el lirismo puro no puede tener otro autor que el mismo pueblo, tiene que ser popular. La hondura de sentimiento está bien de manifiesto tanto en la lírica gallega como en la popular castellana. Esto no hay que probarlo, es cosa que se siente o no se siente al leer las poesías.

Por ejemplo:

Zagala, di ¿qué harás
en viendo que soy partido?

—Zagal mío, quererte más
que en mi vida te he querido.

Véante mis ojos
y muérame luego,
dulce amor mío,
lo que yo más quiero.

Bien sé, Gila, que adoquiera
quien te quiera hallarás:
bien hallarás quien te quiera,
mas no quien te quiera más.

Declaraciones de amor tan hondamente sentidas como éstas no sé yo que se hallen en literatura alguna, ni tan delicadas y sencillas en la expresión, ni tan sinceras y henchidas de verdad; pero si en alguna se halla algo parecido, es en la lírica gallega, aun retocadas y embadurnadas con las cortesanías de los poetas de los cancioneros.

Resumiendo, la poesía gallega de los cancioneros es obra culta de los poetas allí nombrados; pero ofrece una maravillosa fusión, artística e ingeniosamente hecha y muy sabrosa, de elementos populares y cortesanos. Populares cuanto a la forma son la repetición y el paralelismo y acaso el estribillo, cuanto al fondo los asuntos y el ser mujeres las que cantan y sobre todo cuanto al espíritu no poco de la sinceridad, delicadeza y sensibilidad propias del lirismo popular.

¿Hubo comunicación entre la lírica popular gallega y la popular castellana? Rotundamente acaso no pueda negarse; pero, en general, paréceme que no la hubo. ¿Hemos de juzgar de entonces por lo que hoy pasa? Hoy no se da tal comunicación entre las dos líricas, como no se da entre las tonadas regionales. En toda España se oyen tonadas asturianas, andaluzas aragonesas; pero no se confunden y se oyen cantadas cada una por los de su tierra. Esta especie de comunicación acaso también se diera entonces, en mucho menor grado, sin embargo, por vivir entonces más aisladas las regiones. De todos modos esa comunicación no llega a fusión, es puramente geográfica, quiero decir que se canta en una tierra lo que es propio de otra, pero sin dejar de ser lo que es. No se comunican tonadas andaluzas con aragonesas ni se mezclan lo más mínimo y menos cantares de otra habla. ¿Cómo explicar, entonces, el hecho siguiente? Hay poesías castellanas como ésta:

> *Cuando salieres, alba galana,*
> *cuando salieres, alba.*
> Cuando sale el alba
> resplandece el día,
> con el alegría
> creció el amore,
> el amore, galana,
> *cuando salieres, alba.*
> Cuando sale el alba
> resplandece el sol,
> con el alegría
> creció el amore,
> el amore, galana,
> *cuando salieres, alba.*

Son dos coplas paralelísticas que sólo se diferencian en una palabra de los segundos versos:

> resplandece *el día*   resplandece *el sol*.

Todo lo demás es pura repetición. ¿No se parece esto al sistema culto galaicoportugués? Y sin embargo, esta poesía no pudo inspirarse en las de los cancioneros a no ser que digamos que es del siglo XIV,

8

cuando las de los cancioneros se componían. Yo creo que todo lo más es del siglo xv. Hállase en el ms. 3913 de la Bibl. Nac., del siglo xvii. Si se analiza bien, se verá que ese paralelismo y repetición no vienen de los cancioneros. Hay villancico inicial, que no lo hay en ellos, y, a ser imitación de ellos, no lo habría. No se encadena cada copla con la anterior llevando al segundo verso de la primera el primero de la segunda, porque no hay más que dos coplas. Estas son más largas que las de los cancioneros. Luego no están tomados de ellos el paralelismo y la repetición. ¿Se tomarían de la lírica popular gallega? Nada obstaría a mi opinión de que estos elementos se hallaban en ella. Pero acaso no tenga que ver con ella y que sea puramente castellana, un caso de tantos de villancico con coplas y estribillo, en que juegan mucho esos elementos.

La poesía *Al alba venid, buen amigo* (t. III, 1544) hanla tenido autores portugueses por traducción o calco de alguna poesía galaicoportuguesa. No se halla el original en los cancioneros y el parecido de su sistema se debe a lo mismo que en la poesía anterior, a ser comunes elementos de Galicia y Castilla el paralelismo, la repetición y aun el cruce de coplas de dos coros. Pero ese cruce de la poesía anterior no se halla en esta otra. Fuera del villancico inicial, que nunca se halla en el sistema de los cancioneros, la segunda copla es igual a la primera menos en el final, rimas -*ía*, -*aa*. Pero, según el sistema de los cancioneros, el primer verso de la tercera copla debía ser igual al segundo de la primera y no lo es:

Venid a la luz de día · venid al alba del día.

En cambio el primero de la cuarta copla es igual al segundo de la segunda, según el sistema de los cancioneros:

Venid a la luz del alba.

Esa diferencia y el villancico inicial van contra el sistema galaicoportugués. Esta poesía entra, pues, como la otra, dentro del sistema castellano, en el cual juegan esos elementos comunes a la popular gallega y juegan con gran libertad, no con el sistema cerrado de los cancioneros. La contraposición de dos coplas paralelísticas se halla en otros muchos cantares y aun refranes castellanos:

Mimbrera, amigo,
so la mimbrereta.

I.ª

Y los dos *amados*
idos se son, *idos*
so los verdes *pinos,*
so la mimbrereta,
mimbrera, amigo.

2.ª

Y los dos *amados*
idos se son *ambos*
so los verdes *prados,*
so la mimbrereta.

Sólo hay en la segunda copla diferencia paralelística. Pero hay villancico inicial y el estribillo de la primera copla difiere del de la segunda. No hay, pues, calco del sistema cerrado de los cancioneros y sólo sí juego de los elementos galaicocastellanos. Véanse otros casos en *Rodrigo Martínez* y en *Por vos mal me viene* (*Villanc. con copl. y estr.*).

En la *Vida de Santa Oria,* por Berceo, léese este epitafio:

So esta piedra que vedes—yace el cuerpo de Santa Oria.
e el de su madre Amunna—fembra de buena memoria:

fueron de gran abstinencia en—esta vida transitoria,
porqué son con los ángeles—las sus almas en gloria.

Este epitafio, traducido del texto latino probablemente por Berceo, también pertenece en el tono a
la poesía popular. Claro se ve por el uso de la sinalefa junto con el del hiato, ya que en sus poesías
cultas siempre admite el hiato Berceo y no hace
sinalefa. Además los versos son octosílabos, cuando
todos sus demás versos cultos son alejandrinos. Es
un tetrástrofo monorrimo de versos de diez y seis
sílabas, considerando cada octosílabo como hemisti-
quio, por imitar con los octosílabos populares el
tetrástrofo alejandrino o cuaderna vía de la poesía
culta. Un siglo o poco más después hallamos en el
mismo metro traducido el *Libro de miseria de omne*,
del Papa Inocencio III, que ha publicado (Santan-
der, 1920) Miguel Artigas, bibliotecario de la Biblioteca de Menéndez y Pelayo. Véase la primera
copla:

> Todos los que vos preciades—venit a seer comigo,
> mas vos preciaredes sienpre,—si oyerdes lo que digo.
> El que bien lo retoviere—a Dios abrá por amigo,
> ca sabrá dexar abolezas—muchas que trae consigo.

El combinar los octosílabos de esta manera dé-
bese, sin duda, a la moda culta de la cuaderna vía;
pero el octosílabo era el verso popular de la epopeya castellana.

En el mismo siglo XIII se hizo el epitafio, en octavas y cuartetas, del célebre alguacil de Toledo don
Fernán Gudiel, que copiado de la *Paleografía española*, de Terreros (1758), dice así (pág. 67):

> Aquí jaz don Fernan Gudiel,
> mui onrrado cavallero,
> aguazil fué de Toledo

a todos muy derechurero,
cavallero muy fidalgo,
muy ardit e esforzado
e mui fazedor de algo,
muy cortés, bien razonado:
sirvió bien a Jhesu Xristo
e a Santa María
e al Rey e a Toledo
de noche e de día.
Pater noster por su alma
con el Ave María
digamos, que la reciban
con la su conpañía.

"E finó xxv días de julio, era mil CCCXVI" (año 1278, reinando don Alfonso *el Sabio*). Toda esta poesía, popular es, y en el metro más nacional u octosílabo, y toda ella del siglo XIII. Del mismo siglo es el *Libro de Alixandre*, y probablemente de Berceo, donde se alude a Mayas, a cantos de mayo y primavera, en que se cantaba el amor y las flores (c. 2395):

Sedie el mes de mayo coronado de flores,
afeitando los campos de diversas colores,
organeando las mayas e cantando d'amores,
espigando las mieses que sembran labradores.

IV

Vengamos al siglo xiv. Por los años 1300 predicaba al pueblo andaluz San Pedro Pascual en castellano, y en sus prédicas habla de *cantiones amorum*, según el texto latino (*Opera*, 1636, I, pág. 3); esto es, de *canciones amorosas.* Que si alguien se empeña en sostener y creer que las tales canciones amorosas las cantaba el pueblo andaluz en portugués o en gallego, le dejaremos que se saboree a todo su talante con tan extravagante creencia.

En la primera mitad de aquel siglo compuso Alfonso XI el siguiente cantar, conservado en el *Cancionero del Vaticano*, y que copiado como se halla en el *Cancioneirinho de Trovas antigas*, Viena, 1870, mudada la ortografia, dice así:

> *En un tiempo cogí flores*
> *del muy noble paraiso.*
> *cuitado de mis amores*
> *e del su fremoso riso*
> *e sempre vivo en dolores*
> *e ya l'non puedo sofrir:*
> *¡mais mi valera la muerte*
> *que en el mundo vivir!*
> *Yo con cuidado de amores*
> *vo lo vengo ora dicer,*
> *que es aquesta mi señora,*

que muicho deseio haber.

En el tiempo en que solía
yo coger d'aquestas flores,
d'ál cuidado non había
desque vi los sus amores
e no sé per cuál ventura
me vino end'a fallir,
si lo biz'el mi pecado,
si lo biz'el maldecir.
Yo cun cuidado d'amores
vo lo vengo ora dicer,
que es aquesta mi señora,
que muicho deseio haber.

Non creades, mi señora,
el maldicer de las gentes,
ca la muerte m'es llegada,
si en ello parardes mientes:
¡ay, señora, noble rosa,
merced vos vengo pedir,
atended a mi dolor
e non me dejéis morir!
Yo con cuidado, etc.

Yo cogía flor d'as frores
de que tú coger solías,
cuitado de mis amores,
bien sé lo que tú querías:
Dios lo pueste por tal guía,
que te lo pueda hacer,
ante quisiera mi muerte
que t'asistir a morer.
Yo con cuidado d'amores
vo lo vengo ora dicer,
que es aquesta mi señora
que mucho deseio haber.

Esta poesía está en castellano y no difiere, cuanto al lenguaje, de las poesías de Juan Ruiz ni de las de la *Crónica Troyana* de aquella época. Según Menéndez y Pelayo,

"aparece plagada de galleguismos; no tanto, según en-
tendemos, por negligencia del copista, cuanto porque la
lengua lirica castellana no había soltado todavía los an-
dadores de la infancia y apenas comenzaba a emanciparse
del gallego, fondo primitivo y común del lirismo portugués y castellano."

Esta doctrina se debe a la creencia que tuvo Menéndez y Pelayo de que la única lírica que hubo en
Castilla fué la galaicoportuguesa. No hay tal infancia ni emancipación. Las poesías de Juan Ruiz y las
de la *Crónica Troyana* prueban que en Castilla había
ya una lírica culta muy desenvuelta y de rica técnica. Ni con esto tendría que ver el lenguaje de esta
canción, porque las dichas poesías no tienen galleguismo alguno. Pero aun esta canción no está *plagada de galleguismo;* apenas hay más que variantes
gráficas, debidas a ser copia hecha por el galaicoportugués que copiló el cancionero. *Frores* dice una vez y
flores dice varias veces, y *flor,* no *froles* ni *frol;*
frores se halla a veces escrito en el castellano de
aquella época, y hasta el siglo XVI. Del tiempo aquel
era la confusión de verbos en *-er, -ir, decir* y *dicer,*
morir y *morer.* En galaicoportugués no se decía *señora,* sino *señor* para el femenino. *Fremoso* es tras-
posición de *fermoso,* y sin ir a Galicia se decía por
entonces, según hallamos escrito. No hay ni un
solo galleguismo en la composición; está toda ella
en el castellano corriente de aquel tiempo. Por ser
obra del Rey de Castilla tuvo cabida en el *Cancionero del Vaticano;* pero pertenece a la lírica castellana, no sólo por el lenguaje, sino por el sistema
poético. Como la lírica popular castellana, tiene villancico, coplas y estribillo, cosa que no se halla en
ninguna otra composición de aquel *Cancionero.* Y
es de notar que los versos son octosílabos, con la

libertad de la lírica del pueblo y sin atenerse a los
cánones galaicoportugueses, como octosílabos de la
misma clase son la mayor parte de los versos vis-
tos hasta aquí, por ser los más conformes al idioma.

Octosílabos, y en cuartetas tan acabadas como
puedan hoy hacerse, los hemos visto en el siglo XIII,
y en el XIV hállanse en *El Conde Lucanor,* de don
Juan Manuel, como la cuarteta que ya citó Argote
de Molina en su edición de aquella obra para probar
lo que aquí pretendemos probar:

> Si por el vicio y holgura
> la buena fama perdemos,
> la vida muy poco dura,
> denostados fincaremos.

En el *Libro de los castigos,* del mismo autor, tenemos esta otra:

> Por el dicho de las gentes
> sol que non sea a mal,
> a la pro tened las mientes
> e non hagades ende ál.

La misma cuarteta se repite en *El Conde Lucanor,*
donde se lee esta otra:

> Al que mucho ayudares
> e non se lo gradeciere
> menos ayuda habrás
> desque a gran honra subiere.

Hay otros muchos pareados de toda clase de pies y
que recuerdan los refranes, y entre ellos el refrán:

> Quien bien se siede
> non se lieve.

Todo ello poesía castellana es, y no galaicoportuguesa, y poesía popular más bien que no erudita,

pues remeda los refranes y no está en la cuaderna vía de los eruditos de entonces. Hasta hay endecasílabos castellanos:

> Si con rebato gran cosa hicierdes,
> ten que es a drecho, si te arrepintierdes.

En redondillas octosílabas consérvase escrito todo el *Poema de Alfonso XI,* hecho casi a raiz de los acontecimientos, y de metro y entonación popular. En él se habla de los festejos que en Burgos se hicieron en la coronación de aquel Rey el año 1331. Véase este trozo (400):

> Ricas dueñas hacían danza
> a muy gran placer cantando.
>   E íbanles respondiendo
> doncellas de gran altura,
> el buen rey ennobleciendo,
> señor de buena ventura.
>   Cantando a gran sabor
> decían en su cantar:
> —Loado el gran Señor
> que tan buen rey nos fué dar.
>   Rey alto, de gran nobleza,
> señor real, entendido,
> Castilla cobró alteza
> el día que fué nacido.
>   Noble escudo sin pavor,
> Dios mantenga la su vida,
> e casó con reina mejor,
> que en el mundo fué nacida.
>   Señora non saben tal,
> honesta, bienpareciente
> e nació en Portugal,
> en el cabo del poniente.
>   Estas palabras decían
> doncellas en sus cantares,
> los estormentos tañían

por las Huelgas los jograles.
El laúd iban teñiendo,
estormento halaguero,
la vihuela tañiendo,
el rabé con el salterio.
La guitarra serranista,
estromento con razón,
la exabeba morisca
allá en medio canón.
La gaita, que es sotil,
con que todos placer han,
otros estromentos mil
con la harpa de don Tristan.
Que da los puntos doblados,
con que halaga el lozano
e todos los enamorados
en el tiempo del verano.
Allí, cuando vienen las flores
e los árboles dan fruto,
los leales amadores
este tiempo precian mucho.
Así como el mes de mayo,
cuando el ruiseñor canta,
responde el papagayo
de la muy hermosa planta.
La calandra del otra parte,
del muy hermoso rosal,
el tordo que departe
el amor que mucho val.

En este notable trozo no hay cosa que indique
que no había aún la lírica castellana "soltado los an-
dadores de la infancia y comenzado apenas a emanciparse del gallego", como dijo Menéndez y Pelayo;
todo es castellano limpio, el lenguaje y la versificación. Esto sucedía en los tiempos en que florecía con
mayor pujanza la lírica galaicoportuguesa, en la época de su mayor esplendor, que fué en vida del rey

don Dioniz de Portugal (1279-1325). El Conde de·
Barcellos legó en su testamento (1350) a Alfonso XI su *Libro das Cantigas,* vasto caudal de poesias recogidas, según Theophilo Braga, desde 1330·
hasta 1350, en Portugal, en León, en Galicia y en
Castilla, núcleo principal, hoy perdido, del *Cancionero del Vaticano,* según el mismo autor. Ahora
bien; esto que, según el *Poema,* se cantaba en Burgos, no tiene nada que ver con esa poesía galaicoportuguesa. El *Poema* es obra culta; pero hecha en
versos y coplas del arte popular, y en él se cuenta
la gran fiesta que en Burgos se hizo a Alfonso XI
cuando su coronación. Lo que allí se cantó pertenece a la lírica popular castellana, y es como una
repetición de lo que se escribió en la *Crónica de Alfonso VII* haberse cantado a principios del siglo XII
en Toledo. Bien se ve que tenía en Castilla hondas·
y viejas raíces esto de cantar en festejos públicos..
Ni entonces en Toledo ni ahora en Burgos hay nada
galaicoportugués, sino cantares castellanos populares,.
acompañados de populares instrumentos.

Y a propósito de "la harpa de don Tristán", tipo
del enamorado, nos trae el *Poema* un verdadero cantar lírico de "los enamorados, en el tiempo del verano", esto es, un cantar de primavera, como aquel,
entre otros posteriores, tan popular y conocido (véase en la *Floresta*):

> Por el mes era de mayo
> cuando hace la calor,
> cuando canta la calandria
> y responde el ruiseñor,
> cuando los enamorados
> van a servir al amor.

En uno y otro se habla del verano (primavera), de·

enamorados, del ruiseñor y de la calandria. Sin duda
era antiquísimo el cantar de primavera entre enamorados, cuyo dechado es aquí Tristán de Leonis, el de
los libros de caballerías, como lo es en el Arcipreste de Hita.

Quede, pues, bien asentado que en la época del mayor florecimiento de la poesía galaicoportuguesa,
cuando hasta los cortesanos de Castilla cantaban en
aquel idioma, cantábase no menos en Castilla otra lírica popular, enteramente castellana, la misma que se
había ya cantado en tiempos de Alfonso VII, esto es,
antes de nacer la poesía galaicoportuguesa.

Otro tanto sacamos de Juan Ruiz, el cual componía hacia 1330 todo linaje de coplas para el pueblo,
para pordioseros y estudiantes, hasta para moras, y
nos dejó muestras de todas ellas, así como de los Gozos que hacía para cantar en las iglesias, de trobas
cazurras y de hermosísimas serranillas (c. 1514):

> Cantares hiz' algunos, de los que dicen los ciegos
> e para escolares, que andan nocharniegos
> e para otros muchos por puertas andariegos,
> cazurros e de burlas: non cabrian en diez pliegos.

Y tales cantares no los hacía en gallego el Arcipreste, sino en castellano. No hay para qué discu-
tirlo, puesto que en castellano están los que nos quiso conservar en su Libro de Buen Amor o por lo
menos que se copiaron en uno de los códices (véase la edición de Cejador, t. H, pág. 259, nota, y los
cantares en el texto). No puede darse prueba más
cierta de que había en la primera mitad del siglo XIV
poesia popular castellana, cabalmente cuando la galaicoportuguesa estaba en todo su apogeo, y cuando
dicen que en Castilla no cantaba el pueblo más que en
galaicoportugués. Y las poesías populares del Arci-

preste están en variedad de metros cortos y en coplas
de gran riqueza técnica, sobre todo en octosílabos. La
composición para *escolares* pordioseros; esto es, para
estudiantes de la sopa, que comienza en la copla 1650,
es de la clase de *Villancico con coplas*, y según el sistema monorrimo:

> *Señores, dad al escolar*
> *que vos vieme demandar.*
> Dad limosna e ración:
> haré por vos oración,
> que Dios vos dé salvación:
> quered por Dios a mi dar, etc.

A la misma clase pertenecen los, versos *Del Ave*
María (copla 1661), la *Cántica de loores de Santa*
María (c. 1673), la otra del mismo título (c. 1684) y
las serranillas. No tenemos composición suya de la
clase de *Villancico con coplas y estribillo;* pero luego
veremos una de aquella época.

Los *Gozos* de Nuestra Señora:

> O Maria,
> luz del dia
> tu me guia
> todavia,

dice el códice G, escrito en 1389, que se han de cantar conforme a la tonada popular:

> Cuando los lobos preso lo an
> a don Juan en el campo.

Luego villancicos populares había. Y los gozos eran
cosa popular, y así ofrecen muchas variantes en los
códices.

En otro lugar (copla 1229) trae Juan Ruiz el comienzo de un cantar arábigo que se cantaba con
rabel:

El rabé gritador con la su alta nota:
¡Calbi, garabi! va tañiendo la su nota.

En mi edición del *Libro de buen amor*, comentando este lugar (copla 1229), dije que ese *¡Calbi garabi!*, que en arábigo suena *Mi corazón es corazón de árabe*, es el comienzo de una tonada arábiga que trae Salinas (*De Musica*, Salamanca, 1592, pág. 339), hablando del metro compuesto de "crético et trocheo", y dice así:

"Cuius cantus et saltatio apud nostrates in usu frequentissima solebant esse, a mauris, ut reor, accepta, nam verbis etiam Arabicis canitur: *Calvi vi calvi, Calvi aravi*. Cantum talis est:

Rey don Alfonso, rey mi señor."

Y pone la música de este cantar y baile popular, tan viejo que ya daba en rostro, y originó la frase: *No lo estimo en el baile del rey don Alonso*, que trae Correas (*Vocabulario*, pág. 22); y otros, como Pedro Vallés: *No lo estimo en un baile del rey don Alonso ni en un cantar vizcaíno*. Tenemos, pues, la música de este viejo cantar conservada por Salinas, la letra castellana conservada por Salinas y otros, y la letra arábiga conservada por Juan Ruiz [1]. Bailábase todavia en el siglo XVI. Tan antiguas como esta tonada y letra *Rey don Alonso, rey mi señor*, debemos suponer otros cantares con sus tonadas, que traen Salinas, Horozco, Correas, etc., como viejos, y otros conocidos desde el siglo XV. Este cantar arábigo fué tan popular entre castellanos y aun portugueses, como

---

[1] Si Ribera hubiera leido mi edición del *Arcipreste* se hubiera ahorrado varias cuestiones acerca de esta y otras frases y de los instrumentos allí comentados (Ribera, *La Música de las Cantigas*, págs. 82-85).

lo muestra el ama de la comedia *Rubena* (esc. 3), de
Gil Vicente, a la cual pregunta la hechicera:

"¿E qué cantigas cantáis?"

Y ella responde:

> "*A Criancinha despida*
> *Eu me sam dona Giralda*
> E tamben *Valme Lianor*
> E *De pena matais, amor*
> E *En Paris estaba Don Alda,*
> *Dime tu, señora, di,*
> *Vámonos, dijo mi tio,*
> E *Llevadme por el rio*
> E tambén *Calbi arabi*
> E *Levanteme un dia*
> *lunes de mañana...*

El texto dice erradamente *Calbi ora bi.* El villancico *Rey don Alfonso* es del tiempo del Arcipreste;
esto es, de Alfonso XI, a quien alude, y se cantó,
como se ve, con la misma tonada que el cantar arábigo *Calbi garabi.* Que hubiera comunicación entre
la música arábiga y la castellana lo vemos aquí y en
otros lugares de Juan Ruiz, que trata de instrumentos arábigos y de cómo les acomoda tal o cuál manera de cantar castellano.

Desde la copla 1225, donde se trata de como "dueñas e joglares salieron a recebir a don Amor", tenemos otra vez el cantar de primavera, de los enamorados, tan tradicional, como hemos visto por el *Poema de Alfonso XI,* y se repite lo de *enamorados, calandrias* y *ruiseñores:*

> Día era muy santo de la Pascua mayor:
> el sol salia muy claro e de noble color;
> los homes e las aves e toda noble flor,
> todos van recebir cantando al Amor.

Recíbenle las aves, gayos e *ruiseñores*.
calandrias, papagayos mayores e menores,
dan cantos placenteros e de dulces sabores:
más alegria hazen los que son más menores.
    Recíbenle los árboles con ramos e con flores
de diviersas maneras, de hermosas colores,
recíbenle los homes e dueñas con amores;
con muchos instrumentos salen los atabores.

Y continúa enumerando todos los instrumentos
músicos que vimos en el *Poema* citado, con otros
muchos, que en mi comentario explico largamente.
Mienta además (copla 1232) un motete y chanzone-
ta popular. ¡*Hadedur'albardana,* y nombres de bailes.

El *Libro de buen amor* está compuesto en el metro
de los eruditos, en la cuaderna vía, y en alejandrinos,
aun cuando entremete el autor muchos octosílabos,
conforme a la versificación popular. Pero populares
son los cantares y en rica variedad de metros cortos
y extraordinaria abundancia de combinaciones en las
coplas. Ciego es menester ser para no ver en el *Libro de buen amor* que había en Castilla, a principios
del siglo XIV, una gran lírica popular y otra no menos abundante, cultivada por poetas cultos, a quienes
el Arcipreste dice va dar muestras de metrificación.

Merecen especial mención y estudio las serranillas
de Juan Ruiz, no sólo por ser las más antiguas que
conocemos y el dechado del género, sino precisamente porque prueban que antes de él hubo cantares
populares serranos. Efectivamente, estas serranillas se
fundan en villancicos populares antiquísimos, que
son cantares de camino por la sierra, y se cifran en
el conocidísimo:

Salteóme una serrana
junto al pié de la cabaña.

Otros varios hay en la *Floresta*. Antiquísima debe

de ser la tradición de la *serrana de la Vera,* que dió
pie a las comedias de Lope, Tirso, Vélez de Gueva-
ra, y sobre la cual siempre se cantaron romances,
como los copiados en la *Floresta* (t. H, núms. 1275 y
1276), que conoce el lector. El tipo de aquella moza
cerril y terrible es verdaderamente salvaje y propio
de edades más que bárbaras, muy antiguo, por consiguiente. Y es el mismo que describe Juan Ruiz.
Vive en los puertos de la sierra; ayuda al caminante
sirviéndole de guía por su tanto y regalos que pide,
a manera de portazgo y hasta carga con él sobre sus
robustos hombros en los malos pasos, le lleva a su
choza, le da fuego y cena y poco a poco se enzarza
con él en discusiones amorosas y *lucha* o pasa con él
la noche. Si no la trata como ella desea, es hembra
terrible, que lanza dardos hechos de pedernal y chas-
quea su honda. Todo nos lleva a tiempos harto añejos.
Acaso en su origen fué alguna institución caritativa
propia de la mujer, como la de los monjes de San
Bernardo con sus perros entre las nieves de los Al-
pes, para encaminar y salvar a los caminantes. El
dardo de pedernal, propio de los tiempos prehistóri-
cos, indicio parece de cosa todavía más vieja. El Arcipreste, o acaso otros antes de él, tomó pie de los
cantares populares serraniegos y compuso los que él
llama *canticas de serrana,* de donde después dijeron
serranillas, buscando sobre todo el contraste entre la
delicadeza femenina y la dureza del vivir montaraz,
con la brutalidad física y moral que trae consigo; en-
· · la belleza de las serranas, su lozanía fresca y sencilla y lo salvaje del cuadro. De aquí que pinte serra-
ras hermosas y a la par feos monstruos, que le sugiere
ya el espíritu de parodia irónica, ya la misma realidad,
que tanto contrasta con lo que fantaseamos acerca
de la sierra. La serrana que pinta Juan Ruiz es, en

una palabra, la hembra que vive en el medio salvaje y rudo de la naturaleza, con todas las cualidades y pasiones, tal como brotan y sin disfraz. De aquí el realismo vivo de sus escenas: el amor y la crueldad, la natural belleza femenina y la deformación y fealdad, efecto de tan áspero vivir; el interés espoleado por la necesidad y la compasión femenina, la altivez pudorosa y la lujuria desvergonzada, la suspicacia y el candor, todo anda revuelto en la serrana y todo es natural en ella. Esto y el mismo nombre de *cantica de serrana* o *serranilla* nos dicen que no tiene aquí nada que hacer la *pastorela* francesa, provenzal o gallega. En la francesa, es una *pastora* y no serrana, la que se anda *por los prados* y no por sierra, *cantando amores* o *tejiendo guirnaldas* y no con honda y pedrero. La encuentra un caballero montado en su caballo, que es el mismo poeta; la *requiere de amores* y no le ruega le saque de atolladeros en lo fragoso de la sierra. Y todo ello pasa en *la dulce primavera*, no en el invierno helado. Así son todas las pastorelas, como dice A. Jeanroy (*Les origines de la poésie lyrique en France*, París, 1904, pág. 2), y en el final todas muestran, con pocas variantes en la manera de acabar, el odio al villano, la fanfarronería del narrador que alardea de fáciles conquistas; la división de clases, en fin, propia de la sociedad francesa. Esta pastoral es aristocrática de todo punto y hecha por ciudadanos cultos. La pastorela provenzal es más aristocrática todavía; "sus pastores y pastoras son villanos de ópera cómica"; "los poetas provenzales guardan el recuerdo de sus damas hasta entre los pastores, ya para mostrarles su fidelidad, ya para vengarse de sus desdenes", al entretenerse con las pastoras. La partorela francesa, según el mismo autor, es de origen provenzal y la provenzal fué lo que casi siempre fué la poesía pastoral (esto es, la culta): "pasatiempo de sociedades elegantes que descansan del hastío urbano revistiendo este disfraz pastoril agradable. Así son las sociedades menos sencillas las que se entretienen jugando más a gusto a este pastoreo".

Nada de esto se trasluce en Juan Ruiz; sus *Canticas de serranas* estan inspiradas en villancicos serraniegos y de caminantes y en la realidad de las mozas del Guadarrama, vistas como ellas eran en el real vivir de la sierra. Santillana a este fondo tradicional añade elementos provenzales en la manera de ver el asunto como un aristócrata, que no olvida su dama y en la blandura refinada del decir. Su mérito está en la sensibilidad y en la gracia del poeta que narra, más que en lo vivo, real y recio de la escena. Son más cultas y mucho menos populares que las de Juan Ruiz. La pastorela galaicoportuguesa no es más que una sombra, apenas abocetada, de la provenzal.

CANTICA DE SERRANA

Cerca de Tablada,
la sierra pasada,
halléme con Alda
a la madrugada.
   Encima del puerto
cuidéme ser muerto
de nieve e de frío
e de ese rucío
e de gran helada.
   Ya a la decida [1]
di una corrida:
hallé una serrana

---

[1] Bajada.

hermosa, lozana
e bien colorada.
  Díjele yo a ella:
"Homíllome, bella."
Diz: "Tú, que bien corres,
aquí non te engorres [2],
anda tu jornada."
  Yo l'dij' "Frio tengo
e por eso vengo
a vos, hermosura:
quered, por mesura,
hoy darme posada."
  Díjome la moza:
"Pariente, mi choza
el que en ella posa
comigo desposa
e dame soldada."
  Yo l'dije: "De grado:
mas yo só casado
aquí en Herreros;
mas de mis dineros
darvos he, amada."
  Diz: "Vente comigo."
Levóme consigo:
dióme buena lumbre,
como era costumbre
de sierra nevada.
  Diom' pan de centeno
tiznado, moreno;
dióme vino malo,
agrillo e ralo,
e carne salada.
  Diom' queso de cabras.
Diz: "Hidalgo, abras
ese blazo, toma
un canto de soma,

1 Detenerse.

que tengo ġuardada."
Diz: "Huésped, almuerza
e bebe e esfuerza,
caliéntate e paga:
de mal no se te haga
hasta la tornada.
Quien donas me diere,
cuales yo pediere,
habrá buena cena
e lichiga [1] buena,
que no l'cueste nada."
"Vos, que eso decides,
¿por qué non pedides
la cosa certera?"
Ella diz: "¡Maguera!
¿si me será dada?
Pues dame una cinta
bermeja, bien tinta,
e buena camisa,
hecha a mi guisa,
con su collarada.
Dame buenas sartas
de estaño e hartas
e dame halia
de buena valía,
pelleja delgada.
Dame buena toca,
listada de cota
e dame zapatas
bermejas, bien altas,
de pieza labrada.
Con aquestas joyas,
quiero que lo oyas,
serás bien venido:
serás mi marido
e yo tu velada."

1 Cama.

"Serrana, señora,
tanto algo agora
non traj' por ventura;
haré fiadura
para la tornada."
Díjome la feda:
"Do no hay moneda,
non hay merchandía
nin hay tan buen día
nin cara pagada.
Non hay mercadero
bueno sin dinero
e yo non me pago
del que non da algo
nin le do posada.
Nunca de homenaje
pagan hostalaje:
por dineros hace
home cuanto 'l place:
cosa es probada."

JUAN RUIZ.

El sistema, con cabeza con la cual rima el último verso de todas las coplas, es el de Abencuzmán y de los primeros poetas provenzales; aunque éstos, en vez de a la cabeza, ponían al fin el estribillo.

Hay en la Biblioteca Nacional una versión al castellano (ms. 10146) de la *Crónica Troyana,* que parece anterior a la anónima de 1350, aunque la copia sea de fines del siglo XIV. Su antigüedad se saca de palabras y frases, sobre todo en la descripción de la sexta batalla y de las modificaciones que hizo el autor de la copia, modernizando palabras y dividiendo mal los versos. Son harto notables algunos largos trozos líricos, "peregrinas joyas del parnaso español", como los llamó Amador de los Ríos, ya por la variada y suelta versificación, ya por la sinceridad del

sentir; ya, sobre todo, por el movimiento, calor
y vida. Los metros son populares y popular la
manera desembarazada y libre de la versificación.
Tradujo de ellos Amador de los Ríos el de la profecía de Casandra (tomo IV, 350), y todos juntos Paz
y Melia en *Revue Hispanique* (año 1899); pero son
de tal importancia, que voy a copiar los principales
del códice mismo, dividiendo bien los versos, suplien-
do faltas entre corchetes y empleando la fotografía
moderna.

"Como Anquiles hacia muy gran duelo e se me-
saba por el rey Patroclo su cormano, como quier que
todos los griegos hobiesen muy gran tristeza e gran
coita e heciesen muy grandes llantos.

Los unos por sus cormanos,
por amigos, por hermanos,
los otros por sus parientes,
que veían todos quemados
e los polvos soterrados
en tierras de extrañas gentes,
Anquiles, cosa certera,
por el Patroclo, el que era
un amor con él contado,
porque se amaron mucho,
a estado es aducho
de morir el malhadado.
Ca pues non lo veía vivo,
hacia llanto muy esquivo,
teníase por cofondudo [1]
muy gravemientre lloraba
su cabeza quebrantaba
mil veces en el escudo.
Toda su fruente rompía,

---

[1] *Confondido* en el códice, modernización; ha de con-
scnantar con *escudo*.

lloraba fuerte e decía:
¡ay Patroclo, ay amigo,
comigo quien cuidaría
que muerte nos pararía
de no vevir vos [comigo]
   siempre, mientre hi veviese
e que luego non moriese
yo cuando a vos viese muerto!
Mucho me hobo gran despecho
quien aqueste mal me hobo hecho
e por Dios hizo gran tuerto.

   Ca, si yo mal le heciera,
en mí mesmo se debiera
vengar ahí, señor cormano;
mas ¡ay mezquino! ¿qué digo?
ca yo vos maté, amigo,
yo mesmo con la mi mano.

   Yo vos maté, bien lo veo::
porque non salí al torneo
vos envié [grande] muerte.
Si yo cabe vos estodiera,
este mal non me veniera
nin esta coita tan fuerte.

   Que así vos amparara,
amigo, que non osara
[ninguno] hacervos daño:
mas finqué como alevoso
[e por] ende perdido só
[deste] quebranto tamaño.
....
....

fincaré desamparado,
noche e día lloraré,
nunca jamás ál haré,
amigo, por mi pecado.

   Nunca haberé compañero
rey nin duc nin caballero
nin haberé jamás compaña

con otro amigo ninguno,
pues non morimos en uno
en esta guerra tamaña.

Nunca haberé alegría
en toda la vida mía;
mas quiero haber por fuero,
por haber e por tesoro
siempre lágrimas e lloro:
¡ay Dios, cómo non [me] muero!

Amigo, ¿cómo me dejastes,
ca vos siempre me amastes
más que a vos mesmo sin falla?
Por mi mal es la mi vida,
por mi mal fué venida,
señor, aquesta batalla.

¿Qué será de mí, mezquino?
¡tan a so hora me vino
coita de tan fiera guisa!
¡Grecia fuese despobrada,
Troya toda fuese quemada
e tornada en ceniza!

¡Ay señor, qué compañero,
qué leal e qué guerrero,
que he yo en vos perdudo! [1]
¡Qué ardit e qué esforzado,
qué franco e qué enseñado
e qué manso e qué sesudo!

Don Héctor sepa, si quiere [2],
señor, que, si yo veviere,
que de lanza o de espada
o él a mí matará:
muy bien se vengará
la muerte que vos ha dada [3].

Cuando a vos descendíe
e las armas vos querie

1 *Perdido* con el códice.
2 En el códice: *que sepa sy quisiere.*
3 *Dado,* en el códice.

despojar, si él podiese,
la mi ventura ¿qué hobo
comigo, que me detovo
que non hi fuese nin lo viese?
   Ca, se yo me hí acercara,
caramente lo comprara
e non fuera ende reyendo
el vil, malo e lijoso,
que se mostró codicioso [1]
las vuestras armas queriendo.
   ¡Can rabioso que había!
¡lobo malo! ¡non le complía
de que vos había ya muerto!
Mas de tanto só seguro,
bien lo digo e bien lo juro,
que comprarlo ha este tuerto.
   E non por Dios el señero;
mas mucho buen caballero
de Troya, ca más de ciento
mataré yo e más de mil
por aquel malo e vil
lobo rabioso hambriento.
   E non será tan armado
que non sea bien probado
de mi lanza, bien vos digo
e mostrarvos he ya cuanto
del pesar e del quebranto
que yo he por vos, amigo.
   Anquiles esto decia
e con gran coita caía [2]
sobrel lecho amortecido
e los griegos que lo veíen
cuidaba[n] que lo habien
por [3] siempre jamás perdido.

---

1 En el códice: *que se vos mostró por codicioso.*
2 En el códice: *e con muy gran coyta cayen.*
3 En el códice: *para.*

E creed[1] que bien tres tanto
era ya el mayor llanto
que se hacía sobre el vivo[2]
que sobrel muerto e cuando
acordaba e iba dando
grandes voces el cativo

tirando de sus cabellos,
cobriendo el lecho dellos;
mas griegos por conortarlo
todos el lecho cercaron
e de Patroclo trabaron,
pensaron de soterrarlo.

E cuando le soterraron
todo[s]de Anquiles cuidaban
que se mataria con gran coita
e alli fué la su muerte,
allí fué el pesar fuerte,
allí maldecía su vida,
allí non sabía guarida,
allí non ha de sí cura,
allí se queja, allí llora
e por ende oíd agora."

(*Crónica Troyana*, traducida antes de 1350, manuscrito 10146, Biblioteca Nacional, fol. 94). En coplas de seis versos octosílabos.

COMO CASANDRA PROFETIZÓ LA DESTROICIÓN DE TROYA.

Gente perdida
malhadada,
cofondida,
desesperada,
gente sin entendemiento,
gente dura,
gente fuerte,

---

1   En el texto: *e cred*.
2   En el texto: *Bevo*.

sin ventura,
dada a muerte,
gente de confondimiento.
  ¡Ay gentío
malapreso,
de gran brío,
mas sin seso!
gentío de malandanza,
¡ay cativos,
sin consejo!
sodes vivos,
mas sobejo
es grave vuestra esperanza.
  Malhadados
¿qué hacedes?
¿despertados
non veedes
cuántos mueren cada día?
Ya el suelo
non los coge,
siquier duelo
vos enoje
por dejar esta porfía.
  Vuestros muertos
so[n] atantos,
que ya huertos
e plados cuantos
ha en Troya non los caben.
¡Ay mezquinos!
vos habedes
adevinos,
bien sabedes
entre vos muchos que saben
  el malhado
que vos presto.
¡mal pecado!
Es por esto
que vos a mí non creedes.

¡A malapresos,
malandantes!
bien como estos
vos, enantes
de mucho tiempo, moriredes.

   Vuestra joya
e vuestro bien,
toda Troya
que vos tien
así arderá a fuego.
Griegos ternán
muy gran bando,
a vos vernán
sagudando,
Ilion entrará[n] luego.

   ¡Ay qué queja,
qué quebranto
que queja
a mí tanto,
que non podria más sin falla!
¡Ay qué coita
malapresa,
qué acoita,
que me pesa
de aquesta negra batalla!

   ¡Ay qué pena
e qué tanta
que me pena,
que quebranta
hazme loca de despecho!

   ¡Ay cativ[os]
de...
pues...
destos bríos,
e dejad aqueste hecho.

   Gente mala,
mala gente,
non vos sala

ya de miente
siquier la vuestra vida.
Gran pena
vos es pres[t]a
por Elena,
si aquesta
guerra non fuere partida.

   Gente loca,
gente dura,
¡e qué poca
 es la cura
que de vos mesmos habedes!
Mas bien sé yo,
malhadados,
bien veo,
por pecados,
que todos por ende morredes.
   ¡Ay astrosos!
¿non [partides],
perezosos,
non vos ides
por non caer en aquesto?
Ay qué gran mal
pasaredes,
ay qué mortal!
¿non veedes
cómo vos está presto?

   ¡Ay corazón
quebrantado!
¿por cuál razón,
malhadado,
non te partes por mil logares?
¡Si podieses
que este daño
non lo vieses,
pues, tamaño
e de tantos pesares!
   Troya rica

e nombrada,
¡ay que chica
malhadada!
¿Qué será la vuestra honra?
Vos ardida,
despobrada,
cofondida
e arada
seredes por gran deshonra.
  ¡Ay troyanos
caballeros,
muy lozanos
e guerreros,
¡cómo seredes llorados!
Mas ninguno
que vos llore,
ca solo uno
que aqui more
non fincará, por pecados.
  Esto decía
la infante
e más quería
decir adelante;
mas non la dejaron.
Fué tomada
por sandía,
encerrada
noche e dia
como a loca la guardaron."

(*Crónica Troyana*, traducción de antes de mediado el siglo xiv, ms. 10146 Bibl. Nac., fol. 96.) Coplas de diez versos de variado número de sílabas, octosílabos y su pie quebrado o cuadrisílabos, aunque con la libertad métrica popular.

"Agamenon juntó todos los reyes de la hueste e hobieron su consejo para matar a don Héctor.

Este es su esfuerzo e su bien,

este es su cástiello fuerte,
este es el que los mantien,
este los guarda de muerte,
  este es su amparamiento,
este es toda su fuerza,
este es su acostamiento,
este es toda su esperanza,
  este es toda su creencia
sin pendón e sin señal,
este es la su mantenencia,
este es su seña caudal,
  este es su señor e su rey,
este es en cuyo poder son,
este es su dios, este es su ley,
este los guía e otro non,
  este es su recobramiento,
su escudo e su manto,
este es el su ardimento,
mas este es nuestro quebranto.
  Por este somos vencidos,
ellos por él ensalzados,
éste nos ha confondidos
éste nos ha quebrantados."

(*Crónica Troyana,* traducida antes de 1350, manuscrito 10146 Bibl. Nac., fol. 102 vt.º) Coplas de cuatro versos octosílabos o cuartetas.

"LA SEXTA BATALLA

  E hería e cortaba
tanta tajante espada
do fué tanta loriga
hermosa e desmanchada.
¿Cómo podría ser
que no fuese hí tajada
  mucha cabeza de hombre
rico e poderoso?
Andaba cada uno

muy bravo e muy sañoso
de lanza e de espada
de herir muy sabroso,
era hí el cobarde
ardit e agucioso.

Grande era el torneo,
grande era la batalla,
muy grandes los alcances,
grande era el herir sin falla,
quien podía dar herida
no se tardaba en darla,
quien la ha recebida
quejábase por vengarla.

Grande era el bollicio,
muy grande era ela vuelta,
andaban los caballos
todos en gran revuelta
reñichando [1] e saltando,
corriendo a rienda suelta,
non podía ya tenerlos
traba, rienda nin suelta.

Todos andaban iguales
los buenos e los mejores,
bien herían los vasallos,
bien herían los señores,
matar eran sus vicios,
matar eran sus sabores,
los que menos mataban
teníanse por peores.

Los escudos que eran
hermosos e pintados
andaban sin blocales
rotos e horacados,
sin brazos caían unos
e otros descabezados,
de muertos e de heridos

1   O reninchando.

llenos eran los campos.
Morían los señores,
lidiando los vasallos,
salían siellas vacias
aparte los caballos,
morían muchos dellos
andando por tomarlos,
los que recebien golpes
andaban por vengarlos.
Mais don Héctor e Anquiles
cadaque se hallaban
abajaban las lanzas
e grandes golpes se daban,
rompíanse las lorigas
e los escudos quebraban,
caien de los caballos,
mas luego los cobraban.
Desi [1] de las espadas
muy fuerte se heríen,
cortábanse los almofares
e los yelmos rompíen,
los rayos de la sangre
por los pechos corríen;
pero con todo aquesto
matar non se podien.
Sangrientas han las barbas,
sangrientos los cabellos,
allegábanse muchos
por sabor de verlos,
los unos e los otros
moríen por acorrerlos,
volvíense sus amigos,
matábanse sobrellos.
Veíenlo de la villa
las dueñas e las doncellas
que estaban por las torres
muy altas e muy bellas,

[1] Luego.

así las burguesas
que estaban hí con ellas
oien dar las heridas,
mas non querían verlas.
    Lloraban de los ojos
gravemente por ello,
cual rompía su cara,
cual rompíe su cabello,
la que habia amigo
quejábase por ello,
andan los dios rogando
por miedo de perderlo.
    Grande es el ·sacrificio
que por los templos arde,
¿qué vos yo mucho diga
que vos mucho detarde?
Duraron en aquesto
hasta que fué bien tarde,
el muy ardit heriendo
e heriendo el cobarde.
    Los escudos muy fuertes
pasando las cochiellas,
quebrándose las bastas,
volando las estiellas,
saliendo los caballos
aparte con las si[e]llas,
tornadas son bermejas
las yerbas amariellas."

(*Crónica Troyana*, traducida antes de 1350, manuscrito 10146 Bibl. Nac., fol. 120.) Octosílabos y
heptasílabos, todos agrupados en tetrastrofos a imitación de los de la cuaderna vía.

"TROILO AL DESPEDIRSE DE SU QUERIDA BRISEIDA

    Mas quienquier que hobiese
placer o alegría

bien podría quien quesiese
entender aquel día,
  que de la hora adelante.
que esto fué sabido,
Troilo el infante
muerto fué e perdido.

  Ca él muy más amaba
Breise, que sí:
matábase e lloraba
desi decía así:
  El mi bien, el mi seso,
la mi vida viciosa,
todo lo tiene preso
la mi señora hermosa.
  Mi placer, mi cuidado
en ella lo he puesto:
si yo soy esforzado
o ardit o apuesto,
  por ella lo soy todo.
Cuanto ál en el mundo veo
todo me semeja lodo
e nunca ál deseo
  de bien, sinon veerla;
mas non puedo haber
placer nin bien sin ella,
ca si hoy cuanto haber
  en el mundo toviese
nin cuanta otra nobleza,
non creo que perdiese
cuidado nin tristeza,
  si fuese de mí partida
o fuese alongada
la que tien la mi vida
toda de sí colgada.
  E yo esto, mezquino,
siempre gelo decía
e era adevino
de lo que a ver había.

Ca ya agora soy yo
en lo que adevinaba,
mi muerte ya la veo;
ver non la cuidaba.
    ¿Quién sería que creyese
que Troya la viciosa
así partir quesiese
a quien es una cosa?
    ¡Ay Priamo, mi padre,
tan mal que lo hecistes; [1]
Ecuba, la mi madre,
por mi mal me paristes!
    Ca si yo fuese muerto
en aquesta batalla,
non heciera este tuerto
el mi padre sin falla.
    ¿Quién sería que por ruego
de falso enemigo
quesiese matar luego
su hijo e su amigo,
    que ante non quesiese
sofrir gran afruenta,
si non fuese quien hobiese
muchos hijos sin cuenta,
    como el mi padre
que non da por mi nada?
Mas bien sé yo que mi madre
morrá por mi, cuitada,
    cuando a mí muerto hobiere:
e cerca está mi muerte,
pues que haber non podiere
Breiseda, mi conorte.
    Llorando con ojos,
serán muertos o ciegos
ambos estos mis ojos,
pues vi ir [2] para griegos

1   Texto: *fezieste.*
2   Texto: *pues vier.*

mi señora, mi defesa.
E vaya muy biendicha,
ca de tal rey promesa
nunca será desdicha.

E de mí non se queje,
por mí non se desconorte,
ca, maguer me ella deje,
non me dejará la muerte.

Pero, mezquino, pienso
si me iría con ella;
mas en aquesto loco só, [1]
si por una doncella

que echan de la tierra,
maguer que la cobrase,
heciese tan gran yerra,
que traidor me tornase.

E buen traidor haría,
si por miedo de muerte
dejase la gente mía
en tal guerra tan fuerte.

Derian que dejaba
cercados a mis amigos
e con miedo me pasaba
a los mis enemigos.

Por ende val más agora
que yo mesmo me mate
por vuestro amor, señora,
e nada ál non cate.

Mas ¿qué temo que despecho
me hobiésedes sin falla,
si haciendo buen hecho
en aquesta batalla

muerte prender podiese
e por mí me matase?
¿temo quien lo oyese
que por muy vil me contase?

Troilo en aquesto

---

[1] Texto: *so loco.*

ya cuanto asosegaba,
muy alegre e muy presto
e muy sabroso estaba,
    atanto que saliese
el plazo e se acabasen
las treguas, que se metiese
en logar do lo matasen
    los griegos e heciese
él en ellos tal hecho,
que en cuanto veuiese [1]
Breiseda fuese ende retrecho."

(*Crónica Troyana*, traducida antes de 1350, manuscrito 10146 Bibl. Nac., fol. 126 vto.). Cuartetas heptasílabas.

"Cuando Breiseda, que amaba a Troilo non más que a sí, sopo las nuevas de la su ida e vió que se habería por fuerza de partir de aquel a quien feciera muchas veces amor de su cuerpo sabiéndolo los más de la ciudat, por poco no se morió:

    E allí fué el cui[da]do,
allí fué la coita fuerte,
allí tovo ella guisado
de veer cerca su muerte.
    Allí fué la gran flaqueza
de corazon e la saña,
allí fué la gran tristeza,
nunca hombre vió tan maña.
    De corazón sospiraba,
de las manos se heríe,
muy gravemente lloraba,
toda la color perdie.
    E decía: ¡ay qué ventura,
mí, mezquina! ¡malandante,
atan fuerte e tan dura!
¿por qué non morí yo ante

---

1   *Beviese*, en el texto.

que aquesto llegase
nin que me en aquesto viese?
¿Quién fué nunca que cuidase
que yo el mi señor perdiese
    nin que así fuese echada
del lugar do fuí nacida?
Por Dios, desaventurada,
por mi mal fué la mi vida.

    Ca nunca yo en tal manera
cuidé ir al albergada, 1
ca una vil soldadera
sería asaz deshonrada.

    De ir así vevir en hueste
¿cómo iré yo, mezquina?
Mas ya que quier que nos cueste 2
convien nos de ir aína.

    Pues lo el rey por bien tiene,
no hay ál de hacer;
mais ¡ay Dios!, ¿por qué me viene
este tan gran [des]placer?

    Ca yo creí nin duc nin conde
nin otra caballería
nin conozco allá donde
pueda haber alegría.

    E allegan, diz; ¡cativa!
Por Dios ál me está guisado,
ca bien sey yo en cuanto viva
lloro e coita e cuidado

    de mí non se partirán
e llorando los mis ojos
nunca jamás reirán:
tantos seran los enojos

    e el mal de cada parte,
que habie siempre conmigo,
que más mal haz quien nos parte.
¡Ay Troilo, ay amigo!

1 El campamento griego
2 *Coste* en el texto.

E Troilo cual fianza
de ambos he en vos metida,
señor, la mi esperanza
toda es perdida.

Nunca en el mundo fué cosa
que vos tan gran bien quisiese;
mas finco ende tan perdidosa
como si vos nunca viese.

Pero en la muerte me atrevo
sin acorrer todavía:
Priamo desamar debo,
que de su villa me envía.

E desámolo sin falla,
ca non debía él quejar
de ir a hueste nin a batalla
e mi amigo dejar.

Mais pues así es, la muerte
se duela desta cativa
e la guarde que en tan fuerte
coita (que) fasta cras non viva.

Ca yo tal pesar veo
tal daño e tal quebranto,
morir codicio, deseo,
non quiero otra cosa tanto.

Esto decía e lloraba,
prendedero nin toca
en su tiesta non dejaba,
daba voces como loca.

E rompie los sus cabellos
ante sí los allegando,
hacía gran llanto sobrellos
a Troilo enmentando [1]."

(*Crónica Troyana*, traducida antes de 1350, ms. 10146 Bibl. Nac., fol. 127). Cuartetas octosílabas.

Después de leídas estas poesias, tan ricamente versificadas, de espíritu tan hondamente lírico, de tan

_____

[1] Poniendo en *mientes*, *mentando*, repitiendo a voces.

denso contenido poético, tan ajenas de la menor huella de afectación literaria o libresca, ocurre preguntar: ¿son obra del desconocido traductor de la *Crónica Troyana* o eran cantares sueltos populares que corrían, copiados o a lo más acomodados y refundidos por el traductor? De cualquier manera que sea, se saca de ellos que la poesía lírica estaba muy desenvuelta por aquellos tiempos y que la versificación había llegado a la cima de su perfección. No es en la técnica una excepción el gran poeta Juan Ruiz, como pudiera haberse creido antes de conocer estas poesías de tan rica técnica como la del afamado Arcipreste. Ni era tal técnica patrimonio de algunos excelsos poetas, sino cosa común y corriente, pues no fué famoso como poeta el traductor, sino un literato desconocido, que traduce y le ocurre ingerir esos versos, suyos o no suyos. La verdadera inspiración lírica, la elegancia en todo, lo acabado de la versificación, muestran claramente que la lírica llevaba muchos años de vida en Castilla y precisamente cuando nos dicen que no había lírica ni popular ni erudita, sino lírica extraña galaicoportuguesa. A esa lírica extraña gana la de estas poesías en brío de expresión, en sinceridad afectuosa, en hondura psicológica. No tiene que ver con ella ni en la técnica ni en nada. El trozo épico de la sexta batalla es un trozo popular puesto en la cuaderna vía, calcado sobre los populares romances de nuestra epopeya. No hay en *Mío Cid* trozo que le lleve ventaja. Y siendo esto así, parece natural admitir que los otros trozos liricos están igualmente tomados de cantares populares y por lo menos en ellos inspirados y calcados, si son del traductor.

Un siglo antes del Marqués de Santillana, según el padre Getino (*La Ciencia Tomista*, 1921, núm. 68), sc hizo cierta versión rimada de los himnos de Santo Tomás, en versos populares. En el mismo códice hallamos un villancico con coplas y estribillo, que de todos modos es de la segunda mitad del siglo XIV. Véase y compárese con los *Gozos* de Juan Ruiz, porque tienen el mismo sabor popular:

> *Virgen digna de honor,*
> *de ti nació el Salvador.*

> De ti, Virgen, este día
> nació el nuestro Mesía,
> que el mundo salvar venia
> por el nuestro muy gran error.
> *Virgen digna de honor,*
> *de ti nació el Salvador.*

> En Belén te acaeció,
> cuando el tu Hijo nació,
> el lucero apareció,
> a los tres reyes fué guía.
> *Virgen digna de honor,*
> *de ti nació el Salvador.*

> Por estrella se guiaron
> cuando a tu hijo hallaron,
> todos tres le adoraron
> presentes de gran valor.
> *Virgen digna de honor,*
> *de ti nació el Salvador.*

> Mirra ofreció Gaspar,
> Melchor encienso le fué dar,
> oro ofreció Baltasar,
> adorando al buen Señor.
> *Virgen digna de honor,*
> *de ti nació el Salvador.*

> Yo que hice este ditado
> al Dios tengo mucho errado:
> por ti sea perdonado
> el día del muy gran temor.
> *Virgen digna de honor,*
> *de ti nació el Salvador.*

Aquí tenemos el sistema común del *villancico con coplas y estribillo*, tan cultivado después en castellano y desconocido en la lírica gallega y portuguesa, y además el sistema monorrimo. Esta composición sería un enigma, si no tuviéramos la de Berceo y el sistema de las *Cantigas* de Alfonso X y el de Abencuzmán. Nadie, sin embargo, habla de la lírica popular castellana en el siglo XIV.

Del último tercio del mismo siglo es el *Rimado de Palacio*, del canciller Pero López de Ayala, donde hallamos villancicos de la misma hechura, en octosílabos, escritos unas veces como versos, otras como hemistiquios de versos de 16 sílabas, con el villancico a la cabeza y coplas tras las cuales el villancico se repite como estribillo. Así en la edición de Kuersteiner, tomo II, pág. 130, hay un "cantar" o "cantica" (coplas 763-767) y otro "cantar" en la pág. 132 (copla 772-778) que dice así:

> *Tristura e cuidado*
> *son conmigo toda vía,*
> *pues placer e alegría*
> *así me han desanparado.*
>   *Así me han desamparado*
>   *sin les nunca merecer,*
>   *ca siempre amé placer,*
>   *de alegría fuí pagado,*
>   *e agora por mi pecado*
>   *contra mí tomaron saña*
>   *en esta tierra estraña*
>   *me dejaron, olvidado.*
> *Tristura e coidado*
> *son conmigo toda vía,*
> *pues placer e alegría*
> *así me han desanparado.*

Y siguen dos coplas más con el estribillo al fin de cada

una. Otro cantar en la pág. 139 (coplas 802-808). En
la pág. 152 (copla 854) dice así:

> E allá hiz muy gruesos cantares
> de gran estilo...
>
> ....
>
> que son versotes conpuestos a pares,
> materia ruda.

En otro códice, el del tomo I, pág. 147 (copla 838)
dícese con variantes:

> Della hice algunos cantares
> de grueso estilo...
>
> ....
>
> que con versetes compuestos a pares,
> materia ruda.

Y esos *versetes* son un villancico como los anteriores, con coplas y estribillo. Otros cantares parecidos
síguense a éste desde la pág. 154 (copla 863).
En el *Cancionero de Baena* (núm. 518) traduce de
San Ambrosio "versetes algunos de antiguo rrymar",
y son octosílabos, llamándolos así en oposición a los
de *arte mayor* o de doce sílabas.

Y nótese que un poeta erudito como el Canciller,
que escribe como los del mester de clerecía, cuando
quiere *ir en romería* a santuarios de la Virgen compone cantares o canticas o villancicos al estilo popular. Y es que la lírica del pueblo castellano iba ya
tomando vuelos hasta entre los eruditos.

Don Pero González de Mendoza, padre del almirante don Diego Hurtado, nació el 1340 y murió el
1385 en la batalla de Aljubarrota por salvar la vida a
don Juan I. Su nieto el Marqués de Santillana dijo
de él en el *Prohemio* que "usó una manera de decir
cantares, así como Cénicos, Plautinos y Terencianos,
también en *estrimbotes* (son los *estribillos*) como en

serranas". En el *Cancionero de Baena* hallamos cuatro poesías suyas, de las cuales dos llevan villancico a la cabeza, a la manera castellana. La una está medio en galaicoportugués:

Por Deus, señora, non me matedes,
qu'en miña morte non ganaredes.

    Muy sin infinta e muy sin desdén
vos amei siempre más que a otra ren,
e si me matades por vos querer bien
¿a quen vos desama qué le faredes?

Síguense otras tres coplas, cuyo último verso rima en todas con el villancico y los otros tres son monorrimos.

La otra lleva el villancico:

Pero te sirvo sin arte
¡ay amor, amor, amor!
Gran cuita de mi parte,

con tres coplas de siete versos. Véase la primera:

    Dios, que sabes la manera,
de mí ganas gran pecado,
que me non mostras carrera
por do salga de cuidado.
Pues aquesta es la primera
dona de quien fuí pagado,
que non amo en otra parte.

Llámanse allí *cantigas* a la portuguesa; pero el llevar villancico ya es cosa tomada de la lírica popular castellana.

Su hijo, el almirante don Diego Hurtado de Mendoza, hizo un *cossante* o cantar coral de primavera, con villancico y estribillo, que se guarda en manuscrito de la *Real Biblioteca*. Y adviértase que falleció en 1404, de modo que fué obra del siglo XIV:

Aquel árbol que mueve la hoja
algo se le antoja.

Aquel árbol del bel mirar
hace de maniera [1] flores quiere dar:
algo se le antoja.

Aquel árbol del bel veyer
hace de maniera quiere florecer:
algo se le antoja.

Hace de maniera flores quiere dar,
ya se demuestra, salidlas mirar:
algo se le antoja.

Hace de maniera quiere florecer,
ya se demuestra, salidas a ver:
algo se le antoja.

Ya se demuestra, salidlas mirar,
vengan las damas las frutas cortar:
algo se le antoja.

Ya se demuestra, venidlas a ver,
vengan las damas las frutas coger:
algo se le antoja.

(*Manuscr.* Bibl. Real; véase en copia, manuscrito 3757 Bibl. Nac.)

Este cantar tiene del sistema castellano el villancico inicial, cuyo segundo verso se repite como estribillo tras cada copla, como en el cantarcillo de Bercec y el uso corriente. Del sistema gallego tiene el tipo de la poesía que ya hemos analizado *Per ribeyra do rio*: seis coplas o tres divididas en dos partes; cada una de las partes consta de un pareado y los segundos versos se repiten como primeros en las coplas siguientes. Dos voces hay que notar: *veyer* por *veer=ver* y *maniera* por *manera*, según otra variante *mania* por *maña*, que antiguamente valió manera. No son voces gallegas ni portuguesas, sino variantes dialectales o acaso gráficas en que se escribe *ie* la *e*. Las demás voces son castellanas. Es cantar coral a dos coros, como la danza prima, co-

---

[1] *Mania*, en la Bibl. Nac.

rrespondiéndose copla a copla cada dos del cantar.
Es cantar de mayo o primavera: el árbol mueve la
hoja, quiere florecer, da frutas. Está inspirado, por
consiguiente, en las mayas populares, como las poesias galaicoportuguesas de inspiración popular gallega; pero como éstas, es obra de poeta culto y para
cortesanas: *vengan las damas.* El título de *cosante*,
que dan a este cantar, lo hallamos en la *Relación de
los fechos del mui magnifico e mas virtuoso señor
el señor don Miguel Lucas, mui digno Condestable
de Castilla,* en tiempo de Enrique IV, donde se lee:

"Y por cuanto este día recreció mucha pluvia del cielo,
ni se corrieron toros ni se hicieron otras novedades, salvo el danzar y bailar y cantar *en cosante* y otros entremeses a tales fiestas anejos (año 1461)."

El de Hurtado de Mendoza es uno de los cantares con que se danzaba, bailaba y cantaba *en cosante.* Como *cosero* o *corsero, corcel* y *corsario,* parece
voz derivada de *cossar* o *corsar, cursar* de *currere,*
correr, como *coso* o *corso* de *cursus.* Pero hay la dificultad de que en el *Diálogo,* de Rodrigo de Cota,
se lee *corsaute* y en coplas de Antón de Montoro
(*Cancionero de Burlas,* ed. Usoz, pág. 115) se dice:

tañedor de burleta
o cantador de corsaute.

Y lo bueno es que rima aqui *corsaute* con *faraute.*
De suerte que cabe dudar sobre la voz *cosante.* Pero
no del cantar, que era de danza de primavera. Puymaigre dice de don Diego Hurtado de Mendoza que
compuso:

"Une chanson a danser, qui, comme une pièce d'un de
nos troubadours, Ermenguan, porte le titre de *l'Arbre
d'amour.*"

Arbol de amor es, sin duda, el cantado por don

Diego, árbol de primavera, que acaba de echar hojas y luego frutas y en torno del cual acaso danzaban y cantaban las damas, como lo hacían las mozas delante de la maya o reina por ellas escogida para alegrarla cantando las flores y la primavera. Ya advertí que este cantar tenía algo de los de primavera provenzales y franceses. De J. Bédier tomo estos dos ejemplos (*Rev. des Deux-Mondes*, 1896, 1 mai):

> Tendez tuit la main a la flor d'esté,
> a la flor de lis
> por Dieu, tendez i!

Este *refrain* casi parece popular y expresa condensada la idea del cosante, convidando a coger la flor y el fruto del árbol que revive en mayo.

Véase este *rondet de carole* o de danza en corro, que técnicamente es como el *triolet*:

> (Solista y luego coro, *refrain*.)
> Compaignon, or du chanter,
> en l'onor de mai.
> (Solista, copla.)
> Tout la giens sor rive mer...
> (Coro, *refrain*.)
> Compaignon...
> (Solista, copla.)
> Dames i ont bals levez...
> (Coro, *refrain*.)
> Compaignon...

Del siglo XIV es la *cantyga de Santa Marya*, de Alvarez de Villasandino, que trae el *Cancionero de Baena*:

> Virgen digna de alabanza,
> en ti es mi esperanza.

Síguense las coplas de tres versos monorrimos y otro en —*anza* rimando con el segundo verso del villancico. Es del sistema de *Villancico con coplas*. Villasandino, no sólo imita en sus poesías cultas el sistema popular, sino que él mismo confiesa haber hecho villancicos (o *estribotes*) populares (*ladino*), que Baena no se dignó recoger. Así dice en aquel *Cancionero* (núm. 546):

> Maguer por ventura para los juglares
> yo hice estribotes trobando ladino.

Estribotes es lo que *estribillos*, esto es, poesías de villancico con coplas y estribillo, como don Pero González de Mendoza los llamó *estrimbotes*: "también en estrimbotes como en serranas", según su nieto el Marqués. Es notable otra poesía suya (número 31) por rimar los dos últimos versos de las coplas con los dos del villancico:

> *Quien de linda se enamora*
> *atender debe perdón*
> *en caso que sea mora.*
>
> El amor e la ventura
> me hicieron ir mirar
> muy graciosa criatura
> de linaje de Agar:
> quien hablare verdad pura
> bien puede decir que non
> tiene talle de pastora.

Y así en las cinco coplas de la composición. Es el sistema tomado en Córdoba por los árabes y del cual trae ejemplos Aben Jaldún. Villancico llevan a la cabeza las más de las composiciones del Arcediano de Toro, del siglo XIV, en el mismo *Cancionero*. Así el núm. 314 en gallego:

> A Deus, Amor, a Deus, el Rey
> que en ben servi,
> a Deus, la Reyna a quen loey
> e obedescí.

Igualmente, de las cinco de Macias, dos llevan villancico a la cabeza (núms. 307 y 308). Todo lo cual nos prueba que por obra de la lírica popular ya en el siglo XIV nuestros poetas cultos introdujeron el uso del villancico puesto a la cabeza de la composición, aun escribiendo en gallego, cosa jamás vista en los Cancioneros portugueses.

Pero el influjo de nuestra poesía popular fué tan manifiesto en el siglo XIV, que probablemente escribieron ya en castellano los portugueses de aquel siglo. Hablando del rey portugués don Pedro, esposo de doña Inés de Castro, escribe Fernando Wolf en su *Historia de las liter. cast. y port.* (tomo II, pág. 469):

"No nos quedan, por lo tanto, más que das cinco canciones que bajo su nombre se admitieron en el *Cancionero de García de Resende,* una de las cuales está compuesta en lengua española, y que si procede, en efecto, de ese rey, nos ofrece prueba notable de que ya entonces *se servían los poetas portugueses de la lengua española.* Las otras cuatro poesías portuguesas del mismo, únicas del siglo XIV, que ha recogido Resende en su por lo demás tan rico *Cancionero,* son cancioncillas amorosas, cantigas *del todo, en la forma de las antiguas canciones españolas de arte menor.*"

Notable es el testimonio de Eugenio de Narbona, en su *Vida del arzobispo Tenorio,* Toledo, 1624, el cual aludiendo a la época de Enrique III (1390-1407) escribe (cap. XVII):

"Sabiendo (las gentes) que los encuentros entre el arzobispo de Santiago y el de Toledo producen estos efectos y con *cantares y refranzillos* descubría el pueblo lo que creía, y ansí andava uno en la corte, según el estilo de aquel tiempo, que dizia:

Echado le ha el agraz

Ferreçuelo a Machagaz;
pero si Machagaz se suelta,
Ferreçuelo es en revuelta."

En el nombre de Ferreçuelo entendiendo al de
Santiago, y en el de Machagaz al de Toledo, que por
algunos dias perseveró en prisión." Alfonso Alvarez
de Villasandino hizo a este propósito un *dezir*, que
trae el *Cancionero de Baena* (núm. 152). Esta copla popular satírica, en dos pareados octosílabos,
en nada se diferencia de las que después se cantaron
en casos tales, como en tiempos de Felipe IV y Carlos II y aun hoy día se hacen y cantan.

En el mismo reinado de Enrique III tuvo amores Payo Gómez con doña María Gómez en la villa
de Xodar. Gonzalo Argote de Molina, que lo cuenta
en su *Discurso sobre el itinerario de Ruy González
de Clavijo*, añade:

"Corresponde a la memoria de aquestos amores aquel
cantarcillo antiguo que dice:

En la fontana de Xodar
vi a la niña de ojos bellos
e finqué herido dellos
sin tener de vida un hora."

Dicen que por esta razón el rey don Enrique le
quiso prender y Payo Gómez se fué huyendo a Galicia y de alli a Francia. Por aquí se ve que el pueblo inventó este cantar, compadeciéndose del des-
graciado amante, como suele suceder.

Acabemos el siglo XIV con un texto de Jerónimo
Blancas, *Coronaciones*, pág. 75, donde hablando de
la coronación del rey don Martín, año de 1399, dice:
que en el banquete

"oíanse voces muy buenas, que con diversos instrumentos de música cantaban muchos *villancicos y cancio-*

nes en honra y alabanza de aquella fiesta... De dentro desta nube bajó uno vestido como ángel cantando maravillosamente y subiendo y bajando diversas veces dejábase caer por todas partes muchas *letrillas* y *coplas* escritas."

V

LA LÍRICA GALAICOPORTUGUESA EN CASTILLA

Cuanto acabamos de decir acerca de la lírica popular castellana hasta fines del siglo xiv prueba que es tan antigua y aún más que la gallega y por de contado mucho más que la cortesana portuguesa, en la cual se cruzan la provenzal erudita y la gallega popular en manos de trovadores eruditos y cultos que imitan entrambas.

No han faltado, sin embargo, quienes proclamasen que la lírica popular castellana vino de Galicia y aún de la corte portuguesa. ¿La razón? El darse *Cancioneros* portugueses y no darse cancioneros castellanos. Es la misma razón por la cual Martínez Marina y otros creyeron que no hubo romance castellano hasta el siglo xii, puesto que hasta aquel siglo no se conocen documentos escritos en castellano.

Todos los *Cancioneros* portugueses son cancioneros de lírica cortesana y erudita y, si no los hubo en Castilla, es porque la lírica erudita todavía no estaba muy de moda aún en nuestro idioma. Los eruditos y cortesanos españoles imitaron por entonces la lírica portuguesa, que entre ellos se puso de moda; pero este acontecimiento no prueba que no hubiese lírica popular castellana, como ya hemos probado que la hubo. Menéndez y Pelayo suponía que en Castilla no se dió otra lírica que la portuguesa y que no solamente los cortesanos, sino que el pueblo mismo cantaba en portugués. No negaré yo que, cuando se cantaran en Murcia y Sevilla algunas cantigas del rey don Alfonso X en festividades religiosas, las entendiera más o menos la gente popular, ya que entonces no diferían tanto el galaicoportugués y el castellano. Y aun por eso pudo arraigar la moda entre cortesanos de poetizar en lengua extraña. como, por el contrario, ni se ensayó siquiera el escribir cantares de gesta en francés, a pesar de haber nacido la literatura erudita al calor y a imitación de la francesa, ni se cantó liricamente en provenzal, a pesar de la cabida que los trovadores provenzales tuvieron en las cortes de San Fernando y de Alonso *el Sabio*. Eran idiomas harto lejanos del castellano aquellos para que a tanto se atreviesen los nuestros. En cambio, los catalanes poetizaron en provenzal y no en galaicoportugués, por el parecido de los dos idiomas lemosines.

Pero si el pueblo castellano acaso entendía las cantigas cantadas en el templo, no por eso se puede afirmar que el pueblo cultivase la lírica galaicoportuguesa y no tuviese lírica propia castellana, hecho que hemos comprobado con sólo examinar el cantarcillo de Berceo.

Hubo, pues, dos líricas en Castilla, como hubo dos épicas: la erudita y la popular. Los cortesanos cultivaban la lírica erudita, extraña, así como ellos y los clérigos cultivaban el mester de clerezía, francés menos en la lengua. Siempre unos y otros tuvieron a gala imitar a los extraños y despreciar lo del pueblo. Púsose de moda escribir cantares siguiendo a los portugueses y escribir poemas épicos siguiendo a los franceses. Y unos y otros eran los que se escribían y se han conservado.

El pueblo cantaba su epopeya o romances históricos y sus canciones líricas: unos y otros nada tenían que ver con Francia ni Portugal, ni con las modas que van y vienen. Como toda esta literatura popular, épica y lírica, no se escribía porque el pueblo no sabia escribir y los que escribir sabían la menospreciaban, ni casi tenemos romances ni villancicos escritos en aquel tiempo. Sin embargo prosificaron los romances los redactores de la *Crónica general* y salváronse algunas muestras líricas del pueblo por referencias o imitaciones de algunos escritores, como hemos visto en los trozos citados.

"El prestigio de esta poesía gallegoportuguesa llenó a toda España, hasta el punto de que en Castilla la lírica nació como planta exótica."

Tal afirma Menéndez Pidal, sin que sepamos si habla de la lírica erudita, que entonces tendría razon en parte o, digamos, impropiamente hablando, o si habla de la popular, que entonces no la tendría de ninguna manera. Y digo en parte o impropiamente hablando, porque la lírica erudita o gallegoportuguesa no puede decirse que *nació como planta exótica en Castilla.* Los cortesanos y el rey escribieron poesías en gallegoportugués, tomaron parte en los debates y contiendas que se traían los trovadores portugueses y nada más. Mucho menos *llenó a toda España* esa extraña poesía. ¿Qué pruebas hay de ello? Sólo se sabe que la cultivaron algunos contados cortesanos.

"¿Y el pueblo? El pueblo parece que hacía lo mismo que los poetas cultos: rendir tributo a la superioridad reconocida de la lengua gallega."

¿Cómo prueba Menéndez Pidal tamaña aserción? Repitiendo el argumento de Menéndez y Pelayo:

"Una anécdota nos lo indica (sigue diciendo Menéndez Pidal). El rey aragonés don Jaime *el Conquistador* trató en Maluenda, aldea de Calatayud, el casamiento de su hija Constanza con el infante de Castilla don Enrique, el que después fué senador de Roma, mozo enamorado y aventurero, que se disfrazó de criado para poder acompañar y hablar a la infanta en un viaje, sirviéndola de lacayo, y luego, para merecerla, se empeñó en la conquista de un reino moro. El pueblo castellano se interesó por este apasionado amor; pero el viejo rey aragonés no hizo de él el menor caso, y por conveniencias políticas faltó a su palabra, como otras dos veces había hecho ya; los castellanos entonces cantaban al aragonés un cantar, cuyo estribillo era:

> Rey vello que Deos confonda,
> tres son estas con a de Malhonda.

La deducción que de esta anécdota se saca parece fundada: *el vulgo castellano*, que cantaba en la lengua propia sus gestas heroicas, *cantaba su lírica en una lengua extraña*, aunque hermana gemela."

No pasaré adelante sin poner alguna enmienda a lo de que *el viejo rey aragonés no hizo de él el menor caso y por conveniencias políticas faltó a su palabra*. Léase a don Juan Manuel en su *Tratado sobre las armas*, de donde sacó esta anécdota Menéndez y Pelayo (aunque la cite como tomada del *Conde Lucanor*), copiada a su manera por Menéndez Pidal, y se verá cuán apurado se vió don Jaime para cumplir como debía con dos cosas opuestas, y como él deseaba cumplir.

"El rey don Jaimes, *como era home bueno et leal*, non se catando *de tan fondo engaño et de tan grande maestría* (de su hija), dijo a su fija que era en muy gran coita."

Era en muy grand coita ¿es, por ventura, *no hacer el menor caso?* *Faltó a su palabra* menos se compa-

gina con *como era home bueno et leal,* que dice don
Juan Manuel. El *engaño hondo* de parte de los príncipes estaba; don Jaime procedía con sencillez y buena intención: *non se catando de tan hondo engaño et
de tan grande maestria.*

El que así interpreta la historia ¿es de esperar
interprete mejor lo del pareado? *El vulgo castellano,*
dice Menéndez Pidal, cantaba en gallego, pues cantó ese gallego pareado. ¿Dónde dice don Juan Manuel que el *vulgo castellano* era el que inventó y cantó tal cosa? Lo inventarían y cantarían los del partido de don Enrique, sus cortesanos, entre los cuales se cultivaba la poesía galaicoportuguesa, con
las procacidades y desvergüenzas que nos muestran
los *Cancioneros.*

Era un caso de tantos para mostrar el ingenio los
versificadores y más a propósito cuanto se trataba
de zaherir al viejo rey don Jaime, con quien don
Enrique, su amo y señor de ellos, estaba a mal.

"El rey don Alfonso, dice don Juan Manuel, desque
este pleito hobo firmado con el rey de Aragón, endere-
zó a Niebla do estaba don Anrique su hermano, et desque don Anrique sopo en cómo habia perdido el ayuda
del rey de Aragón, et que el rey su hermano venia a
Niebla con muy grand poder, non speró, et el rey tomó
luego a Niebla, et don Anrique vinose dende contra
Estremadura robando et faciendo muy grand guerra."

Así andaba con los suyos de despechado don Enrique y en esta coyuntura es cuando cuenta don Juan
Manuel la anécdota, pues prosigue diciendo:

"Et oi decir a Alfonso Garcia et a otros homes de
casa del infante don Manuel, mio padre, que viniera
entonces a Niebla a tener frontera contra don Anrique
su hermano, et aun entonces porque el rey de Aragón
non tovo el pleito que puso con don Anrique, ficieron

un cantar de que me non acuerdo sinon del refran, que
dice:

"Rey bello, que Deos confonda
tres son éstas con a de Malonda."

¿Qué tercera mala partida era esta de don Jaime
contra don Enrique? La venida a Niebla del Rey
don Alfonso de Castilla, como consecuencia del
concierto que acababa de hacer con don Jaime. El
pareado iba, pues, tanto contra don Alfonso como
contra don Jaime. No lo cantaban los cortesanos
del rey de Castilla don Alfonso, ni es de suponer
que las gentes del pueblo de la región de Niebla a
donde don Alfonso llegaba y de quien eran vasallos,
y que había conquistado a los moros aquella tierra,
y que les dió en 1283, a los habitantes de Niebla,
nada menos que los mismos *Fueros* que a Sevilla su
padre don Fernando en 1251, y que tenía Toledo,
igualando aquella villa a estas principales ciudades
de España; sino los del bando de don Enrique, que
se había huido a saquear las tierras de Extremadura, esto es, sus secuaces y amigos, sus cortesanos.
¿Dónde está, pues, *el vulgo castellano* cantando ese
pareado?

Pero hay más. Estamos en Niebla, no muy lejos de
Portugal. Allí es donde los de la casa del padre de
don Juan Manuel le contaron que habían inventado tal estribillo. Vamos a concederle a Menéndez
Pidal que el pueblo, que el vulgo de Niebla lo cantase a su señor y rey don Alfonso delante de sus
narices, que su venida era la tercera mala partida
que don Jaime hacía a don Enrique; vamos a dar
por cierta suposición tan descabellada. ¿Qué lenguaje hablaba *el vulgo* de Niebla? ¿Puro castellano
o tan mezcla de castellano y portugués como el del
pareado? Probablemente hablaría medio en portu-

gués. De que ese vulgo de Niebla cantase en medio portugués ¿vamos a deducir que *el vulgo castellano*, en toda Castilla, cantaba en portugués?

"El vulgo castellano que cantaba en la lengua propia sus gestas heroicas", esto es las hazañas de sus adalides, "cantaba su lírica en una lengua extraña."

Esto es, cantaba en una lengua extraña sus propios sentimientos, los de su propia alma, sus penas y sus amores, lo que cabalmente no se puede cantar en lengua extraña, sino que tiene forzosamente que brotar en dialecto, en el habla propia, porque brota del fondo del alma.

Así discurren los eruditos (por lo menos M. Pidal), que no parece sino que no saben lo que es cantar los propios amores y penas, que no saben lo que es la verdadera lírica. Allá los poetas cultos canten en extraña lengua, esto es, artificialmente. Eso que así canten no será lírica, serán versitos conforme a la moda. El pueblo canta de verdad y de verdad no se puede cantar en ajeno lenguaje. Ni en Castilla, ni en parte alguna del mundo cantó ni cantará jamás el pueblo sus propios y más hondos sentimientos en lengua que no sea la suya propia. El que esto no entienda es incapaz de entender lo que es la verdadera poesía lírica. Y contra verdad tan evidente no tienen el menor peso cualesquiera anécdotas que se traigan y mucho menos sacadas de una aviesa interpretación histórica.

En la corte de Castilla estuvo de moda el poetizar en galaicoportugués; pero el pueblo castellano cantaba su epopeya en romances castellanos y en cantares castellanos cantaba sus sentimientos líricos. Y esto no sólo en el siglo XIII, sino desde siglos atrás.

Menéndez Pidal, que por repetir sin más lo que se ha venido repitiendo erradamente, afirma no haber-

se dado lírica castellana sino sólo gallegoportuguesa en el siglo XIII, viene después, arrastrado por la
verdad de los hechos, a afirmar todo lo contrario:

"Si nos remontamos a los orígenes de nuestra historia
literaria, al tiempo en que el juglar de Medinaceli componía un gran poema épico, el de *Mío Cid*, hallamos que
junto a esta poesia narrativa, política y militar, la poesía
lírica surgía a su vez en todos los momentos de la vida,
no sólo para acompañar las expansiones privadas, sino
en todas las grandes emociones dignas de ser notadas
por el cronista del emperador Alfonso VII."

Si este párrafo no es, con todo lo demás que alli
se sigue diciendo, pura palabrería retórica, ¿cómo
puede afirmarse que "en Castilla la lírica nació como
planta exótica" más tarde, como planta traida de
Portugal? Y aqui no cabe la confusión de la lírica
popular o erudita. Entrambas se cantaron en Toledo, en tiempo del emperador Alfonso VII, según
Menéndez Pidal, y entrambas se trajeron, según él,
como cosa exótica y nueva, más tarde, en los tiempos
de la lírica cortesana portuguesa.

"Bien vemos aquí cómo en el período de nuestros
orígenes literarios. la ciudad de Toledo, lo mismo en
un apurado trance de su defensa que en la holgura de
una fiesta, oye resonar la poesía lírica como una inspiración colectiva, *ya cortesana, ya popular.*"

Así en la páginas 46 de su *Discurso acerca de la
primitiva poesía lírica castellana,* hablando del tiempo de Alfonso VII, y en las páginas 18 y 20, hablando del tiempo de la poesía cortesana portuguesa:

"El prestigio de esta poesía gallegoportuguesa llenó a
toda España, hasta el punto de que en Castilla *la lírica
nació como planta exótica...* Cierto que el mismo Alfonso X y su descendiente Alfonso XI hacen también
tímidos intentos de poetizar en castellano..."

Pero ¿no habían cantado antes cortesanos y pueblo, viudas y doncellas, soldados y oficiales, en castellano, en tiempos de Alfonso VII? ¿Qué *tímidos intentos* eran esos, después de haber cantado ya todo el mundo?

"¿Y el pueblo? El pueblo parece que hacía lo mismo que los poetas cultos: rendir tributo a la superioridad reconocida de la lengua gallega... El vulgo castellano... cantaba su lírica en una lengua extraña."

Dejémonos ya de estas contradicciones, a que Menéndez Pidal nos tiene acostumbrados y asentemos con sus propias palabras finales (pág. 83) que

"En nuestros orígenes poéticos, al lado de la lírica culta de los cancioneros medievales, *existió una abundante lírica popular*".

Y corroboremos este aserto con otras palabras suyas que reflejan toda mi manera de pensar:

"Pero no es fácil admitir un completo exotismo en el arte literario primitivo de un pueblo que tiene muy desarrollados otros órdenes de poesía, y entonces hay que pensar que todo género literario, que no sea una mera importación extraña, surge de un fondo nacional cultivado popularmente antes de ser tratado por los más cultos. Algo así como sucede con el lenguaje mismo; empieza por ser meramente oral y vulgar antes de llegar a escribirse y a hacerse instrumento de cultura; en su origen puede sufrir grandes influencias exteriores, pero siempre es una creación propia del pueblo que lo maneja. De igual modo, lo indígena popular está siempre como base de toda la producción literaria de un país, como el terreno donde toda raíz se nutre, y del cual se alimentan las más exóticas semillas que a él se lleven. La sutileza de un estudio penetrante hallará lo popular casi siempre, aun en el fondo de las obras de arte más personal y refinado."

Esta doctrina, y hasta con la misma metáfora del terreno y con la comparación del idioma, la tengo yo expuesta y repetida tantas veces, que bien puedo apropiármela como mía y sustentarla cuando me la encuentro repetida por otros.

Antes de continuar historiando nuestra lírica popular, vamos a citar los testimonios de dos críticos que corroboran cuanto hasta aquí hemos discurrido. El eruditísimo padre Sarmiento, que a veces diríase que dijo más de lo que supo, llevado tan solamente del sentido común, escribió en sus *Memorias para la historia de la Poesía y poetas españoles,* compuestas antes de abril de 1748 e impresas como primer tomo de las *Obras póstumas* en 1775 (pág. 236):

"Todo género de poesía que pudo existir en estos remotos siglos del idioma castellano o era lírico o heroico en el asunto. Al primero se deben reducir todas las coplillas y canciones del pueblo, ya amorosas, ya algunas devotas. *Estas las supongo anteriores a todos los romances,* cuyo asunto es pintar las aventuras caballerescas o amorosas o mezcladas de los héroes, o verdaderos o fingidos, cual es la de Calaínos. De este género son los romances castellanos que hablan de los doce Pares de Francia, de Bernardo del Carpio y de algunos aventureros mahometanos. A este modo, siguiendo el sistema de que *los adagios castellanos han sido el origen de la poesía vulgar, creo que las primeras copias han sido líricas,* por ser más naturales y porque aún hoy se conserva aquel modo de poetizar entre los vulgares y se conservará siempre. No sucedió así con los *Romances. Estos tuvieron su era,* del mismo modo que los libros en prosa de caballería. Para este género de poesía es preciso que se vuelva a introducir la moda. Para lo otro nunca faltará ocasión, mientras hubiere españoles... De manera que en cualquiera edad, en cualquiera lengua y en cualquiera dominio siempre los españoles han sido muy aficionados a la poesía, música, bailes y regocijos inocentes."

Fernando Wolf, entendido como pocos en cuanto atañe a poesía popular, vió ya cuanto hemos historiado hasta aqui en su *Historia de las literaturas castellana y portuguesa,* t. H, pág. 447:

"Si bien por una parte la lírica artística nació en Galicia y Portugal antes que en Castilla, por otra parte, empero, la poesía artistica portuguesa aparece ya desde un principio como cortesana, formada conforme a modelo extranjero (provenzal), sin haberla precedido, como a la castellana, una poesía semipopular, semiartística, indígena, surgida de elementos populares y basada, por !o tanto, en lo genuinamente nacional. Con esto se decide a la vez el debate acerca de la prioridad del arte poético portugués o del castellano; con esto también se pone de manifiesto la diferencia del principio respectivo de que proceden y de los caracteres fundamentales y períodos de desarrollo por tales principios condicionados, pues mientras la poesia castellana no sólo tuvo principio popular y base nacional, en su periodo de brillantez, sino que además jamás descendió a mera imitadora bajo la influencia extranjera, y hasta en tiempo de su decadencia mostró la fuerza de vida peculiar y propia, bastante para poder regenerarse sustantivamente, por el contrario, la poesía portuguesa se desarrolla partiendo de un principio del todo artístico que arraiga en el extranjero, antes de que la poesía popular indigena pudiera darle una base suficientemente amplia para presentar obras artísticas con tipo nacional. De aquí que sus rasgos fundamentales (pues no puede propiamente hablarse de carácter fundamental [1] si es que no se toma por tal la falta de carácter) son: dependencia del influjo externo, instinto de imitación, gran flexibilidad y una blan-

---

[1] Consiste el de la castellana en *el villancico,* como hemos visto.

dura rayana en la flojedad; en una palabra, que es más *receptiva* que *productiva*. De aquí que aun en los tiempos de su más acentuada peculiaridad le faltara empuje, y que los poetas más populares de los portugueses, Gil Vicente y Camoens, fueran fenómenos aislados sin efecto ulterior. De aquí que cuando cayó a su vez la poesía portuguesa se hundiera en una agonía, de la que sólo pudo sacarle un impulso externo, ayuda extraña."

Poco después (pág. 457) añade:

"Este desarrollo de la poesía artística portuguesa, según el patrón de la trovadoresca ("a imitaçao dos Avuer-"nos et Prouençaes", como observó muy bien Nunes de Leâo), lo atestigua expresamente el mismo rey Diniz. Dice así en una poesía:

> Quer' eu en maneyra de proençal
> fazer agora un cantar d'amor.

Y en otra:

> Proençaes soen muy ben trobar
> e dizen elles, qu'é con amor."

Y prosigue F. Wolf:

"La poesía cortesana galaicoportuguesa aparece como hija y discípula de la provenzal, no sólo por testimonios externos, sino, además, en su espíritu, tono y forma. Las canciones del rey se dividen en dos grupos, el primero de los cuales contiene los cantares de amor propiamente cortesanos. Están, según se ha dicho, enteramente a la manera provenzal, sin más diferencia que el tener la mayor parte un estribillo y añadir la última estrofa al estribillo una *tornada* de dos versos que rima con él. Por lo demás, se halla en ellos la estructura estrófica artística y hasta observados los artificios de la poesía trovadoresca, como la rima que va a través de todas las estrofas (*coblas unisonans*) repetición de las mismas palabras en las estrofas, a modo de rondó, entremezclados con pies quebrados, etc. Entre estos cantares de amor hay también muchas pastorelas (serranicas), siendo precisamente los

más graciosos; pero éstos en su mayor parte en redondillas octosílabas con estribillo, en que se manifiesta el
elemento popular... Más notable y más peculiar es el segundo grupo, que está separado en el manuscrito mismo
con el siguiente anteescrito: "Em esta folha se començâ
"as cantigas d'amigo..." Estas *Cantigas d'amigo* hacen
juego con las varoniles canciones de amor... Muéstrase,
por lo tanto, el real poeta en el primer grupo como un
mero trovador, representando los monótonos plañidos
amorosos, la galantería convencional en forma artística,
mientras que en el ·segundo grupo se atiene más de cerca a lo popular, a un contenido más objetivo y sencillo
y en una forma a menudo viva y dramática."

Todo esto dice Fernando Wolf a propósito del
Cancionero del Vaticano. El *Cancionero de Ajuda,*
que es más antiguo, contiene menos elementos populares, es todo cortesano, tanto, que Bellerman y
Díez dijeron de él que era un "antiguo cancionero
con metro provenzal." Bellerman notó ya que:

"En oposición a las canciones españolas y a las posteriores portuguesas, las de este nuestro cancionero se
mueven como las poesías de los trovadores, la mayor
parte en cadencia yámbica y en lineas largas de diez y
once sílabas."

Y observa Wolf que:

"este verso decasílabo yámbico, en su mayor parte
con rima aguda..., es precisamente uno de los que señala
el marqués de Santillana como provenzales."

Con estos versos hallamos también en entrambos
cancioneros

"otros alejandrinos (dice Wolf); pero *ningún verso que
sea verdaderamente de arte mayor;* por el contrario,
muy amenudo y muy perfectamente acabados, porque
son populares, *los redondillos maiores.*"

Resume Díez diciendo que la literatura portuguesa

"constituyó, desde mediados del siglo XIII, poco más o menos, una poesía de cantares, que salió de los magnates del país, siendo por ellos cultivada y formada en parte según el patrón de los provenzales."

VI

Vengamos ya a otro período poético, que comienza en la segunda mitad del siglo xiv y acaba en el xvi. Es período en que domina la manera castellana y los versos *de arte menor* o *común* en la lírica y *de arte mayor* en las narraciones largas; y esto no sólo en los poetas castellanos, sino en los portugueses. Fueron éstos abandonando la manera provenzal y allegándose a la nacional de los castellanos. Oigamos a Wolf (pág. 471):

"A este tiempo cuadra perfectamente el pasaje de la carta del marqués de Santillana, pues entonces se hicieron las formas dominantes en la poesía artística y cortesana galaicoportuguesa y española, *el arte que mayor se llama e el arte común*, esto es, los versos dodecasílabos con ritmo dactílico y los octosílabos con cadencia trocaica, en estrofas la mayor parte de cuatro u ocho versos con rima alternante o cerrada, de las cuales artes sólo la última, la común, se nos presenta ya en los cancioneros del Vaticano y de Ajuda, pero en su mayoria sólo en poesías ligeras, de tono popular, mientras en las poesías verdaderamente cortesanas se emplearon de preferencia las formas provenzales en aquellas dos colecciones. Por la introducción, o más bien nueva admisión, de aquellas formas populares en vez de las provenzales, recibió la poesía artística galaicoportuguesa un tinte más nacional, aun cuando siguió conservando, lo repito, el carácter de una poesia de corte y de conversación. Pero hasta esta modificación parece menos haber surgido de un desenvolvimiento espontáneo de la poesia portuguesa, que haber sido *efecto de la influencia galaicoespañola*. Pues si el marqués de Santillana dice, por su parte, que cree (creo) que el desarrollo artístico de aquellos ritmos populares, el arte común y mayor, había nacido en Galicia y Portugal, y no tengo dificultad en considerar aquí también su opinión, aunque expresada hipotéticamente con magistral cautela, por la más fundamental y verosímil, añade, sin embargo, que no solamente gallegos y portugueses, sino hasta "que "no ha mucho tiempo qualesquier decidores e trovadores "destas partes" (con exclusión de trovadores catalanes, valencianos y aragoneses) los castellanos, andaluces y extremeños habian compuesto todas sus obras en lengua gallega. ¿No es, por lo tanto, verosímil que precisamente por medio de estos últimos, muchos de los cuales, como hemos visto, figuran en el *Cancionero del Vaticano*, y entre los cuales se había desenvuelto, independiente de la poesía artística extranjera, otra sustantiva, popular, que presupone una floreciente poesía del pueblo, que por medio de ellos llegaran a la lírica artística galaico-portuguesa aquellos elementos populares, y que, cuanto más la cultivaban, tanto más cediesen las formas extrañas a las nacionales, gracias a ellos más que a los portugueses mismos, que se entregaron tanto al influjo extraño y cuidaban tan exclusivamente de la lírica artística cortesana, que entre ellos, aparte sólo de un par de vestigios de intentos épicos aislados que se han conservado de aquel tiempo, como lo dice el mismo señor Bellerman, "la antigua literatura portuguesa carece "casi en absoluto de todo romance histórico, debiendo "de ser los que sobreviven oralmente en el pueblo, en "su mayor parte emparentados con los antiguos espa-"ñoles"?

"Recuérdese, además, que los españoles que escribían en gallego poetizaban también la mayor parte de ellos

\en lengua castellana; que en las poesías que componían
en este idioma jamás se servían de las formas extrañas
provenzales, sino de las nacionales sólo, de las populares; que hasta los mismos trovadores castellanos del
siglo siguiente, aun después de la influencia renovada e
inmediata del arte poético provenzal más posterior, el
de Tolosa y Barcelona, sobre la poesía castellana de Castilla, se mantuvieron fieles a sus formas nacionales, y
que, por el contrario, los portugueses, como hemos visto
en el ejemplo del rey don Pedro, ya en este siglo em-
pezaron a poetizar en castellano, costumbre que creció
considerablemente en el siglo próximo y más aún en los
siguientes; y si se recuerda todo esto, la idea expresada
más arriba acerca de la influencia que los españoles
ejercieron sobre la modificación en sentido más nacional
en la poesía artística galaicoportuguesa, ganará en ve-
rosimilitud.

"Así es que hasta el señor Bellerman cierra este siglo
con dos españoles, "porque dan una prueba de que tam-
"bién en este siglo se siguió conservando la antigua cos-
"tumbre de los castellanos de componer en dialecto gallego". Los dos españoles con que lo cierra son
dos trovadores castellanos, nombrados también por
el marqués de Santillana, a saber: el Arcediano de Toro,
de la segunda mitad del siglo XIV, y el algo más joven
pero famosísimo Alonso Alvarez de Villasandino o de
Illescas. De ambos hallamos poesías castellanas y gallegas, que no se diferencian entre sí nada más que por
el dialecto, y éste a menudo apenas conocible, en el
famoso y ya impreso *Cancionero* que el prosélito judío
Juan Alfonso de Baena, contador del rey don Juan II
de Castilla, recogió para entretenimiento de éste y de su
corte, Cancionero el más antiguo de los que se conocen
de los españoles.

"Pero con el fin del siglo XIV, prosigue el señor Bellerman, se hace cada vez más raro el que se sirvan castellanos del lenguaje gallego, que sonaba como un tosco
dialecto popular junto a la lengua castellana, más llena

de tono, y que une fuerza y melodía en más hermoso equilibrio, apareciendo como una cosa tardía y aislada un poema en aquel dialecto, que tuvo por autor al mismo Santillana, que era gallego" (propiamente leonés, de Carrión).

La consecuencia de todos estos hechos históricos es, como dice Wolf en la página 488, que:

"La poesía popular obró sobre la (erudita) española, y mediante ésta sobre la poesía artística y cortesana portuguesa en el aspecto formal, gracias a la introducción de los versos populares y nacionales de *arte común* o *real* y de *arte mayor*, en vez de los metros provenzales, corrientes antes en la poesía artística galaicoportuguesa, aunque nunca en la castellana."

Estos persuasivos testimonios de tan perspicaces críticos no los tuvo en cuenta Menéndez Pidal, ni cuantos siguen amedrentándonos, como si fuéramos niños, con el coco de la lírica galaicoportuguesa y sus *Cancioneros,* y con el famoso argumento de Malhonda. Desde que falleció el rey don Dioniz (1325) aquella lírica decayó a pasos agigantados, y la popular castellana, de arraigo nacional, fué pujando y sobreponiéndose hasta triunfar enteramente a fines del siglo xv. La lírica popular castellana no debe ni lo más mínimo a la galaicoportuguesa, de origen provenzal y provenzal en metros, tono y espíritu, aun cuando la popular gallega le comunicó más tarde, en tiempos del rey don Dioniz, lo mejor que ofrece en los *Cancioneros,* lo único verdaderamente poético. Por el contrario, desde 1325 comenzó a influir nuestra lírica popular, primero en la erudita castellana, y después, mediante ella, en la de Portugal.

El más antiguo *Cancionero* castellano que conocemos es el de *Baena,* con poesías de la primera mitad del siglo xv y algunas de la segunda mitad del siglo xiv. Según la corriente manera de opinar, hallámonos aquí con los orígenes y más antigua poesia lírica castellana, de suerte que hasta mediado el siglo xiv, hasta las poesías del Arcediano de Toro y de Villasandino, los dos más antiguos poetas de aquel *Cancionero,* en Castilla no hubo lirica, sólo se cantó en galaicoportugués. Así lo da a entender Menéndez Pidal cuando escribe en su *Discurso* antes citado (pág. 20):

"El vulgo castellano que cantaba en la lengua propia sus gestas heroicas, cantaba su lírica en una lengua extraña, aunque hermana gemela. Y dado este exotismo de orígenes, no puede chocarnos que el primer cancionero castellano contenga sólo poetas que no datan sino de la segunda mitad del siglo xiv y de los primeros años del xv; fué presentado a Juan II por el escribano de la corte Juan Alfonso de Baena, y *en él hallamos las postrimerías de la escuela gallega y las primeras evoluciones de la escuela castellana.*"

Este párrafo afirma claramente que el vulgo castellano cantó su lírica en galaicoportugués hasta la segunda mitad del siglo xiv, época de la cual hallamos ya lírica en castellano en el *Cancionero de Baena.* De modo que

"*en él hallamos las postrimerías de la escuela gallega y las primeras evoluciones de la escuela castellana.*"

Ya hemos visto que es erróneo afirmar que el pueblo castellano cantase en idioma extraño, que es erróneo afirmar que el pueblo castellano no cantase líricamente en su propio idioma; es, por consiguiente, erróneo afirmar que la más antigua lírica popular en castellano es la del *Cancionero de Baena* o la de su tiempo. Pero hasta es erróneo afirmar que fuera aquélla la más antigua lirica culta escrita en castellano, pues en Berceo, en Juan Ruiz, en Sem Tob y en otros poetas tenemos poesia culta escrita en nuestro idioma. Por cualquier lado que se la tome es, por consiguiente, errónea y falsa la proposición de que

"en él hallamos las postrimerías de la escuela gallega y las primeras evoluciones de la escuela castellana."

Además, si en el *Cancionero de Baena hallamos las primeras evoluciones de la escuela castellana,* tratándose, como Menéndez Pidal trata, de la lírica popular, y como de ella trata en este mismo párrafo, síguese como consecuencia que la lírica popular castellana nació de la lírica del *Cancionero de Baena.* No puede concebirse cosa más desapropositada. No solamente dista aquella poesia cortesana y culta *todo coelo* de la popular, sino que la popular influyó ya en ella. No puede darse cosa más artificial, huera y ñoña que aquélla, digamos, versificación, porque sería irreverencia llamarla poesia. De aquellos trovadores cortesanos, los unos eran gente por demás grave y machucha, entregada a estudios más serios escolásticos, que terciaban a veces en las contiendas cortesanas, filosóficas y teológicas, poniendo en apesadumbrados versos lo que trataban no menos en pesado latín en sus particulares estudios. Los otros versificaban por moda, sin ser tampoco poetas: donceles que tomaban la pluma para rimar versos a las damas o hacer juegos con el léxico o con los conceptos, como tomaban el venablo para cazar jabalíes o la lanza para justar en torneos. La poesía habia degenerado en *requestas* y contiendas baladíes. Son hueras disputas y gimnasia métrica de responder por los mismos consonantes, disquisiciones teológicas o de otro jaez, versos groseros de escarnio, versos pedigüeños, pocos de amores, y éstos conceptuosos; ni un *cantar de amigo* a la gallega o de enamorada a la castellana. Los amores son alli tan cortesanos como los cantares. Villasandino, que era verdadero poeta, y en otras circunstancias hubiera hecho verdadera poesia, dejó alli los últimos ecos de la musa cortesana galaicoportuguesa, cuyas primeras voces hallamos en las *Cantigas de Alfonso X.* Micer Francisco Imperial trajo otra moda todavía más extraña y de más lejos, de Italia, la alegoría dantesca, que encandiló hasta fines del siglo hasta a los mejores poetas y sólo comunicó a la poesia culta de aquel siglo oscuridades y vaciedades sin cuento. Añádase el conceptismo petrarquesco, que hizo riza llevando los conceptos amorosos al campo de la abstracción y de las aéreas metafisiquerías, y se comprenderá por qué en tan espléndida floración de poesía como envuelve el largo reinado de don Juan II, durante casi toda la primera mitad del siglo xv, escasísimas son las flores de poesia verdadera. Entonces, como siempre, la gente de arriba pagábase de la corteza, de versificar según modas venidas de allende, mientras la verdadera poesia, el meollo y sustancia, habia que buscarlo en la gente de abajo. La poesía lírica brota del corazón, y todo lo que en el *Cancionero de Baena* se lee nació de la cabeza. El cortesano escribano de don Juan II no paraba mientes sino a ver quién llegaba de nuevo a la Corte para desafiarle a requestas y lides de estériles versificaciones, con el fin de entretener a su señor y a los cortesanos. Las musas huyeron horrorizadas de la mesa donde Baena compilaba todas aquellas puerilidades ingeniosas y sotiles. Es todo el *Cancionero* imitación de dos literaturas ya decadentes: de la galaicoportuguesa, cuando ya andaba enteramente de capa caída, y de la pro-

venzal, que habia brillado en los siglos XI y XII, y
que tras la guerra de los albigenses había ya fenecido,
y que resucitada escolástica y académicamente por el
Consistorio de la gaya ciencia de Tolosa (1323), vino
más tarde todavía más academizada al Consistorio de
Barcelona (1390). Por esta época es cuando influyó
la poesia provenzal en la nuestra cortesana y culta; así es que en ella no se hallan los temas de la antigua provenzal. No cabe mayor herejía poética que
decir que de aquello nació la lirica popular castellana, como lo da a entender Menéndez Pidal harto
manifiestamente.

Hay un abismo entre la poesia culta del siglo XV
y la popular por los cultos menospreciada y no citada
para nada por nuestros historiadores literarios, Amador de los Rios, Puymaigre y Menéndez y Pelayo. Increible parece que en aquella sociedad, donde los pen-
sadores y poetas más distinguidos versificaban tan sin
pizca de poesia, teniendo, sin embargo, tan elevado
concepto de ella, como escribe Baena en su introducción, cantase a la par el pueblo tan delicadamente,
con un gusto tan ático, con tan verdadero sentimiento
como hemos visto en la *Floresta*. De los mejores poetas fué el marqués de Santillana y de sus mejores
poesias son aquellas canciones que remedan el popular villancico. Véanse las más escogidas, fuera de
las ya antes citadas:

> Deseando ver a vos,
> gentil señora,
> no he reposo, par Dios,
> punto ni hora.

> Cuanto más vos mirarán,
> muy excelente princesa,
> tanto mas vos loarán.

La donosura es del metro y coplilla, ambas cosas populares; el fondo es flojo, aguado, de escasa o ninguna sustancia. El mismo Santillana inserta en su *Villançico fecho a unas tres fijas suyas* [1] tres villancicos populares anónimos. ¡Qué diferencia, comparados con los del Marqués! Son suspiros del alma. Suspira la doncella al sentir los primeros amores, notando lo que hasta entonces no habia advertido, que la miran los hombres y que ese mirar no es como el de los de su casa que la custodian:

> Aguardan a mí:
> nunca tales guardas ví.

Suspira la doncella que por primera vez se siente sola, porque se le despierta el amor de doncel:

> La niña, que amores ha,
> sola ¿cómo dormirá?

Suspira la doncella desdeñada:

> Dejadlo al villano pene;
> véngueme Dios delle.

Suspira la doncella enamorada y suspira el padre, que advierte que ya no suspira por él, sino por otro:

> Sospirando iba la niña
> e non por mí.

¡Qué sencillez de forma, qué hondura psicológica femenina! En el *Cancionero de Herberay*, de me-

---

[1]   He de advertir que en un códice de la Biblioteca Nacional, el 3788, donde están las poesías que trae Baena de don Pedro González de Mendoza y las que trae de Macias, ésta composición de Santillana se atribuye a Suero de Ribera. En el mismo códice están las *Coplas de ¡Ay panadera!* y *de Mingo Revulgo* y además dos de don Beltrán de la Cueva, mayordomo de Enrique IV: *Donsella yo digo assi* y *Si os vi no m'arrepiento*.

diado el siglo xv, hállanse mezcladas poesias cultas
y populares. ¡Qué distancia de las unas a las otras!
Sólo el pueblo, que componía los romances viejos,
era capaz de componer las poesías líricas anónimas.

Lo que se ve bien claramente en Santillana es
que la lírica popular habia obrado poderosamente
en la erudita, pues a la manera popular compuso
las canciones y decires copiados y otros como:

> Señora, cual soy venido
> tal me parto,
> de cuidados más que harto
> e dolorido.

Y en otro lugar:

> De vos bien servir
> en toda sazón
> el mi corazón
> non se sá partir.

Estos, villancicos son sin duda a la manera popular, seguidos de coplas, aunque sin estribillo.
Otros hay con estribillo, atribuidos a Santillana en
algunos códices y lo tiene la serranilla de la Fino-
josa. La misma influencia de la lírica popular en la
culta se halla ya en las más viejas composiciones del
Cancionero de Baena, hechas en el siglo xiv. Hacia
1374 escribia Alfonso Alvarez de Villasandino, cantando a *Constansa Veles de Guyvara:*

> Quando yo vos vi doncella,
> de vos mucho me pagué:
> ya dueña, vos loaré.

Esta tonada es enteramente la de los villancicos
populares, aunque sin su enjundia. Y luego vienen
las coplas, tan sosas como el villancico. Del mismo
poeta vimos la *cantyga de Santa Marya,* verdadero
villancico con coplas, aunque sin estribillo. Los diez

tomos manuscritos, 3755-3765, de la Biblioteca Nacional, están llenos de poesias eruditas del siglo xv y abundan las imitadas de la poesia popular, villancicos, aunque de hechura culta. El uso del villancico va creciendo durante el siglo xv, y en el reinado de los Reyes Católicos hácenlos todos los poetas castellanos, y hasta los poetas portugueses los hacen no sólo en nuestro idioma, sino en el suyo propio, cosa antes nunca vista. El *Cancionero de Resende* es de poetas portugueses. En él se halla esta poesia:

> ¡*Abaix' esta serra,*
> *verei minha terra!*
> O montes erguidos,
> deixae-vos cahir,
> deixae-vos sumir,
> e ser destroydos;
> poys males sentidos
> me dan tanta guerra
> *por ver minha terra.*

Este es un villancico con vuelta, enteramente castellano por su estructura. Jamás habian hecho en Galicia ni Portugal composiciones con villancico a la cabeza. El estribillo es el segundo verso del villancico algo mudado, como de ordinario lo hallamos en nuestro villancico con vuelta.

Y ¡ lo que son las cosas! Menéndez y Pelayo (*Hist. poesía cast. En la Edad Media*, t. I, pág. 255), dice:

"Cuando en medio de la aridez habitual del *Cancionero de Resende* (uno de los libros más empalagosos que en el mundo existen) nos sorprende alguna nota poética, no hay que preguntar de dónde procede; v. gr., en aquel villancico de Francisco de Sousa."

Y pone ese mismo villancico.

"No hay que preguntar de dónde procede."

Esto es, de Galicia. Por la "nota poética" no podrá decirse si viene de una región o de otra, pues en todas hubo siempre poetas; mas por la estructura claramente se ve que la composición se fraguó a la manera castellana. Antes bien la "aridez habitual" del *Cancionero de Resende,* como del de *Baena,* vino de la tradicional poesia cortesana portuguesa, provenzal en sustancia, y de la imitación italiana posterior. Pero Menéndez y Pelayo no habia caido en la cuenta de que el sistema del villancico es castellano exclusivamente, como no habia caido en la cuenta nadie hasta hoy. Así que confirma Menéndez y Pelayo la influencia gallega en nuestra lirica, con lo que cabalmente se confirma todo lo contrario, la influencia de nuestra popular en la gallega, a la cual lleva el sistema del villancico. Como con los ejemplos de Gil Vicente que luego trae y que tienen villancico:

> *Del rosal vengo, mi madre,*
> *vengo del rosale.*

> *¡Qué sañosa esta la niña!*
> *¡Ay, Dios, quien la hablaría!*

Gil Vicente muestra con estos villancicos populares y con poner en labios de portugueses otros muchos villancicos castellanos que nuestra lirica popular había acabado con la provenzal portuguesa y hasta con la popular gallega, imitada por los poetas eruditos.

Gil Vicente, portugués de nación, escribió obras dramáticas, unas en castellano, otras en portugués. Muéstrase muy conocedor y admirador de la poesía popular castellana e ingiere en sus obras villancicos maravillosos. En sus obras dramáticas escritas en portugués parece seria natural ingiriese cantares populares portugueses. Pues bien, el hecho es notabilísimo: raros son los cantares portugueses que trae en sus obras dramáticas portuguesas y lo común es que al poner cantares populares los traiga en castellano. Estos villancicos o cantares castellanos populares, cantados por gentes del pueblo portugués, en las obras dramáticas portuguesas prueban una cosa: que eran tan famosos que hasta habían pasado a Portugal, y eso en tiempos en que las relaciones políticas con Castilla no eran muy cordiales que digamos. Hasta tal punto triunfó nuestra lirica popular de la galaicoportuguesa. No creo pasaran así la frontera las poesías cultas del *Cancionero de Baena* o sus allegadas, de donde se pretende nació nuestra lirica popular. Que el villancico popular no sea de origen cortesano, sino de origen villano, aldeano y matiego, lo dice su propio nombre de *villancico*. Cuanto a lo advertido de los villancicos castellanos cantados por portugueses en las obras de Gil Vicente, no se desvirtúa oponiendo que en las mismas obras dramáticas portuguesas se habla a veces en castellano, porque eso no sucede sin motivo, cuando es castellano el que habla, por ejemplo. Pero que siempre (puede así generalizarse por ser rarísimas las excepciones) que se cante algo popular, los interlocutores *portugueses* y, lo que es más notable, los del pueblo, canten castellano, es hecho tan extraordinario, que sólo puede atribuirse a la celebridad de aquellos villancicos que habían pasado la frontera.

Y si hay quien de aqui tome pie para corroborar su doctrina de que en tiempos pasados pudo suceder al revés, que el pueblo castellano cantase en galaicoportugués por haberse hecho famosos los cantares de aquella tierra en el resto de España, le concederemos las mismas consecuencias. Suponiendo que así fuera, seria a condición de que en España se cantase a la vez en castellano, como concedo que los portugueses de Gil Vicente, al cantar en castellano cantaban no menos en portugués. Luego por cantar en galaicoportugués no se deduce que en castellano no se cantara, que es el argumento de los adversarios.

Además, ellos dicen que en España, entre las gentes del pueblo, se cantaban sólo en galaicoportugués, no ya los cantares populares, como nos muestra Gil Vicente que se cantaban los castellanos en Portugal, sino los cantares eruditos, como los de las *Cantigas* de Alonso X, y ya esto no puede admitirse. . Que los cantares populares pasen la frontera de dos pueblos hermanos, de idiomas muy parecidos, cuando se hacen famosos y son de la misma tonalidad, se comprende. Los aires populares de Portugal, Galicia y Castilla son muy parecidos, y las hablas diferían poco en aquellos tiempos. Lo que no puede admitirse es que *el pueblo castellano* cantase canciones *cortesanas galaicoportuguesas,* como a nadie me empeñaré yo en persuadir que el pueblo portugués cantase nunca canciones *cortesanas castellanas.*

El caso de Gil Vicente es muy otro que el de los cantares eruditos portugueses, y no hay paridad en la argumentación.

Que en León, y aun en Castilla, se cantasen villancicos populares gallegos, concedérelo tan generosamente, como es hecho histórico, según Gil Vicente, que en Portugal se cantaban villancicos populares castellanos. En países fronterizos, y cuyos idiomas están tan emparentados, nada tiene esto de particular. Recordando otra vez el famoso pareado de *Malhonda,* único argumento de los que quieren que no hubiese en Castilla lirica castellana, sino galaicoportuguesa, pudiera añadirse que el tal pareado hasta hubiera podido hacerse refrán en Castilla. Refranes gallegos, catalanes y portugueses han corrido por Castilla, y así los citan Hernán Núñez y los demás paremiólogos, revolviéndolos con los refranes castellanos, y cierto no los citaran si no hubieran salido de las lindes regionales donde se hablaban aquellas lenguas. Pero no dice don Juan Manuel que el pareado corriese por Castilla, ni siquiera que lo dijese el vulgo de la región de Niebla; antes bien, las circunstancias históricas bien claro dan a entender haberlo inventado gente cortesana de los que andaban con don Enrique. Mucho menos llegó a ser refrán.

Supongamos que lo fuese y hasta que lo citan los paremiólogos. ¿Podria deducirse de aqui que no se cantaba en castellano en Castilla? ¡Como si en Castilla no hubiesen corrido por aquel entonces refranes y cantarcillos castellanos, y hubiera sido necesario hacerlos en gallego! De tiempos de Alfonso VI corria aquel otro refrán castellano y nada gallego:

> Allá van leys
> do quieren reys.

Y desde el siglo x u xi corria y se cantaba el cantarcillo:

> En Calatañazor
> perdió Almanzor
> el atamor.

En los principios del siglo xiii se cantaban ya tonadas de vela tan completas y complejas como la que, imitándolas, inventó Berceo de ¡Eya velar!

Pero volviendo al influjo de la lírica popular castellana en la portuguesa, en el siglo xvi abundan los villancicos escritos en portugués.

En *Villancicos de diversos autores*, Venecia, 1556,

hay dos composiciones galaicoportuguesas (núms. 9 y 54); ambas están a la castellana, con villancico que engendra el estribillo. Véase el núm. 9:

> *Mal se cura muyto mal,*
> *mas en poco cando tura*
> *muyto mas peor se cura.*
> En muyto mal cando veñ
> non pode muyto turar,
> porque tenen d'acabar
> muyto presto a queyn lo teyn.
> Acabar en poco cando tura
> *muyto mas peor se tura.*

Núm. 54:

> *Falai, meus olhos, si me quereis beñy,*
> *—¿Cómo falará quin tempo non teñy?*
> Deseyo falarvos
> miñ alma, scuitayme,
> non posso olvidarvos,
> miñ alma falayme.
> *Bivo deseyando a vos miño beñy*
> *—¿Cómo falará quin tempo non teñy?*

¡Tanto habia influído nuestra lirica popular sobre la galaicoportuguesa! Que en Portugal se cantaban villancicos castellanos no es menos cierto.

El *Cancionero d'Evora*, publicado por Victor Eugène Hardung, Lisboa, 1875, parece ser de fines del siglo XVI, entre 1590 y 1600. Muy pocas son las poesias escritas alli en portugués; casi todas están en castellano y pertenecen a la lirica popular anónima, no pocas de ellas conocidas por otras fuentes. Se ve que el que las escribió era portugués, y que las sabia o tomaba de otros de oídas, porque están en castellano con ortografía y hasta con pronunciación portuguesa. Esas poesias populares castellanas cantábanse en Portugal, aportuguesándolas algo en la pronunciación.

Hasta se juntaban coplas portuguesas al villancico castellano. Por ejemplo, el núm. 2I, que dice así:

OUTRA

—"*Pastorcito, ¿queres-me bien?*"
—"*Zagala, sabe-lo dios.*"
—"*Hora di-me como a quien*"
—"*Ay señora, como a vos.*
Ja nâo poso ser contente,
· tenho a esperança perdida,
amdo perdido âtre a gente,
nem mouro nem tenho vida;
nem descanso nem repouzo,
meu mal cada ves sobeja,
ho q a minha alma deseja,
nâo poso dizer nê ouzo.
Asi vivo descontente,
asas dôr entrestiçida,
amdo perdido âtre a gente,
nê mouro nê tenho vida."
—"Yo contenta estivera."
—"Yo no, señora, por dios."
—"*Hora di-me como a quê?*"
—"*Ay señora, como a vos.*"

Aqui se ve claro que eran portugueses los que tal cantaban, que de oídas está escrita la poesia, la cual, cuanto al estribillo es castellana, y cuanto a la copla o vuelta es portuguesa o castellana aportuguesada. En las demás composiciones hay palabras pronunciadas y escritas a la portuguesa, con ser claramente castellanas. Así en el núm. 24, titulado:

VOLTA DE "ALÇÉ LOS OJOS."

Vy q nâo podia ser
lo qu'el grande amor mereçe,
que dô ventura falece,
poco vale el mereçer.

La negación *no* del primer verso está en portugués, *nao*, como *fallece* está escrito *falece*. Durante el siglo XVI siguió, como en tiempo de Gil Vicente, cantándose en Portugal villancicos populares castellanos: el *Cancionero d'Evora* es una colección de ellos, tal como sonaban y los cantaban los portugueses. Es este *Cancionero* de grande importancia por el valor de sus villancicos, los más desconocidos por otras fuentes y enteramente populares. Todos van en la *Floresta*.

"La plupart de ces vers ne sont pas grande chose, mais il y en a aussi quelques-uns qui ne manquent pas d'un certain mérite."

Así las juzgó el editor Hardung; para nosotros son perlas preciosas.

La lirica popular de Castilla, a pesar de los eruditos que para nada la tenian en cuenta, como Baena y el marqués de Santillana, fué la que obró esa transformación en la erudita de entrambos paises. Pero la hora del triunfo de todo lo popular, del romancero como de la lírica, sonó al subir al trono los Reyes Católicos. Hasta los poetas más cortesanos se hacen cargo de la lírica popular, y a imitación de sus tonadas componen poesias místicas fray Iñigo de Mendoza y fray Ambrosio de Montesino. Lope de Sosa fué poeta popular, así como Reynosa. Alvarez Gato se allega mucho al pueblo y le toma villancicos o los remeda. Garci Sánchez de Badajoz compone sus endechas amorosas con la forma popular y con otra sinceridad de la falseada de los pasados poetas cortesanos. Hasta en los *Cancioneros* cortesanos de Hernando del Castillo o *Cancionero general*, Valencia, 1511, y el de *Costantina*, 1510, se nota la influencia y hay trozos populares. El aragonés Pedro Manuel de Urrea escribe ya conforme al villancico popular. Ya hemos visto que en los mss. 3755-3765 hay muchos villancicos hechos por poetas cultos de todo el siglo xv.

Pero hay todo un *Cancionero*, llamado de *Barbieri*, que lo editó, conservado en la Biblioteca Real, que casi sólo contiene piezas líricas populares, con música de los mejores maestros de la época. Y los más célebres poetas, Juan del Enzina, Lucas Fernández, Gïl Vicente, Sánchez de Badajoz, llevan a la literatura escrita y erudita la lírica popular, componiendo villancicos y églogas que populares se hicieron y que de las populares apenas se diferencian.

Juan del Enzina, sobre todo, fundó el teatro sobre la lírica popular y fué el más afamado lírico y músico de su tiempo. Fundó no menos la égloga y la bucólica castizamente castellana, hasta introducir en la bucólica y en el teatro el habla sayagüesa de la región pastoril de Salamanca. Los villancicos y coplas comenzaron entonces a imprimirse en pliegos de cordel a par de los romances. A un mismo tiempo, en aquel reinado de los Reyes Católicos, se descubrieron los tres géneros literarios principales, sacándolos de la oscuridad del pueblo y llevándolos a los escritos: la epopeya en romances, la lírica en villancicos y el teatro en autos, églogas y farsas.

Así se fundaba la literatura artística sobre los tradicionales géneros populares, literatura verdaderamente nacional, henchida de esperanzas para lo venidero.

Desgraciadamente pronto se atravesó de por medio otra vez el gusto extranjero italiano, que desvió a los mejores poetas del camino castizo, tan gallardamente abierto por Juan del Enzina y sus seguidores de la época de los Reyes Católicos. Boscán y Garcilaso, tan enaltecidos por aquella moda italiana que nos trajeron, fueron los causantes del estancamiento y retardo que sufrió aquella literatura nacional; fueron los que descaminaron la lírica y los que pusieron en olvido la bucólica. La imitación clásica descaminó no menos el teatro en su evolución durante toda la segunda mitad del siglo XVI llevando a nuestros renacentistas al vano empeño de componer comedias italianas y luego tragedias clásicas, y el que descaminó igualmente la épica arrastrándoles a la imitación del Taso en infinidad de poemas épicos, tan insoportables como las tragedias clásicas y las comedias italianas.

Pero antes de pasar adelante conviene resumir ceñidamente la historia de nuestra lirica medieval, tanto la popular como la culta. Brotando del idioma y como una clase particular de frases nace con el mismo idioma el *villancico,* como nacieron con él los *refranes* y las simples *frases hechas* y *por hacer.* Desde tiempo inmemorial cantábase en España una lirica popular no escrita, de la cual hacia el siglo IX salió en parte la popular y la semierudita de Abencuzmán, cantada en Córdoba en idioma arábigo con huellas del hab'a castellana, usada por los españoles y aun por los mismos musulmanes. De la de Abencuzmán salió la lírica provenzal, cuanto a la forma, y de ésta, a mediados del siglo XIII, la galaicoportuguesa, que con el rey don Diniz llega a colmo e incorpora elementos de la popular gallega. En esta lirica cortesana de Portugal tomaron parte el rey don Alonso *el Sabio* y sus cortesanos. Con la muerte de don Diniz decae y en cambio medra la lirica culta castellana. Esta tiene sus primeros atisbos en Berceo, primera mitad del siglo XIII, aunque aquel poeta fuera más propiamente objetivo, narrador de vidas de santos y milagros. En la primera mitad del siglo XIV hallamos ya la lírica culta castellana enteramente desenvuelta; pero en manos de poetas que a la vez son cultos y populares.· El principal de todos, Juan Ruiz, que emplea la cuaderna vía como Berceo, formada sobre la cuarteta castellana con el alejandrino francés, pero que además compone trozos populares en variedad de metros castellanos. En puros metros castellanos escriben don Juan Manuel, el autor del *Poema de Alfonso XI*, el de la *Crónica Troyana* y el Rabi Sem Tob. Cuanto se escribe en la cuaderna vía pertenece al llamado *Mester de clerezía*, género narrativo, más épico que lírico, de origen eclesiásticofrancés y culto enteramente. Pero lo propiamente lírico está en metros castellanos, lo cual indica que la lírica culta y escrita nace en Castilla de la popular no escrita, sobre todo en manos de Juan Ruiz; por lo menos son sus poesías las más antiguas líricas que conocemos, fuera de algunos trozos aislados.

Desde mediados del siglo XIV, en que decae la lirica galaicoportuguesa, medra y toma mayores vuelos la lírica castellana, la culta y la popular. La culta nos es conocida por el *Cancionero de Baena*, cuyos poetas más antiguos tienen no pocas influencias gallegas, y los posteriores, desde mosén Francisco Imperial, se inspiran en la lírica italiana de Dante y Petrarca. Invéntase el *arte mayor*, doblando el hexasílabo popular. La lirica culta es, pues, extranjera en gran parte, aunque los metros castellanos señoreen y no deje ya de imitarse el popular villancico. La lirica culta es, pues, extranjera en gran parte, aunque los metros castellanos señoreen y no deje ya de imitarse el popular villancico. La lirica popular va creciendo en aprecio entre los eruditos y, mediante la lírica culta castellana, influye en la portuguesa, nacionalizándola cada vez más. Durante el reinado de los Reyes Católicos, a fines del siglo XV, la lírica popular castellana se sobrepone a toda otra lírica en la península. No sólo escriben conforme al sistema del villancico todos los poetas castellanos, sino los portugueses. El arte mayor va oscureciéndose, y desde el siglo XVI desaparece sensiblemente, así como la alegoría dantesca y el conceptismo petrarquesco. El villancico popular está de moda en todas partes y da origen a la égloga y a la bucólica y al teatro culto. Toda la lírica culta medieval carece de sustancia poética; la popular es, por el contrario, maravillosa. La causa está en que la popular es nacional y viva; la culta es copia e imitación muerta, en papeles y pergaminos, de la lírica extraña, portuguesa e italiana. Pero cuando en ello cayeron ya los poetas cultos, apreciando la popular, llegó otra vez la moda extranjera de la lírica clásicoitaliana, y de nuevo se encandilaron y tornaron a recaer en lo que, escarmentados, acababan de abandonar.

VII

EL SIGLO XVI. ORÍGENES DEL TEATRO Y DE LA BUCÓLICA.

La historia de nuestra literatura durante el siglo XVI se revuelve toda ella en la lucha entre lo nacional, tan pujante con los Reyes Católicos, y lo italoclásico puesto de moda entre los escritores cultos. Pero la lucha fué muy enmarañada en los diversos géneros literarios.

La épica ofrecia dos campos encontrados. Los que se fueron haciendo cargo del valer de nuestro romancero popular eran escritores de poco lastre artistico, que se pusieron a remedar los romances inspirándose en las viejas crónicas, pero que no tenian recio talento épico para levantar la epopeya sobre asuntos de la época, por magnificos que ellos fuesen. Lorenzo de Sepúlveda, el más celebrado de los romanceristas, poco antes de mediar el siglo publicó *Romances nuevamente sacados de historias antiguas* y después otras obras y recopilaciones por el estilo. No le falta sabor popular; pero su empeño reducíase a componer nuevas variaciones sobre viejos temas y era empeño vano pretender luchar con las obras populares, con los romances viejos, que todo el mundo cantaba y se vendían en pliegos de cordel por las esquinas. No siguió ninguno de los dos caminos que a otro más elevado ingenio épico se le hubieran ofrecido: o refundir en un gran poema los romances populares acerca de un asunto, dándoles unidad, como hicieron los eruditos de Atenas con las rapsodias que corrían a nombre de Homero, o componer obra nueva en el metro y con el espiritu de los romances acerca d los acontecimientos tan extraordinarios que habian por aquellos tiempos engrandecido a España.

Hubo un altísimo ingenio portugués que quiso hac esto segundo, el gran Camoens, cuanto a las hazañas de los portugueses, y logrólo en parte con sus *Lusia das*. Empero erró en los medios. El mismo título n dice nada. Los *lusiadas* no son los portugueses sin por falsa ficción históricoclásica, y en falsa ficciór clásica de mitologías y otros aderezos extraños envol vió la magnífica materia épica de su obra. Dejárase de mitologías y clasicismos y encarando el asunto por tugués a la portuguesa, su poema hubiera ganado espíritu nacional, que es el alma de la épica. No tuv la literatura castellana un Camoens; pero el mismo Camoens portugués hubiera agrandado mucho m´ su poema si con hacerlo en castellano, idioma enton ces preferido por los mismos portugueses, idioma his pánico, en suma, para una epopeya hispánica del im perio hispano, lo hubiera escrito a la española, de jándose de extraños clasicismos y abarcando toda las conquistas ultramarinas llevadas a cabo por cas tellanos y portugueses. El clasicismo desjarretó a gran poeta épico, el único que pudiera acabar tan al empresa.

El pueblo seguia tan aficionado como en los pasa dos siglos a sus romances; pero no los hizo nuev sobre tan grandes asuntos como todos los dias pasa ban. Es que no había ya verdadero pueblo. Las clase sociales habíanse apartado en demasía unas de otras Villalar vió el fenecimiento de las libertades cas tellanas, el emperador entendia en lejanas tierras y er asuntos que no llegaban al alma del pueblo y sí solo de algunos de sus seguidores.

La epopeya había muerto y la imitación del Taso halló sin adversarios el campo. Poemas épicos en endecasílabos italianos, en italianas octavas reales, con la mira puesta en normas extrañas de griegos y latinos, como los de Ercilla y Balbuena, no podían ser poemas españoles sino a medias, tan sólo por el asunto. Y el asunto no basta en las cosas de arte: nacional ha de ser la manera, el metro, el espíritu sobre todo. Sólo cuando nuestros romances fueron siendo apreciados de los grandes ingenios, mayormente tras la obra de Ginés Pérez de Hita, que descubrió la vena de los romances moriscos, a fines del siglo XVI, compusiéronse rapsodias parecidas, romances históricos, moriscos, satíricos y amorosos, que si no encerraban el espíritu épico de los romances viejos, a lo menos son piezas artísticas hermosas, que valen harto más que los largos poemas en octavas reales.

No podía haber ya verdadera epopeya, por haber pasado los tiempos épicos. Sin embargo, yo me atrevería a oponer algún reparo a este tan común sentir de críticos e historiadores. En España se hicieron preciosos romances con espíritu verdaderamente épico hasta en la conquista de Granada. ¿Cómo, me pregunto yo, desaparecieron de repente los tiempos épicos? ¿No eran épicos aquellos años en que Colón y sus seguidores, henchidos de romanticismo, llegaban a un nuevo mundo, misterioso y desconocido, y volvían dejando admirados y suspensos con sus narraciones a los que acá les oían? ¿No eran épicos aquellos años en que el Gran Capitán, con héroes como García de Paredes, conquistaban a Italia y vencían a los franceses en una guerra cuajada de aventuras y de lides, no sólo campales, sino de soldados cuerpo a cuerpo,

como en los tiempos más caballerescos? Lo de la pérdida de las libertades castellanas tampoco parece causa suficiente para desterrar tan de golpe y porrazo el
espiritu épico. Todos aquellos épicos acontecimientos debieran haber dado pie para romances tan buenos
como los fronterizos y de la guerra de Granada, a
los pocos años de sucedidos, ya que probablemente a
raiz de los acontecimientos no solían hacerse. Pero
es el caso que a los pocos años de sucedidos, digamos
a mediados del siglo xvi, todos nuestros poetas se habian italianizado en espíritu y se abochornaban de no
haber habido en España poesia alguna. Los romances
dejábanlos para la gente lega; ellos, al escribir, tenian que hacerlo según la moda italiana. Y esta es
para mí la verdadera y principal causa de que no se
hicieran más romances con verdadero espíritu épico.
El pueblo se dividió, cuanto al versificar, en cultos y
plebeyos; no hubo pueblo. Cuando más tarde se puso
de moda el hacer romances entre los grandes poetas,
no supieron éstos prescindir de las brillanteces clásicas
aprendidas y pusiéronlas en los romances que hicieron,
por eso mismo llamados *artísticos*. Algunos los han
menospreciado en demasía, bien así como los romances
moriscos que también compusieron; pero son joyas de
gran valer y, si desdicen de los romances viejos, es
tan sólo por el derroche de galas y la demasiada regularidad, cosas que habían tomado del clasicismo.
El clasicismo fué el que mató el espíritu épico en
el siglo xvi, apartando a los poetas cultos de la masa
vulgar.

No podía haber ya verdadera epopeya, por haber
pasado, por esta razón, los tiempos épicos. Mas la materia épica y el espíritu épico podían encauzarse por
donde los encauzó Lope de Vega, sirviendo al nuevo
teatro nacional. El cual salió de sus manos heñido y

levantado con la verdadera levadura de la antigua
epopeya y juntamente con la de la lírica, tan tradicional del pueblo castellano como los romances, y con la
de la dramática perfeccionada durante todo el siglo
aquél en autos y entremeses.

El teatro tuvo, efectivamente, que luchar no menos
durante aquel siglo con las corrientes clásicas; pero
luchó con mejor fortuna, porque si los tiempos épicos
sencillos y sin mezcla de clasicismo habían pasado, es-
tábase por aquel entonces en el tiempo más acomodado
a la dramática.

No es de las menores alabanzas que merece nuestro
villancico popular el haber contribuido tanto a la formación del teatro, que casi puede decirse haber salido
de él. El villancico traía en germen el arte dramático.
Un verso, un pareado, un terceto, una cuarteta, el villancico más sencillo, encierra una lírica amplia, que
se desenvolvió ya de muy antiguo; pero no menos en-
cerraba la dramática, hasta la más vasta de nuestro
teatro nacional.

Ello se ve clara y palpablemente, no sólo en muchos
de nuestros villancicos dialogados, sino, sobre todo, estudiando la obra lírica y dramática de Juan del Enzina,
de Lucas Fernández y de Gil Vicente, los fundadores
del teatro español. Ruego al lector se fije bien en las
acotaciones que vamos a reproducir del fundador de
nuestro teatro.

Representaciones llamó Juan del Enzina a sus obras
teatrales. La primera que hallamos en la edición de la
Academia lleva por título:

"*Egloga* representada en la noche de la Navidad de
nuestro Salvador; adonde se introducen dos pastores, uno
llamado *Juan* y otro *Mateo;* y aquel que Juan se llamaba entró primero en la sala, adonde el Duque y Duquesa
estaban oyendo maitines, y *en nombre* de Juan del Enci-

na llegó a presentar cien coplas de aquesta fiesta a la señora Duquesa. Y el otro pastor, llamado Mateo, entró después desto, y *en nombre* de los detractores y maldicientes comenzóse a razonar con él, y Juan, estando muy alegre y ufano, porque sus señorías le habian ya recebido por suyo, convenció la malicia del otro. Adonde prometió que, venido el Mayo, sacaría la copilación de todas sus obras, porque se las usurpaban y corrompían, y porque no pensasen que toda su obra era pastoril, según algunos decían, mas antes conociesen que a más se estendía su saber."

Este párrafo, con su candorosa ingenuidad, dice acerca de los orígenes y naturaleza de nuestro teatro más de lo que pudiera disertar cualquier historiador de nuestra literatura. Porque aqui tenemos zanjado el teatro español en la viva realidad, no en fantasías o historias. Los Duques allí estaban, la noche era la de Navidad y el pastor *Juan, en nombre* del que escribe la pieza, *en nombre de Juan del Enzina,* agradece delicadamente a los señores el acogimiento que le han dado en su casa y delicadamente sale por sí como poeta. Todo ello eran cosas reales y eran obra teatral a la vez. El realismo de nuestra dramaturgia no puede presentarse más claramente.

Pero ¿por qué han de presentarse como pastores los que entran a los Duques? Porque era noche de Navidad y en el portal de Belén no hubo aquella noche otra gente que pastores, fuera de la Sagrada Familia, y el teatro español nació realmente en el portal de Belén, digamos en los belenes que lo representaban en las casas particulares, aqui en las casas del Duque de Alba. Y ¿qué iban a decir unos pastores sino cosas de *Egloga* y qué podian cantar sino villancicos? He aquí, pues, el villancico, que evoluciona en égloga sagrada de Belén, en auto de navidad, en teatro religioso.

Pero en la *Egloga,* encabezada por ese párrafo, los pastores no hablan de navidad y hablan del autor de la pieza y de otras cosas profanas. Es égloga profana, verdadero entremés y cuadro de costumbres, porque los pastores hablan en su propio pastoril estilo y hasta en su dialecto sayagués:

> "¡Dios salve acá, buena gente!
> Asmo, soncas, acá estoy,
> que a ver a nuestrama voy
> héla, está muy reluciente.

Así comienza la *Egloga* y así suelen saludar y hablar los pastores de carne y hueso y nada más que así los pastores que allá de hecho entraron. Que no iba Juan del Enzina a hacerles hablar el lenguaje de Sevilla ni Toledo, ni menos el de Teócrito y el de Virgilio, sino el que usaban los pastores del Duque de Alba. En todo y por todo vemos aquí fundida la realidad con lo que el autor pone de su caletre como poeta que se inspira en la naturaleza real, tal cual ella se es, en España y en el siglo y año en que escribe y en Alba, y entre pastores de los Duques. Así nace el teatro profano con la primera *Egloga;* veamos cómo nace el religioso con la segunda.

La segunda pieza dice así:

"*Egloga* representada en *la mesma* noche de Navidad; adonde se introducen los mesmos dos pastores de arriba, llamados Juan y Mateo; y estando éstos en la sala adonde los maitines se decían, entraron otros dos pastores, que *Lucas* y *Marco* se llamaban, y todos cuatro, *en nombre* de los cuatro evangelistas, de la natividad de Cristo, se comenzaron a razonar."

Ya estamos en el auto sagrado, pasando a él desde el entremés profano; y es la segunda *Egloga,* esto es, como la segunda escena de lo que aquella noche allí se representó. Noche de Navidad y en la misma sala donde se cantaban maitines de Noche Buena, del Nacimiento había de tratarse y de él tratan los cuatro pastores, representando a los cuatro evangelistas. Vemos otra vez admirablemente fundida la realidad con la representación poética. Con estas dos églogas o escenas se acaba la representación. Pero no podia faltar el *villancico,* antes todo lo demás no era más que una preparación para festejar con él al Niño Dios. Así que al fin viene el famoso villancico :

> Gran gasajo siento yo.
> ¡Huy ho!
> Yo también, soncas, que ha.
> ¡Huy ha!, etc.

Villancicos de Navidad se componían y cantaban en todas las iglesias de España todos los años y los hay a montones en la Biblioteca Nacional y en otros depósitos de libros y de música.

El villancico de Navidad, cantado por pastores y en representación de los pastores de Belén, delante del nacimiento que se hacía, como todavia se hace, en las casas o en los maitines y misa del gallo en los templos, era el villancico por excelencia. Como otros villancicos profanos, era a menudo dialogado y en este diálogo estaba como en germen el arte dramático. Sin duda se desenvolvió de esta manera muy de antiguo; pero los primeros que conocemos escritos son los de Gómez Manrique y Juan del Enzina.

Tras estas dos églogas viene otra *"Representación a la muy bendita pasión y muerte de nuestro precioso Redentor".* La pasión y pasos de la pasión todavia se representan públicamente en muchas partes y la misma liturgia de los dias de Semana Santa tiene mucho de representativa y de dramática. También acaba tal representación con su villancico e igualmente la que se sigue de la "Resurrección de Cristo" y la que viene tras ella:

"*Egloga* representada en la noche postrera de Carnal, que dicen de Antruejo o Carnestollendas; adonde se introducen cuatro pastores, llamados *Beneito y Bras, Pedruelo y Lloriente*. Y primero Beneito entró en la sala adonde el Duque y la Duquesa estaban, y comenzó mucho a dolerse y acuitarse porque se sonaba que el Duque, su señor, se había de partir a la guerra de Francia, y luego tras él entró el que llamaban Bras, preguntándole la causa de su dolor, y después llamaron a Pedruelo, el cual les dió nuevas de paz, y en fin vino Lloriente, que les ayudó a cantar."

A cantar el villancico, alma de la égloga, la cual bien se ve ser enteramente real a la vez que representativa y poetizada por el arte. Pero luego síguese otro acto más, o "Egloga representada la mesma noche de Antruejo"; y cenan allí los pastores representando Antruejo delante de los Duques y "todos cuatro juntamente, comiendo y cantando con mucho placer, dieron fin a su festejar".

Admirable fusión de la fiesta del día, de la representación y de la realidad del festejarla con ella. Y el villancico es:

> Hoy comamos y bebamos
> y cantemos y holguemos,
> que mañana ayunaremos, etc.

Si obra dramática hay en habiendo *representación* o sea introducción de personas que hablan *representando* otras personas, como dijo Aristóteles, el teatro español nació de la tradicional costumbre de hacer un nacimiento y cantarle al Niño villancicos *representando* a los pastores que fueron a Belén. Tal había sido la *Representación del Nacimiento de Nuestro Señor* que compuso Gómez Manrique para representarse en el monasterio de Calabazanos y tales fueron las *Representaciones hechas por Juan del Enzina a los ilustres y muy maníficos señores Don Fadrique de Toledo y Doña Isabel Pementel, Duques de Alba*, desde 1505. Y *églogas* las llamó el mismo Juan del Enzina, fuera del *Aucto del repelon*, en el cual, con todo, pastores son y estudiantes los que representan, en cuyo final *levanta* uno de ellos *un villancico*. Tanto contribuyó el villancico al nacimiento del teatro español, del cual se tiene por padre a Juan del Enzina. *Farsas y églogas al modo y estilo pastoril y castellano* llamó Lucas Fernández a sus representaciones. Todo ello se cifra en *el villancico* de Navidad, que se desenvuelve en *representación* de los pastores que lo cantan. De aqui la importancia que tiene el villancico y lo pastoril en todo el teatro, sagrado y profano, hasta Lope de Vega, que comenzó haciendo *comedias pastoriles*. Pero no menor importancia tuvo el villancico y todo linaje de cantares populares en el teatro nacional, que Lope fundó precisamente en la lírica popular y en la popular epopeya.

Volviendo al teatro fundado por Enzina, tan lleno de realidad, tan sincero en asuntos, lenguaje, personas y espíritu, cualidades que siempre conservó durante todo el siglo XVI en las obras de sus sucesores y en los entremeses del siglo XVII, halló ya en sus comienzos un temible adversario que le salió al paso: el clasicismo. Al clasicismo rindieron parias hasta Gil Vicente, Torres Naharro, Lope de Rueda, Timoneda y no menos Fernando de Rojas en la *Celestina* y sus continuadores, pero sin que el italianismo mellase lo nacional, viviendo en las obras de estos autores entrambas cosas en fraternal concordia. Sin embargo, durante el reinado de Felipe II dióles a los eruditos por hacer *tragedias* enteramente *clásicas* y se compusieron y representaron, sobre todo en los colegios de los jesuitas, grandes fabricadores de toda literatura académica, y aun delante de Reyes y magnates. Fué moda efímera, por no encerrar contenido alguno de sustancia nacional, como pura imitación extraña que era, y por 'la exageración a que tal imitación arrastraba, tan contraria a la realidad de los autos, farsas y entremeses, que tan gustosamente saboreaba el público. Juan de la Cueva ensayó asuntos épicos nacionales y aunque por su escaso temperamento dramático no logró prácticamente lo que tan acertadamente había ideado, dió pie y abrió el camino a Lope de Vega, que supo aprovechar la idea. Sobre los dos firmes cimientos de la lirica popular y de la popular epopeya fundó Lope el teatro nacional, no ciñéndose a lo trágico del teatro clásico y de la epopeya, ni a lo cómico de los entremeses nacionales, sino mezclando uno y otro, puesta la mira en *representar la vida* tal cual es, que de entrambos ingredientes se compone. Así nació la *comedia* española, que apenas tuvo que luchar con el clasicismo, porque se llevó de calle al pueblo y triunfó desde el primer día, como obra enteramente nacional.

Hay que poner un reparo al teatro nacional fundado por Lope de Vega. Escasea en todo él el elemento trágico, abundando el cómico y sobre todo el novelesco de enredos y acaescimientos comunes del vivir de entonces, los amoríos y el pundonor. Gana el teatro de Shakespeare al nuestro precisamente por lo trágico. Y sin embargo, el espíritu de nuestra epopeya había sido enteramente trágico, concepto en que no han caído los más de los que lo han estudiado. Pero es que a fines del siglo XVI ya no se calaba el espíritu trágico de nuestra epopeya. La prueba está en que los romances artisticos por entonces compuestos apenas tienen nada de trágicos: son cuadros vistosos y brillantes de hechos antiguos y variaciones sobre sus personajes, a veces falseados, como en los romances moriscos, cuyos moros sólo tienen de moro el traje y el nombre. Pocos dramas basados en nuestra epopeya son trágicos con el trágico que ella tuvo. Los nuestros no calaron el espíritu de nuestra epopeya, que es sustancialmente trágico. Por ello desmerece no poco nuestro teatro nacional, que al fundarse sobre la epopeya hubiera sido tan trágico como el teatro inglés, si el espíritu trágico de la epopeya hubiera sido apreciado por Lope como debiera. Ni los modernos lo han apreciado, y así vamos a insinuar por lo menos algunas ideas. Don Rodrigo es héroe trágico en la epopeya; no es odioso, como en la oda de fray Luis de León, donde se le maldice: "Injusto forzador". Cuando esa oda se escribió no se comprendía el espíritu trágico del ciclo de don Rodrigo, el cual por su culpa es cierto que causa la pérdida de España; pero la epopeya no le maldice, antes inventa que hace penitencia de su pecado, después de defender a España valientemente en Guadalete, y le canoniza y le lleva al cielo, tañendo de por sí las campanas y encendiéndose de por sí las velas al morir como arrepentido. Las maldiciones son para don Opas y don Julián; don Rodrigo es héroe que simboliza a España, que paga su pecado con perderla, pero que luego se arrepiente, engendrando no odio, sino lástima, como los héroes trágicos. Bernardo es el defensor de la independencia española contra los franceses y contra el rey leonés que se somete a Carlomagno, como es defensor de su padre puesto en prisión por el rey. El rey, sin embargo, le desatiende y engaña no entregándole a su padre más que después de muerto. Estos desafueros de reyes y po-

derosos contra los grandes varones, que por sus hazañas y virtudes merecían otra recompensa, es lo que
llega al alma popular que canta el héroe trágico defensor de la justicia e injustamente tratado. Así es
no menos el Cid, consejero y escudo del rey Fernando y del rey Sancho, enterizo exigidor de la jura
en Santa Gadea del cumplimiento de las leyes y por
ello perseguido por Alfonso VI; leal a sus órdenes
casando a sus hijas con los Infantes de Carrión y
ruinmente correspondido por ellos en Corpes. No es
sólo el vencedor de los moros el Cid de la epopeya,
que harto más hicieron Alfonso VIII en las Navas
y Alfonso XI en el Salado y harto más merecieron
por su santidad Fernando III y por su sabiduría
Alfonso X, a los cuales no cantó la epopeya; es el
Cid defensor de la justicia e injustamente correspondido por Reyes e Infantes. En el ciclo de los Infantes de Lara se les canta como héroes trágicos,
no como guerreros. El conde Fernán González defiende a Castilla contra los desafueros del rey de
León y tiene otras adversidades en que se muestra
héroe trágico. Y no menos lo son las víctimas del rey
don Pedro. Los romances caballerescos, novelescos
y líricos están llenos de tragedias, desde el de Alda
hasta el del Conde Alarcos. El que no sienta ese
terror trágico y no se lastime de los héroes de la
epopeya no ha penetrado el verdadero espíritu de
ella. No lo comprendieron a fines del siglo XVI,
como no lo han comprendido los más de nuestros
críticos. ¿Dónde se toca este punto en tanto como ha
escrito sobre nuestra epopeya Menéndez Pidal? Toda
erudición es fárrago que queda fuera del asunto,
cuando no se entra en su espíritu verdadero. Por eso
nuestro teatro resulta comúnmente obra de puro pasatiempo novelesco, de enredo y trama y no ahonda

en los caracteres y choques pasionales, por faltarle algo del alma trágica de la epopeya, en la cual no dieron los que lo fundaron. Harto mejor lo entendió Rojas, que con su *Celestina* hizo obra *trágicocómica;* sus imitadores tampoco entendieron el toque trágico y se atuvieron a lo cómico y a las costumbres.

Del villancico pastoril de Navidad nació naturalmente otro género literario: la bucólica o diálogo y escena pastoril y que, extendido a otros asuntos de la vida, podemos llamar *égloga castellana,* parecida a la égloga de Virgilio y al idilio de Teócrito. Es muy de notar que Juan del Enzina, fundador, puede decirse, de este género y su más ilustre cultivador, estaba tan enterado de Virgilio y de sus *Églogas,* que las tradujo al castellano y con gran libertad, aplicándolas a las circunstancias históricas de entonces; pero tenía tan arraigado el arte popular, que no trasplantó a España la égloga de Virgilio, ni la italiana ni la helénica, sino que sacó del villancico de Navidad la égloga puramente *castellana.* Sus pastores, como vimos, eran los pastores de carne y hueso del Duque de Alba y les hizo hablar su propio dialecto, llamado sayagués, hasta diferenciar los de los diversos pueblos por sus propias variantes dialectales. Costumbres, maneras, espiritu, todo era del terruño. Siguiéronle sin desviarse un punto por este camino Lucas Fernández, Sánchez de Badajoz y todos los demás cultivadores del género. Juan del Enzina nacionalizó por el lenguaje y maneras las *Eglogas* virgilianas al traducirlas, siendo en ellas más español que puro traductor. Yo entiendo que el género vivía ya en la literatura popular antes de llevarlo a los escritos Juan del Enzina, lo mismo que el villancico y la representación, ya sagrada, ya profana. El hecho es que son verdaderas églogas, bucólicas

o pastoriles y no pastoriles, no pocas poesias líricas
dialogadas del siglo xv anteriores a Juan del Enzina, y verdaderamente populares. Como en todas,
distínguese al punto en esta clase de poesias la
mano de Enzina y demás autores cultos, que tienden
a regularizarlo todo. Las églogas y diálogos populares de cancioneros y pliegos sueltos lo prueban claramente, cuando se comparan con las de tales escritores cultos, a pesar de lo allegados al pueblo que
fueron.

Que hubo villancicos populares antes de Juan del
Enzina, y no menos después, del género bucólico, pastoriles, es manifiesto por las mismas obras impresas y manuscritas. Alfred Jeanroy (*Les origenes de
la poésie lyrique en France*, 1904, pág. 18) afirma que

"Si tuviéramos canciones pastoriles de la Edad media
en que cantasen los pastores, a buen seguro, *a priori*,
que no se pintaría en ellas la vida pastoril. Sería el único ejemplo de poesia popular que pintase de propósito
costumbres populares. El pueblo, por el contrario, prefiere siempre los sucesos extraordinarios y los personajes de alta alcurnia que le alejan de su vida cotidiana."

En España no es así. Será en Erancia, donde, según
el mismo autor, en la literatura medieval todo es
fantástico, lejano de la realidad. En España la literatura de entonces, como la de después, es realista.
Los villancicos son la lírica de los villanos y entre
ellos, como entre los refranes, hay infinitos, ¿qué
digo?, casi todos, que tratan de la vida común y real
del pueblo, de los villanos, y muchos de la vida pastoril La bucólica culta nació del ansia de mudar de postura la gente urbana, fantaseando en los campos y
entre pastores la felicidad que no hallaba en el vivir cotidiano, en la realidad. Por eso idealiza la tal
vida pastoril, la representa feliz en cierto modo. Pero

la literatura popular castellana no idealiza esa vida como quien la ve desde la ciudad fantaseando, sino que la pinta en la realidad como quien la está viviendo, porque los villancicos que nacieron en el pueblo hablan del pueblo tal cual es. En la égloga castiza castellana no se ve el menor atisbo de esa idealización de la vida, porque no es obra de cultos. El género pastoril es aristocrático por naturaleza, como notó Groeber; pero no en España, que es realista. De aquí que la pastorela francesa respire odio al villano. Sus defectos se declaran en nuestros refranes y villancicos; pero odio o cosa alguna que muestre la diferencia de clases que en Francia, no se hallará en ellos. La pastoral francesa tiene no poco de fanfarronería por parte del tenorio narrador, por la conquista que hizo de la pastora, burlándose de gente villana (Jeanroy, pág. 22) y así, cobrada la pieza y gozada, déjanla sin cumplir promesas, y ellas son cínicas todas, que resisten sólo por interés. Se ve claramente la división de clases en Francia. Y aun por eso pusieron esas escenas de conquistas entre pastoras, por no mancillar el ideal de las damas entre caballeros, que entonces las endiosaban según la literatura y costumbres caballerescas. En la serranilla castiza de Juan Ruiz no hay nada de esto: ellas son las que se ofrecen y no hay desprecio aristocrático hacia ellas. Se las pinta a veces feas, por serlo a menudo, pero por puro realismo, no por odio de clases. Otro tanto sucede en la bucólica castiza popular posterior, y tal como es la imitó Juan del Enzina. No hay en la égloga popular castellana, ni en la culta inspirada en ella, ni el propósito de mudar de postura idealizando, como en la bucólica clásica de Virgilio o en la italiana y española de Montemayor, ni el menosprecio de clases de la pastorela francesa; no hay más que realismo y verdad. Prueba manifiesta de ser popular y además de que nuestra literatura no es fantástica ni idealista, como la francesa.

También le salió al encuentro a este género el adversario común, el clasicismo, con la *Arcadia* italiana de Sanazaro, que trajo Jorge de Montemayor en su *Diana* y que continuaron Gil Polo en su *Diana enamorada*, Cervantes en su *Galatea*, Luis Gálvez de Montalvo en *El Pastor de Fílida* y otros. Pero esta bucólica trasnochada, de pura imitación erudita, de extraño espíritu, de personajes aristocráticos vestidos de pastores, simbólicos y de clave, falsa de todo punto y escrita en prosa con algunas poesías entreveradas, no vivió más de medio siglo. Sus mismos autores dan muestras claras de apreciar el villancico popular y glosan algunos e imitan otros. mezclándolos con las composiciones al estilo italiano, y llegan a darles la preferencia sobre éstas con palabras textuales. El villancico y el género eglógico y pastoril siguió cultivándose por los mismos poetas cultos durante todo el siglo XVI y se lozanea sobre todo en un sin fin de escenas del teatro de Lope y Tirso sobre todo, poetas que sentían hondamente el campo y la vida aldeaniega española y alcanzaron a expresarla con toda su frescura y candor. Son de las escenas y personajes más al vivo pintadas por entrambos poetas. Tras ellos raras veces aciertan los demás dramaturgos: el artificio suple a la realidad y el campo está visto desde la ciudad mediante la fantasia.

VIII

LA LÍRICA EN EL SIGLO XVI, LA POPULAR Y LA ITALOCLÁSICA.

Llegando ya a la pura lírica, nuestros poetas del siglo XVI hay que clasificarlos en dos bandos: los novadores italianizantes y los seguidores de la lírica popular. Boscán y Garcilaso traen de Italia el verso endecasílabo, el soneto, la canción, las octavas reales, los tercetos y, con estos instrumentos métricos, el espíritu clásico de pura imitación y aun copia, la mitología, los nombres clásicos de personajes, los asuntos, el espíritu pagano y muelle del arte italiano en el pensar, sentir y expresar, el estilo y lenguaje culto y aristocrático. Son los padres del arte clásico. Casi todos los demás poetas de nombre y estruendo se despepitaron tras esta moda. Diego Hurtado de Mendoza, Jorge de Montemayor, Hernando de Acuña, Francisco de Sâ, Gutierre de Cetina, Juan de Mal-Lara, Francisco de Figueroa, Francisco de la Torre, Eugenio de Salazar, fray Luis de León, San Juan de la Cruz, Barahona de Soto, Herrera, Baltasar del Alcázar, Francisco de Aldana, Juan de la Cueva, Góngora, Rey de Artieda, los dos Argensolas, Espinel, fray Antonio de Maluenda, Cristóbal de Mesa, Rodriguez Caro, Pedro de Espinosa y en masa todos los de los siglos XVII y XVIII.

Entre todos ellos, a espuertas trajeron tierra italiana, y el montón subió hasta llamarse monte: el *Parnaso español*. Sin duda español era por estar en

España; pero la tierra era italiana, e italianas y romanas las plantas todas y flores que en él lucieron y se criaron. Distinguiéronse entre todos los fundadores Boscán y Garcilaso, el técnico que formuló las leyes y reglas de la escuela, Herrera, y el que la coronó y subió hasta perderse entre las oscuridades de las nubes, Góngora.

He puesto como bando opuesto los de la lírica popular. Menéndez y Pelayo, que no tiene en cuenta esta lirica, pone en su lugar los de la antigua lírica castellana erudita. Pero la tal escuela castellana erudita desapareció al llegar el siglo XVI [1]. No merecen, efectivamente, tenerse en cuenta las rarísimas composiciones en arte mayor que todavía escribieron en el siglo XVI autores harto oscuros. La lirica popular hizo desaparecer entre los poetas cultos aquella lirica antigua. Cristóbal de Castillejo imita la lírica popular, no la antigua, que podemos resumir en Juan de Mena, su más afamado maestro. Castillejo hace villancicos y coplas, manifestaciones entrambas de la lírica popular, y siempre escribe en

---

1 *Hist. de las ideas estéticas,* t. II, vol. II, 1884, página 385: "Oposición formal no la hubo, ni podía haberla, puesto que no se trataba de un conflicto entre la poesía nacional y la trasplantada de Italia, sino de un conflicto entre dos escuelas líricas igualmente artificiosas, derivación lejana la una del arte provenzal y galaicoportugués, pero modificada ya desde fines del siglo XIV por elementos italianos; y nacida la otra de la inteligente comprensión de los primores de la forma en las obras del Renacimiento toscano, y a través de él las del arte latino, y más remotamente en las del arte helénico. Y de hecho, como nada de la poesía indígena se perdía, como sólo se trataba de sustituír una imitación a otra..., la batalla estaba ganada antes de darse, y bien se les conoce a los innovadores en la arrogancia e imperio con que se asientan sobre la tierra de su conquista."

versos cortos. Gran defensor de esta manera, llamada castellana, opúsose a la reforma, aunque por haber andado lejos de España su voz perdióse en el vacío. Gregorio Silvestre, que también hizo poesias clásicas al fin, fué al principio aficionado a Garci-Sánchez, y su afición principal y principal valer, como él confesaba, consistió en las glosas, género nacido del popular, como el villancico con coplas y estribillo nació del villancico simple. Sebastián de Horozco fué todavía más popular que ellos: su *Cancionero* está lleno de coplas "sobre la canción vieja que dize...", y difícilmente se distinguen esas coplas de las populares anónimas. Todas son rimas castellanas, y se acerca al pueblo cuanto puede acercarse un erudito del talento poético de su talla. Fué, además, gran folklorista, recogedor y glosador de refranes. Los escritores de la novela pastoril clásica, Montemayor, Gil Polo y Gálvez de Montalvo, apreciaron y aun prefirieron las coplas castellanas a la poesia italianizante, e ingirieron en sus novelas composiciones acabadas de entrambas escuelas. Don Diego Hurtado de Mendoza tenía fama en el siglo XVI por sus *redondillas,* que dice Boscán, Góngora sobresalió en su primera época por sus letrillas y romances, con extraña apropiación del candor popular, bien que aun desde los principios se echan de ver en estas imitaciones populares algunos rasgos demasiadamente brillantes y cultos, que fueron como raros chispazos de la tormenta que nos trajo en su segunda época del culteranismo o gongorismo. Lope, Valdivielso y Tirso fueron tan sobresalientes poetas en el género popular como en el italiano. No hubo, pues, en el siglo XVI escuela italiana y escuela culta a la antigua castellana, sino tan sólo escuela italiana y escuela castellana popular, a la cual enteramente sólo pertenecen Horozco y Castillejo, pero a la cual se inclinaron no poco los líricos citados. Y todos ellos prefirieron teóricamente la manera castellana durante el siglo XVI. A fines de aquel siglo la lírica popular puede decirse que habia triunfado, pues casi todos hacian villancicos, coplas, letrillas, glosas y romances, aunque más o menos artísticamente, esto es, sobreponiendo a la forma y espiritu del pueblo cierto pulimento, mayor regularidad, más colorido de imágenes, algo de abstracto y conceptuoso; en suma, lo que el arte erudito lleva consigo por bien que case con la manera popular. Juan de Timoneda ocupa lugar aparte, porque contribuyó más que nadie a llevar a los escritos la lírica y la épica del pueblo y no es fácil deslindar lo que él puso de suyo. Timoneda tomó en algunas obrillas el seudónimo de Baptista *Montidea,* nombre formado con las mismas letras de *Timoneda.*

Los poetas espirituales se allegaban al pueblo no menos que los místicos o prosistas espirituales; sino que tomando los cantares populares remedáronlos a lo divino. Tales fueron Pedro de Padilla, Juan López de Ubeda, Joaquin Romero de Cepeda, Gabriel López Maldonado, fray Damián de Vegas, Diego Alfonso Velázquez de Velasco, el maestro Valdivieso y Alonso de Ledesma. Pero todos ellos son poetas considerados como de segundo orden. Fuera de Silvestre, Castillejo, Horozco y en parte Góngora, Lope, Valdivieso y Tirso, la lírica popular no halló verdadero apoyo entre los eruditos. Ni los historiadores de nuestra literatura tuvieron cuenta de ella.

Ella vivía, sin embargo, y aun se lozaneaba cada vez más pujante, no solamente entre la gente del pueblo sino en los estrados y grandes palacios. No tenemos más que estudiar el teatro castizo y los musicólogos de aquel siglo. En la *Celestina* hay ya canciones populares y abundan en sus imitaciones. Los autos y entremeses, fundados por Juan del Enzina, fueron populares y están entreverados de populares villancicos, los de Lope de Rueda, Timoneda y los que de mediados del siglo publicó Rouanet. Cervantes, el mejor entremesista, los derramó en sus obras, y tras él Quiñones de Benavente, ya en el siglo XVII, llenó sus entremeses de bailes y canciones populares de su propio tiempo. De los maestros vihuelistas, Luis Milán publicó su obra *El Maestro* en Valencia, el año de 1535. Luis de Narbáez, *El Delfín*, en Valladolid, 1538. Alonso Mudarra, *Los tres libros de cifra*, Sevilla, 1546. Enríquez de Valderrábano, la *Silva de Sirenas*, Valladolid, 1547. Juan Vázquez, los *Villancicos y canciones*, OSUNA, 1551, y *Recopilación de sonetos y villancicos*, Sevilla, 1559. Diego Pisador, el *Libro de música de vihuela*, Salamanca, 1552. Miguel de Fuenllana, la *Orphenica lyra*, Sevilla, 1554. Un libro de *Villancicos de diversos autores* salió en Venecia, 1556; Uppsala, 1909. Luis Venegas de Henestrosa, el *Libro de cifra nueva*, Alcalá, 1547. Esteban Daza. *El Parnaso*, Valladolid, 1576.

En todos estos autores hay con música y letra villancicos populares y canciones no menos populares que se cantaban en palacios y estrados. Para el Duque de Osuna debió de imprimir en aquella población Juan Vázquez su primer libro. Esta música y poesía lírica profana de cámara, de plazas y calles y la religiosa que se halla a vueltas con la profana en los mismos libros de vihuelistas y se cantaba en las iglesias, era la que estaba en boga durante todo el siglo XVI, aunque los críticos mo-

dernos parezcan ignorarlo, ya que no nos hablan de
ella, sino de la italiana, que añaden triunfó de la
antigua lirica castellana. ¿Qué es triunfar? Lo que
realmente se cantaba era la lírica popular y sólo
como excepción algunos trozos de Garcilaso, que
también se hallan en algunos de estos autores de
música, como se hallan a veces en ellos villanescas
italianas, folías portuguesas y cantares franceses.
Lope, Tirso y Valdivielso ponen en el teatro cantares populares en boca de la gente del pueblo
y de las personas granadas y sólo por excepción alguna vez en boca de cultos poesias cultas. Es que
pintaron la realidad y lo que realmente se cantaba
en todas partes era lirica popular. Si se hubiera
así cantado la erudita, erudita poesia hubieran puesto en labios de las gentes. ¡Y todavía se repite que
triunfó de la popular la lírica a la manera italiana!
Entre los cultos y eruditos, si acaso, triunfó, y aun
sin acaso. Y como nuestros criticos leen aquellos libros eruditos se engañan, olvidándose neciamente
de la gente del pueblo español, de los mismos
estrados y palacios donde la popular casi únicamente se cantaba. Los tratadistas de retória y
poética, todos italoclásicos, no trataron de 'a métrica y poesía popular. Trató, sin embargo, de ellas
a la par que de la métrica grecolatina antigua, por
manera científica y acabada, el famoso músico y sabio, alabado por fray Luis de León, el doctor salman-
tino Francisco de Salinas, en su admirable y poco
estudiada obra escrita en latín *De Musica*, Salamanca, 1577, y más tarde el maestro Gonzalo de Correas,
en su *Arte grande de la lengua castellana*, 1626, obra
a la cual ha de añadirse su famoso *Vocabulario*, Madrid, 1906. Con música y letra imprimió Mateo Fle-
cha sus *Ensaladas*, profanas y picarescas, en Praga,

16

1581. La lirica popular, como para cantada apenas se concebía apartada de la música y así sólo trataban de ella los músicos. A los poetas cultos bastábales la pluma: aquella su lirica, tomada de libros italianos y latinos o imitada y en libros escrita, no era para cantada, sino para leída, y Cascales, el Pinciano, Rengifo y demás tratadistas no tratan sino de ella.

Conocidas son las colecciones poéticas de los principales y aun secundarios escritores cultos de aquella época, así como la gran colección titulada *Flores de poetas ilustres*, 1.ª parte por Pedro Espinosa (1605). 2.ª parte por Antonio Calderón (1611), toda de poesias clásicas escogidas. De poesias populares diríase que no hubo colecciones, fuera de los citados libros de música, pues no suelen mencionarlas los críticos e historiadores. La poesía popular, épica y lirica, romances y cantares, comenzó a imprimirse desde los primeros años del siglo XVI en pliegos sueltos de cordel que se vendían por las esquinas; pero la lírica tuvo mejor fortuna todavía que la épica, a pesar de ser tantas las fuentes conocidas de los romances populares. Hay cantares populares o imitados de ellos en todos los Cancioneros particulares de fines del siglo XV, en el de Juan del Enzina, Salamanca, 1496, etc.; en el de fray Ambrosio Montesino, Toledo, 1508; en el de Pedro Manuel de Urrea, Logroño, 1513. Igualmente en las colecciones generales del siglo XVI y XVII: en el *Cancionero general*, de Hernando del Castillo, Valencia, 1511 y en sus reimpresiones; en el de *Costantina*, 1510, que salió del anterior *Cancionero general*; en el *Cancionero de obras provocantes a risa,* Valencia, 1519; en el *Cancionero de romances*, Amberes (s. a.), 1550 y demás ediciones; en la *Silva de varios romances,* Zaragoza, 1550, 2 vols., y sus reimpresiones; en la *Segunda Parte de la Silva de varios romances,* Zaragoza, 1552; en el *Cancionero general de obras nuevas,* Zaragoza, 1554; en el *Romancero historiado,* Alcalá, 1579, 1582, 1585; en el *Romancero general,* Madrid, 1600; Medina, 1602; Madrid, 1604, por Pedro Flores, Madrid, 1614; en la *Segunda Parte del Romancero general,* por Miguel de Madrigal, Valladolid, 1605.

Pero las principales fuentes de la lírica popular diríase haber estado cegadas durante dos centurias o más. Los pliegos sueltos y los libros de nuestros vihuelistas son obras tan raras, que pocos literatos las han estudiado; las demás colecciones puede decirse que son desconocidas, si exceptuamos dos *Cancioneros,* impresos en la segunda mitad del siglo XIX. Y aun estos dos no han salido del dominio de los eruditos. El *Cancionero d'Herberay* fué publicado en el *Ensayo,* de Gallardo, 1863, (tomo I, 451-567), y el *Cancionero musical de los siglos XV y XVI,* o *de Barbieri,* manuscrito de la Real Biblioteca, lo editó Barbieri en 1890. En ambos hay poesias cultas y populares del siglo XV. El primero se compiló a mediados del siglo XV, el segundo hacia 1500 y contiene 460 poesías con su música, todas populares, fuera de algunas de Juan del Enzina y alguna otra. Vengamos a otras fuentes desconocidas.

Hay dos cancioneros manuscritos en la Biblioteca Nacional, desconocidos y que no sé haya nadie estudiado, ambos elegantemente escritos como para algún gran señor y supongo que en Valencia. El de más valor lleva la signatura 5593, y aunque pudiera haberse escrito a principios del siglo XVI, es más probable lo fuera en el anterior. De todos modos del XV son sus poesías y podemos muy bien llamar-

le *Cancionero del siglo xv.* Tiene delante de los vi
llancicos y *chistes,* como allí se llaman, algunas lar
gas composiciones cultas. Con ellas convienen algu
nas del otro manuscrito, el 2621, no menos que e
el uso del término *chiste;* pero tiene éste menos can
tares populares y añadiduras posteriores y verso
al itálico modo, de suerte que se escribió en el si
glo XVI.

Los pliegos sueltos del siglo XVI, en los cuales s
publicaron juntamente romances y cantares, so
fuente principalísima de la poesia popular, épica
lírica. En la Biblioteca Nacional hay gran riquez
de ellos y además un tomo manuscrito, el 3721, coı
el Ex-libris de Usoz, donde se copiaron mucho
otros.

El que llamo *Cancionero del siglo xvi* es el ma
nuscrito 3993 de la Biblioteca Nacional, con not
de mano de Gallardo: tiene cantares populares de
siglo XV y poesias cultas posteriores y se escribi
en el siglo XVI. Hay en la misma Biblioteca Nacio
nal otros tres Cancioneros importantes, también des
conocidos. El *Cancionero de cosas de amor,* del añ
1575, es el manuscrito 3806: tiene poesias cultas ۱
populares. Otro se escribió en 1582 para don Pedr
de Rojas y Guzmán, conde de Mora: es el manus
crito 3924 y lleva por titulo *Obras de Diversos re
copiladas,* año 1582. Tiene poesías cultas y popu
lares y es de gran importancia. Pero todavía e
más importante el manuscrito 3168, que llamo *Can
cionero del siglo xvii,* falto de comienzo y fin
riquisimo en cantares del pueblo, copiados por per
sona de escasas letras, pues siempre divide muy
mal las palabras.

Del siglo XVI por lo menos, si no anteriores, so
los cantares populares del *Cancionero de Gabriel d*

Peralta, que fué quien lo recogió y se halla descrito en Gallardo, tomo III, 1138. Lo he hallado en la Biblioteca Nacional, donde tiene la signatura 4072.

Poesias cultas y populares tienen los siguientes manuscritos de la Biblioteca Nacional: El titulado *Poesías diversas* (manuscrito 3700; Gallardo, tomo I, col. 1027). El llamado *Libro de diferentes y varias poesías* (manuscrito 3913). El manuscrito 3915, copiado el año 1620 por Jacinto López, músico de Su Majestad. El manuscrito 3890, sin titulo. *El libro de varios papeles* (manuscrito 4051). El manuscrito 3888 tiene villancicos glosados. El manuscrito 3884 con algunas populares. El manuscrito 3657, algunas a lo popular y desde el folio 101 al 614 son del Marqués de Alenquer, bastante allegado al pueblo. El manuscrito 2856, pocas populares, comienza con *Obra de Gallegos*. Las más cultas y algunas populares hay en la *Guirnalda odorífera*, manuscrito 4117. Místicas las hay en el *Jardín divino hecho el año de 1604*, manuscrito 4154; y en *Cantares del cielo*, año 1621, manuscrito 3951, todas muy hermosas y más populares que cultas. Algunos villancicos glosados hállanse en el *Cancionero de Manuel de Faria*, 1666, del cual trata Gallardo, tomo II, col. 999 y que he hallado en el manuscrito 3992 de la Biblioteca Nacional.

Viniendo ya a los libros impresos de lírica popular, Lope de Sosa compuso el *Cancionero muy gracioso del Santísimo Nacimiento de Nuestro Señor Jesu Christo*, a fines del XV y comienzos del XVI, publicado en 1603 y reproducido últimamente fotolitográficamente. *El Cancionero llamado Billete de Amor*, del siglo XV, reprodújose igualmente en Nueva York, 1903. No menos el *Cancionero llamado Vergel de amores*, Zaragoza, 1551, aunque es de poesías hechas por poetas cultos. Luis Milán publicó *El Cortesano,* Valencia, 1561; Madrid, 1872, donde hay algo popular; pero cuya mayor importancia estriba en que se describe en él la vida cortesana en el palacio de los Duques de Calabria y los entretenimientos poéticos de galanes y galanas, haciendo poesias, que casi todas son al tono popular de villancicos, motes y letrillas. Menéndez Pidal dice erróneamente que es traducción de *El Cortesano,* de Castigliome [1].

La boga de la lírica popular no puede estar más de manifiesto en este libro y cabalmente en la época en que, según los historiadores, había alcanzado entera victoria la lírica italoclásica. *El Cortesano,* de Luis Milán, así como los libros de los vihuelistas, desmienten semejante manera de opinar. Del mismo tono popular es todo el *Cancionero llamado Danza de galanes,* por Diego de Vera, Barcelona, 1625; Nueva York, 1903, donde predomina acaso lo semiculto, pero todo conforme al sistema del villancico con vuelta de la escuela popular. Otro tanto se diga del *Sarao de amor,* de Juan de Timoneda, Valencia, 1561, donde alternan, como en el anterior, galanes y galanas cantando villancicos, generalmente de los que llevan coplas y estribillo y los más son populares y muchos del siglo xv. Del mismo Timoneda, además de los conocidos pliegos sueltos, citó Böhl de Faber dos obras que dijo no haber podido hallar y que tampoco se han hallado después: *Silva de canciones,* Sevilla, 1511 (*sic*) y *Cabañero Cancionero,* Valencia, 1570. Entrambos serian importantísimos para la lírica popular. Hay un *Cancionero espiritual,* Valladolid, 1549; París, 1915 (*Rev. Hisp.*),

---

[1] *Discurso,* 1919.

en que se acomodan a lo divino bastantes cantares profanos. En la Biblioteca del Duque de Medinaceli hállanse dos colecciones de lírica en gran parte popular, con música. La una titulada *Tonos castellanos*, de fines del siglo XVI, en 107 fojas, que en parte copió Gallardo en su *Ensayo,* tomo I, col. 1193. La otra titulada *Tonos antiguos,* de la misma época, en 200 fojas, de la cual sólo puso Gallardo las cabezas, en el tomo I, col. 1203. Se han publicado en *Archivo y Biblioteca de la Casa de Medinaceli,* t. H, 1922. He citado anteriormente el libro titulado *Villancicos de diversos autores,* Venecia, 1556, del cual sólo se conoce el ejemplar que vió en Uppsala Rafael Mitjana. Tiene letra y música y todos los cantares son populares, los más del siglo XV. Imprimió sólo la letra con titulo de *Cincuenta y cuatro canciones españolas dcl siglo xvi. Cancionero de Uppsala,* Uppsala, 1909. Es de gran importancia. No la tiene menor un manuscrito de fines del siglo XVI, conservado en la Biblioteca pública de Evora, pues, fuera de escasas poesías portuguesas y otras de don Diego Hurtado de Mendoza, las demás son líricas populares castellanas del siglo XV y algunos romances. Publicólo Victor Eugène Hardung con titulo de *Cancionero d'Evora;* Lisboa, 1875, libro ya raro. Pero de mayor importancia es todavía el *Cancionero o Flor de enamorados,* por Juan de Linares, Barcelona, 1573, 1681, que fuera de algunos romances viejos, todo es de viejos cantares populares, los más del siglo XV. No conozco ejemplar alguno de ninguna de estas dos ediciones. Böhl de Faber toma algunas poesías para su *Floresta;* pero o las mudó, como a veces solia, corrigiendo lo que creía errado, o estaban mudadas en el libro de donde las tomó de como yo las hallo. He estudiado un manuscrito, dispuesto para la imprenta, que está en la Biblioteca Nacional (4128, antes M. 360). Esta obra no la hallo ni en los Catálogos de Salvá ni Heredia, y a saber si Böhl de Faber no tomó de segunda mano las poesías que copia, pues su biblioteca pasó a la Nacional, donde no hay ejemplar alguno de tan raro y precioso libro, y en el *Catálogo* de la Biblioteca de Böhl de Faber, que redactó Durán y para en la Nacional no se ve claro se halle tal libro, mencionado nada más que de una manera general y poco clara. En la Nacional hay un montón de *Villancicos* de las iglesias de España, impresos, todos de los siglos XVII y XVIII, procedentes de los fondos de Gayangos y Barbieri principalmente, sala de *Varios*.

La *Lira poética* salió en 1492, 1644, 1703, 1759. Las *Maravillas del Parnaso* y *Flor de los mejores romances*, recopilación hecha por Jorge Pinto de Morales, publicóse en Lisboa, 1637, y reprodújose en 1902. El *Libro de Tonos humanos, recogidos por Diego Pizarro*, Madrid, 1655. El *Libro de tonos en cifra de harpa. Tonos de don Vicente Finisterre de este año de 1706* (manuscrito 2478, Sección de música de la Biblioteca Nacional). Juan Brudieu publicó *Madrigales,* 4 tomitos, cada uno con su particela musical, Barcelona, 1581, del cual conozco el ejemplar de la Biblioteca Escurialense. *Primavera y flor de romances*, 1.ª parte, 1621; 2.ª parte, 1629. El *Cancionero musical y poético del siglo XVII*, por Claudio de la Sablonara, se ha impreso por la Academia Española en 1916: es de principios del siglo XVII y el sistema popular; pero las poesías están hechas por poetas cultos con demasiada argentería. El *Romancero de Barcelona* es de la misma época y salió en 1913 (*Révue Hispanique*, tomo XXIX). En la misma

Révue Hispanique se han publicado *Poesías de antaño* (1914, tomo XXXIV), *Séguidilles anciennes* (1901, tomo VIII, *Romancerillos de la Biblioteca Ambrosiana*, impresos de 1584 a 1594 (1919, tomo XLV).. *Cancioneros de la Biblioteca Nacional de París* (tomo XXI, por Carolina B. Bourland). En *Romanische Forschungen* reprodujo Karl Vollmöller (1891, tomo VI) el *Laberinto amoroso*, Barcelona, 1618; y publicó H. A. Rennert (tomo X) el *Cancionero del British Musseun*, del siglo xv. En *Homenaje a Menéndez y Pelayo* publicó Antonio Restori *Libro de diverse Canzoni Espagnole et Italiane*. El *Cancionero de Mathias Duque de Estrada* se publicó en la *Revista de Archivos* (año 1902).

Tales son las fuentes de la lírica popular castellana, las más desconocidas y no mencionadas por los críticos y tratadistas, que dan como hecho averiguado el triunfo de la lírica italoclásica sobre la. castellana a fines del siglo xvi. Todos esos cancioneros, impresos y manuscritos, bastaban para desmentir tal aserto. Y nada se diga de los villancicos, glosas, letrillas, romances y coplas, todo conforme a la lírica popular, que compusieron la mayor parte de los poetas cultos, poesías que se hallan en todas las colecciones líricas, impresas y manuscritas de los siglos xvi y xvii.

IX

CRÍTICA DE LA LÍRICA CULTA.

Por todo lo dicho se ve que la lucha entablada entre el arte nacional y el italoclásico fué harto peregrina; pero que para fines del siglo XVI había triunfado el arte nacional. La crítica clasicota del siglo XVIII y aun de no pocos escritores del XIX prefería los largos poemas en octavas reales a los romances, prefería las tragedias clásicas a los entremeses y autos, prefería las largas composiciones líricas italoclásicas a los villancicos y coplas. Romances, entremeses, coplas y villancicos eran tenidos por *géneros menores*. Diríase que la cantidad se estimaba más que la calidad y lo extraño más que lo nacional.

El criterio estético moderno va por otro camino: la cantidad no cuenta para nada ni pesa nada en la balanza estética sino la calidad, y la calidad de ser imitación de lo extraño ya de suyo desmerece, apreciándose harto más lo propio, lo personal, lo nacional. No comprendemos hoy que sobre los pasos de Lope de Rueda o los entremeses de Cervantes se pongan *Los amantes,* de Artieda; las *Nises,* de Bermúdez; la *Dido,* de Virués; la *Tragedia de Narciso,* de F. de la Cueva; *La Isabela* y *La Filis,* de Argensola; ni la *Numancia,* de Cervantes, acaso la mejor de todas aquellas tragedias clásicas. No sé si habrá quien ponga encima de los mismos roman-

·ces artísticos de Góngora, Lope y Quevedo, no ya
encima de los romances viejos, los poemas clásicos,
aun la *Araucana* y el *Bernardo;* pero para la crítica
·sabia cualquier romance viejo vale cien veces más
·que todos aquellos poemas juntos y a cien poemas
juntos prefería Böhl de Faber una sola poesía
lírica popular, la que comienza *Aquel si viene o
no viene.* Tan buenas y mejores que ésta las hay
en los manuscritos e impresos que Böhl no alcanzó
a conocer. Esta lírica popular es, respecto de la
lírica culta, lo que los romances viejos respecto de
los poemas clásicos y no hay más que añadir.

Los críticos a la manera antigua creían que la
lírica italiana había triunfado a fines del siglo XVI
de la lírica castellana. Yo me sospecho que no co-
nocían la verdadera lírica castellana y que ni se dig-
naban leerla. Miraban la lucha desde lejos y con
criterio clásico, como miran los patriotas y con criterio patriótico desde lejos la guerra, que siempre
les resulta a su favor. Se enteraban de ella por lo
que leían en los líricos italoclásicos del siglo XVI,
los cuales escriben y se tienen por tan victoriosos
que ni siquiera vuelven los ojos para mirar al adversario. Y es de ver cómo los técnicos, por ejemplo Herrera, se lamentan y apesadumbran porque
en lengua castellana no hallan poesía lírica como
la que admiran en Italia. No tienen ojos para ver
ni oídos para oír lo que sucede y se canta en estrados y plazas, en iglesias y campos, en todas partes, que no eran precisamente sonetos ni poemas
en octavas reales ni cartas en tercetos, sino coplas
y villancicos. Los críticos clásicos modernos ven
las cosas del siglo XVI por los libros de los clásicos
de entonces y no han dado en todas esas fuentes
bibliográficas de la lírica popular que hemos visto,

no saben lo que de hecho pasaba y lo que se cantaba; sólo saben lo que escribían los poetas italianizantes. A fuerza de oírse, siempre en son de elogio, hay nombres que deslumbran y que con sólo citarlos no hay más que callar y punto en boca: Garcilaso, Herrera, fray Luis de León, los Argensolas, Quevedo. Pavor y espanto ponen tales nombres. ¿No había nada mejor, no se cantaba nada mejor en aquel tiempo que lo que escribieron estos venerados vates? Chistar, decir que sí, aunque sea en voz baja, es atraerse las iras de la grey erudita y aun de toda la república de las letras. Y yo pregunto: cuando tanta autoridad como ellos tenían a fines del siglo xv el Marqués de Santillana, Gómez Manrique, Juan de Mena, Juan de Mena sobre todo, ¿no se cantaba nada mejor que lo que tales poetas escribieron? Cuando se leen las poesías populares del siglo xv, y el lector las ha leído en la *Floresta,* tales ídolos van oscureciéndose poco a poco, si no caen de golpe y porrazo y dan con toda su autorizada arrogancia por esos suelos. ¿Cuándo ni dónde se cantaba el *Laberinto* o la *Comedieta de Ponza,* ni qué tienen que ver estéticamente con cualquiera de los villancicos que cantaba el pueblo del siglo xv? Y con todo, para historiadores y críticos la lírica triunfante y victoriosa era por aquel entonces esa, la del *Laberinto,* y el nombre de Juan de Mena imponía silencio. Algo semejante me figuro yo les ocurre a historiadores y críticos de la vieja escuela, respecto de la lírica del siglo xvi, cuando proclaman que la lírica culta italoclásica había triunfado.

Allá por los años de 1526 ó 1527, tratando en Granada Juan Boscán con el embajador veneciano Navajero, animóse a escribir sonetos y versos al modo italiano. Comunicó su propósito con su amigo Garcilaso de la Vega, el cual no sólo le alentó a que lo pusiese por obra, sino que también comenzó a poetizar de la misma manera. Y compusieron ambos toda suerte de poesías, distinguiéndose Garcilaso por su suavidad y perfecto acomodo a la lengua castellana del endecasílabo italiano. Siguiéronles la turbamulta de poetas, castellanos y portugueses, ganosos de novedades y de pan de trastrigo. No hubo de entonces acá borrajeador de versos que no hiciese y aun haga su soneto o su centenar de sonetos. Hay más sonetos en el Parnaso castellano que amapolas en abandonado trigal.

Garcilaso, sobre todo, fué ensalzado como príncipe de la poesía castellana. El Brocense y Herrera escribieron sendos comentarios sobre sus obras. Los tomitos de bolsillo con las poesías de Boscán y Garcilaso se vendieron durante todo el siglo XVI como pan bendito y no hubo dama ni caballero que no lo tuviese en su bufete. Hasta en los tratados de los últimos vihuelistas del siglo XVI se halla música para algunas de aquellas poesías, a la par que para los romances y villancicos, por estar todo ello de moda en los estrados, y hubo Garcilaso a lo divino como a lo divino hubo villancicos profanos: tan hondo y tan adentro penetró la moda y novedad. Veamos ahora en qué consistía esta novedad, cuál era el espíritu de aquella nueva lírica.

Doctrina corriente ha sido entre críticos y preceptistas la de que la poesía tiene su lenguaje y estilo propios, *más levantados, más nobles,* dicen, que la prosa. El estilo poético llamóse *culto.* Góngora llamó *culta* a su *Bucólica Talía* en el *Polifemo* y catorce o quince años antes había escrito Agustín de Tejada Páez:

Oídos preste el mundo al *verso culto.*

De aquí el titulo de *culterano* y *culteranismo* dado al gusto poético que tendía a ser *culto,* como en nuestro tiempo se dió el nombre de *modernista* y *modernismo* al gusto poético que tendía a ser *moderno,* esto es, novísimo, no usado. Ambas tendencias llevaron a la oscuridad de la expresión. Lope se burló del estilo culto en aquellos conocidos versos:

> ¿Entiendes, Fabio, lo que voy diciendo?
> —Y ¿cómo si lo entiendo? —Mientes, Fabio,
> que yo soy quien lo digo y no lo entiendo.

Pero ya antes había escrito Pedro Espinosa en un soneto, que publicó en *Las flores de poetas ilustres de España* (1605):

> Tú, mirón, que esto miras, no te espantes,
> si no lo entiendes, que, aunque yo lo hice,
> así me ayude Dios, que no lo entiendo.

Si queremos rastrear la causa de esta oscuridad en modernistas y culteranos, la hallaremos en la afectación aquella que tan discretamente condenó Cervantes:

"Aquí alçó la voz maese Pedro y dixo: Llaneza, muchacho, no te encumbres, que toda afectación es mala" (*Quijote,* II, c. 26).

Modernistas y culteranos afectaron una manera de decir alejada de la común y llana de la prosa y del habla familiar, para apartarse así de los demás y ser excelentes. Es todo lo contrario de lo que hace la poesia popular, que no pretende apartarse sino allegarse más y más al habla común, familiar e íntima.

La doctrina de críticos y preceptistas es, por

consiguiente, enteramente contraria y opuesta a la que anima la lírica popular, y así como ésta lleva a la claridad y propiedad en el decir, así aquélla conduce a la oscuridad.

Y ¿qué es el arte sino expresión? La oscuridad dice, por el contrario, la menor expresión posible; dice falta de expresión. El lenguaje nació para expresar el hombre su pensar y sentir y el arte literario debe perfeccionar esa expresión: nació para *expresar mejor,* más *expresivamente,* el pensar y sentir del hombre. Y viene el arte culto y asienta como principio todo lo contrario: que el lenguaje poético ha de diferenciarse del habla común; ensalza la afectación, que lleva naturalmente a la oscuridad y a la falta o negación de la expresión para la cual nació el lenguaje y el arte literario.

Esta doctrina y tendencia de los cultos la hallamos ya en los más viejos críticos y el crítico más viejo entre los nuestros es el Marqués de Santillana, el, cual dice en su *Prohemio e carta* que envió al Condestable de Portugal con las obras suyas:

"E qué cosa es la poesía (que en nuestro vulgar *gaya sçiençia* llamamos), sinon un fingimiento de cosas útiles, cubiertas o veladas con muy fermosa cobertura, compuestas, distinguidas e scandidas por çierto cuento, pesso e medida?... E si por ventura las sçiençias son desseables, assy como Tullio quiere, ¿quál de todas es mas prestante, mas noble o mas dina del hombre? o quál mas extensa a todas espeçies de humanidat? Ca las escuridades e çerramientos dellas ¿quién las abre, quién las esclareçe, quién las demuestra e façe patentes sinon la eloquençia dulce e fermosa fabla, o sea metro, o sea prosa?"

La poesía sirve, según esto, para abrir, esclarecer y demostrar y hacer patentes las oscuridades y cerramientos del saber, de las ciencias. La peor poesía, si poesía puede decirse, será la que, en lugar de abrir, cierre y, en vez de esclarecer, oscurezca las cosas. Y eso hace la poesía culta, según doctrina de sus preceptistas. Y del mismo Marqués, que también afectaba estilo rebuscado y latinizante, como puede verse en sus mismas palabras y en aquellas otras tan sabidas que pone a continuación, distinguiendo:

"Tres grados, es a saber: *Sublime, Mediocre, Infimo. Sublime* se podria deçir por aquellos que las sus obras escribieron en lengua griega o latina, digo metrificando. *Mediocre* usaron aquellos que en vulgar escrivieron, asy como Guydo Janunçello, bolonés, e Arnaldo Daniel, provençal. E como quier que destos yo non he visto obra alguna; pero quieren algunos aver ellos seydo los primeros que escrivieron terçio rimo e sonetos en romançe. E asy como diçe el philosopho, de los primeros, primera es la especulacion. *Infimos* son aquellos que sin ningun orden, regla nin cuento façen estos romançes e cantares, de que las gentes de baxa e servil condiçion se alegran."

Según este criterio renacentista del Marqués, sublime es la poesía grecolatina, mediocre la escrita en lenguas vulgares por hombres eruditos y cultos e ínfima y propia de gente baja y servil la poesía castellana popular, esto es, la epopeya o *romances* y la lírica o *cantares.* Cuanto a la epopeya o romances, ya han sido rehabilitados y son hoy apreciados en lo que merecen. Falta rehabilitar la lírica popular, que es lo que pretendo en esta obra. De todos modos para el Marqués esta lírica es despreciable y propia de gente servil y baja: el pueblo es incapaz de hacer noble y hermosa poesía, y así él se dió a imitar en la suya a los italianos y latinos, rebutiéndola de palabras no castellanas y enrevesándola de trasposiciones menos castizas todavía.

En la *Invocación* a la *Comedieta de Ponza* dice:

O lúcido Jove, la mi mano guía,
despierta el ingenio, aviva la mente,
el rústico modo aparta e desvía,
e torna mi lengua, de ruda, eloquente.

Nada quiere con el modo popular, con *el rústico modo* y trata de alejarse de él cuanto le sea posible. Es el criterio de Horacio: *Odi profanum vulgus et arceo.*

El mismo criterio tuvieron los poetas anteriores, cuyas obras recogió Juan Alfonso de Baena en su *Cancionero,* en cuyo prólogo declara así su manera de ver y la de su época:

"El arte de la poetrya e gaya çiencia es una escryptura e conpusiçion muy sotil e byen graçiosa, e es dulçe e muy agradable a todos los oponientes e rrespondientes della e conponedores e oyentes: la qual çiençia e avisacion e dotrina que della depende e es avida e rreçebida e alcançada por gracia infusa del señor Dios que la da e la enbya e influye en aquel o aquellos que byen e sabya e sotyl e derechamente la saben fazer e ordenar e conponer e limar e escandir e medir por sus pies e pausas, e por sus consonantes e sylabas e açentos, e por artes sotiles e de muy diversas e syngulares nonbranças, e aun asymismo es arte de tan elevado entendimiento e de tan sotil engeño que la non puede aprender nin aver nin alcançar nin saber bien nin como deve, salvo todo omme que sea de muy altas e sotiles invençiones e de muy elevada e pura discreçion e de muy sano e derecho juysio e tal que aya visto e oydo e leydo muchos e diversos libros e escripturas e sepa de todos lenguajes e aun que aya cursado cortes de Rreyes e con grandes señores e que aya visto e platicado muchos fe-

chos del mundo: e finalmente que sea noble fydalgo, e
cortés e mesurado e gentil e graçioso e polido e donoso
e que tenga miel e açucar e sal e ayre e donayre en su
rrasonar, e otrosy que sea amador e que siempre se
preçie e se finja de ser enamorado; porque es opynion
de muchos sabyos, que todo omme que sea enamorado,
conviene a saber, que ame a quien deve e como deve e
donde deve, afirman e disen quel tal de todas buenas
dotrinas es dotado."

Todo esto es sabrosísimo y lo paladeará el lector, y viene a parar a que la poesía es de gente muy
culta y leída, de modo que la gente de baja y servil condición no es para ella. Los poetas, cuyas
obras recoge Baena, para nada se acordaron de
la lírica popular y no hacen más que imitar a los
provenzales e italianos, aunque guarden los metros
populares tradicionales, lo único bueno de aquel
Cancionero; sino que no lo deben a su sotil y alto
engeño sino al pueblo de baja y servil condición,
del cual no se acuerdan. El pueblo cantaba, sin
embargo, los admirables villancicos que hemos visto
y que poco después, en tiempo de los Reyes Católicos comenzaron a apreciar los escritores.

Tan antiguo es el divorcio entre la poesía culta
y la popular, el prurito de forjar un lenguaje poético para la una, apartándose del familiar en que se
complace la otra, y el mirar como dechado a la poesía extraña, de Italia, Roma y Grecia, de donde pro-
curaban los cultos sacar palabras y construcciones
para este lenguaje poético culto que querían forjar. Distinguiose en esto Juan de Mena, verdadero
padre del culteranismo poético, que empleó voces
como *el Cesar novelo, subverter, pierio subsidio,
ignoto, fluctuoso, flajelo, planura, nítido, clarífico,
medios especulares, formas dispáres, fuscar, discre-*

pante, infacundo, fruir, intelecto, penatígero, explanar, nubífero, gentes imperitas, inopia, insuflar, immoto, turbido, fuegos coruscos, prestigiar, propinqua, la mente superna, gloria eviterna, la solvedora de mis ignorancias, pudicicia, punir, amiento, mendacia, falacia, etc., etc. Suyas son las trasposiciones siguientes:

—Siempre divina clamando clemencia.
—Divina me puedes llamar Providencia.
—Do yo creería.
La mágica haverse hallado primera.
—Las maritales tragando cenizas.
—A la moderna volviéndome rueda.

Garcilaso pretendió sepultar estas cosazas; pero como el modelo que se propuso para levantar y hacer culto su estilo era el mismo de Mena, a pesar de haberse ya digerido el renacimiento lo bastante para deslindar elegancias, usó Garcilaso de trasposiciones como éstas:

—Y con voz lamentándose quejosa.
—Ya de rigor de espinas intratable.
—Los accidentes de mi mal primeros.
—Guarda del verde bosque verdadera.   ,
—Aquella tan amada mi enemiga.
—Entre la humana puede y mortal gente.
—Como en luciente de cristal coluna.

Y empleó voces como *mortífero, consiente, meta, recíproco, mercenario, rígida nieve, fraterna, luciente, progreso futuro, lamento, umbrosa, undoso, ardua via, argento, ofusca, corusca, inerte, testa, licenciosa.* Las más pasaron al lenguaje culto corriente; pero no por eso son voces castellanas que emplee el pueblo, aunque lleven cuatro siglos de vida literaria.

Hernando de Herrera pretendió perfeccionar el lenguaje culto de la poesía, completando a Garcilaso; y Góngora, apasionado de estos dos ingenios, logró llevar a su cumbre y cima, digamos mejor abismo, lo por ellos comenzado. Las *Anotaciones* de Herrera a Garcilaso son el código del estilo culto, erudito, renacentista y clásico, apartado del común y popular y raíz del culteranismo de Góngora.

Garcilaso era poeta de exquisito gusto y apenas cayó en afectación; pero al señalar a los demás las fuentes inspiradoras de su poesía, esto es, las obras italianas clásicas, apoyando la doctrina con el ejemplo y continua imitación de aquellos modelos; al apartarse de lo nacional para rendir culto a lo extraño, al pretender forjar un idioma poético alejado del familiar y allegado al latino; al practicar, en suma, el precepto aquel de Horacio:

Odi profanum vulgus el arceo,

falso y dañosísimo criterio de los literatos romanos, eternos imitadores de los griegos y criterio de los renacentistas italianos, dóciles imitadores de los latinos, puso real y efectivamente los fundamentos del culteranismo, sembró la semilla de la afectación, que Herrera formuló científicamente en sus *Anotaciones* y aun practicó en muchas de sus poesías amorosas y que Góngora acabó de desenvolver.

"Es el estilo de Garcilaso *inafetado...*, dispone con arte i juizio, *con grande copia i gravedad de palabras i concetos; que no podrá, aunque escriva cosas umildes, inclinar su animo a oracion umilde...*, tiene riquissimo aparato de *palabras ilustres*, significantes i *escogidas* con tanto acierto."   ,

Así pinta Herrera el gusto aristocrático de Garcilaso, su tendencia a *escoger palabras*, a la *grave-*

dad, a huir de lo *humilde*. En Garcilaso no hay afectación, es *inafetado;* pero el germen de la afectación está en ese principio de elección, de dividir el vocabulario en noble y grosero, cuando la elegancia sólo pende de la que Horacio llamó *iunctura*, del lugar y modo con que los vocablos se traben y empleen, que todos son igualmente nobles y biennacidos. Menos los no castellanos, por supuesto, cuyo empleo queda precisamente canonizado con el modelo extraño que presentó y trató de imitar Garcilaso.

Para Herrera no había habido poesía en España ni estilo poético digno de tenerse en cuenta hasta que llegaron él y Garcilaso. Los modernistas lo han repetido de sus modestas personas:

"Pienso, escribe Herrera, que por ventura no será mal recebido. mi trabajo de los ombres que dessean vêr *enriquecida nuestra lengua* con la noticia de las *cosas peregrinas* a ella; no porque esté necessitada i pobre de erudicion i dotrina; pues la vêmos llena i abundante de todos los ornamentos i joyas que la pueden hazer ilustre i estimada; sino porque atendiendo a cosas mayores los que le pudieran dar gloria i reputación, o no inclinandose a la policia i elegancia destos estudios, la desampararon de todo punto en esta parte."

Herrera, como la mayor parte de los cultos, se da a entender que. los artistas cultos son los que enriquecen y hermosean el idioma, cuando son los que lo enturbian con *cosas peregrinas*. La poesía lírica popular era elegantísima cuando esto escribia Herrera y. su lenguaje harto más rico, expresivo y hermoso que el que con *cosas peregrinas* fueron afeando los eruditos. Lo de haber abandonado estos estudios, *atendiendo a cosas mayores*, los nuestros, no es más que repetir lo que los italianos proclamaban, que ellos eran los únicos que tenian poesía y letras, y que los españoles no habían sabido más que guerrear. Como si el guerrear embarazase el cultivo del idioma y de la epopeya y lírica del pueblo, que precisamente fueron grandes en España por la reconquista. Pero es que los italianos suponían, como Herrera, que no hay literatura sin eruditos que escriban, y nuestra literatura no necesitó escribirse para ser tan excelente como la que más.

Los eruditos la descubrían por aquel entonces, comenzando a apreciar los romances y canciones líricas. Garcilaso y Herrera no se percataron de ello. Herrera se cree en terreno por rozar, supone que Garcilaso es el primero que lo rompe y pone en cultivo y que él mismo va a recoger los mejores frutos. Recogiólos, ciertamente; pero, cuando practicó el principio renacentista de imitación italiana, no hizo más que ser el mejor poeta petrarquista castellano, en sus obras amatorias: porque al cabo Herrera, además de ser gran poeta, sentía apasionadamente el amor que cantaba y así no era puro imitador culto, sino poeta que vive lo que canta. Pero si esa pasión la hubiera vaciado en el troquel de la lírica popular, como a veces hicieron Góngora y Lope, sus obras amorosas hubieran sido de más alto valer y no estarían olvidadas hasta casi de los eruditos. Lo que las arrinconó fué lo petrarquesco, lo *peregrino,* que con tanto afán deseaba meter en España. Esclavo de la forma, jugóle la forma esa mala partida.

"Es el soneto, dice, la mas hermosa composición i *de mayor artificio...* Su verdadero sugeto i materia deve ser principalmente *alguna sentencia ingeniosa i aguda o grave.*"

Lo artificioso y *lo ingenioso* malos consejeros son

para el poeta, que sólo debe moverse a escribir por
el sentimiento que le salga del alma.

"En este pecado caen muchos, añade, que piensan acabar una grande hazaña cuando escriven de la manera
que hablan; como sino fuesse diferente el descuido i
llaneza, que demanda el *sermon comun* (sermo communis),
de la observacion, que pide *el artificio* i cuidado de quien
escrive."

He aquí menospreciado el *sermón común,* el habla familiar. Y bien que hazaña, escribir como se
habla; no con descuido, que el arte pide cuidado
y el arte popular no admite descuidos; pero sí con
llaneza y en el habla común, y que, a pesar de eso,
el sentimiento esté expresado tan natural y elegantemente, que parezca facilísimo y de hecho no lo
logren más que raras veces los grandes poetas,
doctrina que ya canonizó Horacio:

Difficile est proprie communia dicere...
Sudalist et alget...

Toda esa artificiosa poesía del soneto, del terceto, de la octava, de la canción italiana, era para
Herrera la única poesía y se lamenta de no haberla
antes tenido los españoles.

"Los españoles, ocupados en las armas con perpetua
solicitud hasta acabar de restituir su reino a la religion
Cristiana; no pudiendo entre aquel tumulto i rigor de
hierro acudir a la quietud i sosiego destos estudios;
quedaron por la mayor parte agenos de su noticia,
i a pena pueden dificilmente ilustrar las tinieblas de la
oscuridad, en que se hallaron por tan largo espacio de
años. mas ya que an entrado en España las buenas letras
con el imperio, i an sacudido los nuestros el yugo de la
inorancia; aunque la poesía no es tan generalmente onra-
da : favorecida como en Italia, algunos la siguen con
tanta destreza i felicidad, que pueden poner justamente

invidia i temor a los mesmos autores della. pero no conocemos la deuda de avella recebido a la edad de Boscan, como piensan algunos, que mas antigua es en nuestra lengua; porque el Marques de Santillana es gran capitan español i fortissimo cavallero, tento primero con singular osadía i se arrojò venturosamente en aquel mar no conocido, i volvio a su nacion con los despojos de las riquezas peregrinas. testimonio desto son algunos sonetos suyos dinos de veneracion por la grandeza del que los hizo, i por la luz que tuvieron en la sombra i confussion de aquel tiempo."

Vemos, pues, que el criterio estético de Herrera es el mismo que el de Santillana, expuesto con más claridad; y la ignorancia o afectada ignorancia, digamos desprecio, de la poesía popular, la misma. Para Herrera, cuanto a poesía, no hubo en España antes de Boscán más que *tinieblas* y *oscuridad*. La epopeya castellana popular y la popular lírica eran para él *oscuridad* poética, poéticas *tinieblas*.

Con razón, pues, dice Adolfo de Castro:

"No solo imitó Góngora, exagerándolos, los aciertos. y los yerros de Garcilaso, en el sentido de *afectar* el estilo, sino que también siguió en este particular las huellas de Fernando de Herrera; quien, en muchísimos de sus sonetos y en algunas de sus canciones y elegias, todo es afectación, todo arte. Góngora copia muchas de las frases de Herrera... Evidentemente este fué el origen del culteranismo de Góngora: perfeccionar el lenguaje poético de Garcilaso, de cuyas poesías constantemente se muestra el cisne cordobés apasionadísimo. *Siempre he profesado la opinión de que Góngora sin Herrera jamás llegara a ser* el Góngora del *Polifemo* y de *Las Soledades*. Por otra parte, nada hay más culto, nada más *gongorino* (si se permite la frase) que muchas de las poesías amorosas del divino Herrera. Como muestras, sirvan las dos cuartetas siguientes:

"Luz, en cuyo esplendor el alto coro
con vibrante furor está apurado
de dulces rayos bello ardor sagrado,
do enriqueció Eufrosina su tesoro.
Ondoso cerco que purpúra el oro,
de esmeraldas y perlas esmaltado,
y en sortijas lucientes encrespado,
al que me inclino humilde, alegre adoro."

Quien escribió así, y quien dió frases que imitar a
Góngora, en él, y no en otro, aprendió éste el culteranismo."

Pero no por lo que escribierón, sino por el principio que asentaron de la imitación extraña y del
lenguaje poético particular y noble, fueron Garcilaso y Herrera inspiradores del culteranismo. Vivían
en los comienzos del renacimiento y cogieron los
frutos todavia frescos y lozanos del gusto clásico.
Para el tiempo de Góngora había ya dado el clasicismo cuanto podía dar de sí. Lo imitado no puede
durar mucho sin caer en huera fórmula y los principios asentados por aquellos grandes poetas eran
gérmenes que presto habían de dar gusanos que
corroerian el árbol trasplantado de allende y sin
fuertes raices en ajeno terruño. El lenguaje poético
artificial que no chupa el jugo del habla viva es
lengua muerta y con lengua muerta no puede hacerse viva poesía. Todo aquello bien muerto está y
más lo gongorino de Góngora, y lástima da ver cómo
él mismo lo defiende en este trozo (Paz y Melia,
Sales españolas, tomo II pág. 304).

"Luego hase de confesar que tiene utilidad avivar
el ingenio, y eso nació de la obscuridad del poeta. Eso
mismo hallara Vm. en mis *Soledades,* si tiene capacidad
para quitar la corteza y descubrir lo misterioso que
encubren. De honroso, en dos maneras considero que ha

sido honrosa esta poesía; sí entendida para los doctos, causarme ha autoridad, siendo lance forzoso venerar que nuestra lengua a costa de mi trabajo haya llegado a la perfección y alteza de la latina, a quien no he quitado los artículos, como le parece a Vm. y a esos señores, sino excusándolos donde no necesarios, y así gustara me dijese en dónde faltan o qué razón de ella no está corriente en lenguaje heroico (que ha de ser diferente de la prosa) y digno de personas capaces de entendelle, que holgare construírsela, aunque niego no poder ligar el romance de esas declinaciones. Y no doy aquí la razón como, porque es para convencer la pregunta que en esto Vm. me hiciere. De más que honra me ha causado hacerme obscuro a los ignorantes que esa es la distinción de los hombres doctos, hablar de manera que a ellos les parezca griego, pues no se han de dar las piedras preciosas a animales de cerda."

Si del estilo y lenguaje de la escuela culta italolatina, pasamos a la métrica, no será menester largo discurso para hacer ver las ventajas que le lleva la métrica popular. Un solo metro emplea la clásica: el endecasílabo, y su pie quebrado en las canciones. Aceptemos de buen grado cuantas excelencias dijeron los tratadistas del endecasílabo y supongámoslo mejor que todos nuestros metros castellanos: ¿es posible que no canse una lírica compuesta siempre en una sola clase de versos, por excelentes que sean?

Veamos, sin embargo, las excelencias del endecasílabo. En la carta a la Duquesa de Soma, que puso Boscán como introducción al libro segundo de sus Poesías, escribe:

"En el primero (libro) habrá vuestra señoría visto esas Coplas (quiero decillo así), hechas a la Castellana. Solía holgarse con ellas un hombre muy avisado y a quien vuestra señoría debe de conocer muy bien, que es don

Diego de Mendoza. Mas paréceme que se holgaba con ellas como con niños, y así las llamaba las *Redondillas*. Este segundo libro terná otras cosas al modo italiano, las quales serán Sonetos y Canciones; que las trovas desta arte así han sido llamadas siempre. La manera destas es *más grave* y de *más artificio*, y, si yo no me engaño, mucho mejor que la de las otras."

Esas son cabalmente sus cualidades: ser verso *más grave* y de *más artificio*. Ahora que esas cualidades sean *excelencias* para expresar los afectos del alma, de lo cual trata la lírica, no creo lo concedan los que supongan que la expresión del alma no haya de ser grave, sino sencilla y llana, ni menos que haya de ser *de más artificio*, sino espontánea y natural. Hallamos, pues, aquí las mismas cualidades que hemos condenado en el estilo y lenguaje de la nueva escuela.

Poco importa que a Boscán le parezca mejor verso ni que "los buenos ingenios de Castilla, que van fuera de la vulgar cuenta, le amen y le sigan", como dice poco después. En punto a castellano no hay autoridad que valga más que la del pueblo castellano. Ahora bien, raras veces el pueblo usó endecasílabos seguidos a la manera italiana, ni antes ni después de Boscán. Algo habrá por consiguiente, en ese verso que no contente a los oídos castizos del pueblo. En el primer soneto de Garcilaso los versos son de dos clases.

1.º Comenzando por tónica:

$$- \cup \cup \mid - \cup \mid - \cup \mid - \cup \mid - \cup.)$$

2.º Comenzando por átona:

$$\cup \mid - \cup \mid - \cup \mid - \cup \mid - \cup \mid - \cup.)$$

3.º Pero usa mucho en otras partes la forma:

$$- \cup \mid - \cup \cup \mid - \cup \mid - \cup \mid - \cup.)$$

1.º   Ciegos, errados en el aire escuro.
1.º   Y viendo y contemplando nuestros males.
3.º   Sus virtudes estar allí presentes.

Estas tres formas corresponden a las 2.ª, 6.ª y 3.ª
de los endecasílabos populares de la *Floresta*:

2.ª   Dicen a mí que los amores hé.
6.ª   Que traigo los amores en la cinta.
3.ª   Sospiro una señora que yo vi.

Pero el pueblo no emplea de ordinario endecasílabos seguidos. En cambio por las tres clases dichas
de los clásicos, hallamos ocho de endecasílabos en
el pueblo. Por aquí se verá la variedad y la no monotonía que el pueblo obtiene aun con sólo este
verso, el único empleado por los italianizantes, además de su pie quebrado en la canción. Cotéjese con
la variedad de versos que emplea la métrica popular y las varias clases de cada uno de ellas: tal
es la razón de no ser pesados.

La monotonía de las composiciones en endecasílabos italianos se notará con sólo advertir que
todos los de una composición por larga que sea se
reducen a troqueos con un solo dactilo al principio, cuando no son todos troqueos. Ahora bien, en
la métrica popular hay ocho clases de endecasílabos,
lo cual comunica gran variedad. Además cualquier
composición consta de variedad de versos, que varían en sus pies. El mismo romance, que todo él
es de octosílabos, ofrece cuatro variantes que le
quitan la monotonía, esto es, tantas variantes cuantas caben. Véase al tratar del octosílabo en la *Floresta*. Igualmente hay seis clases de eneasílabos y
siete de decasílabos.

El pueblo castellano no parece además gustar de
largos versos, y así he advertido que sólo quiere de
entre los largos los dactílicos o de gaita gallega,

que son bailables, saltarines y ligeros. Dactílicos
son los decasílabos, endecasílabos y dodecasílabos
más usados en la lírica popular. En italiano el endecasílabo cae muy bien; pero en castellano es en
demasía *grave* y *de artificio,* cosas de que el pueblo
huye como de la peste, porque huelen a poca sinceridad. Y yo de mí sé decir que siempre se me hizo
dificultoso entender lo escrito en endecasílabos, que
tengo que poner más atención. Acháquese, si se
quiere, a cortedad mía; pero confieso lo que siento
y algo por el estilo debe de pasar generalmente a
los demás, cuando ni aun hasta hoy ha entrado el
pueblo por tal verso. Lo bueno es que Lope y otros
dijeron lo que yo acabo de decir, como luego veremos.

Ahora, si venimos a las combinaciones métricas
hallaremos que la octava rima, la tercia rima, las
largas estrofas simétricas de la canción y el soneto
son igualmente demasiado *graves* y *de artificio;*
por eso cansan y parecen pesadas estrofas a cualquier español.

La octava rima se ha usado en España para largos poemas a lo Torcuato Tasso y la tercia rima
para epístolas morales y didácticas. Son obras pesa-
dísimas de leer aun para las personas cultas; pero
sobre todo se despegan del sentimiento lírico. ¿Quién
es capaz de expresar sus hondos afectos, sus amores o penas, los suspiros del alma, en octavas reales o en tercia rima? Nuestro romance se presta
lo mismo para la épica como para la lírica, como se
ve por los ejemplares líricos de la *Floresta.* Las
otras combinaciones que forman el cantar castellano,
el villancico y las coplas, ni punto de comparación
tienen, por su riqueza de formas, su donaire y ligereza para la expresión del sentimiento, con esas

largas, graves y pesadas estrofas. Cuanto al soneto,
no conozco cosa más artificial y, por consiguiente,
más opuesta a la sinceridad.

"Es el soneto, dice Herrera, la más *hermosa* composición i de mayor *artificio* i *gracia* de cuantas tiene la
poesía Italiana i España."

Bien se le puede y debe conceder lo del *artificio;*
mas *la gracia* y *hermosura* no creo haya que irlas
a buscar en el soneto, teniendo nuestros metros populares.

Si a Boscán le parecían mejor los versos italianos, a Lope le agradaban más los castellanos y a
Gregorio Silvestre y a Cristóbal de Castillejo y a
Luis Gálvez de Montalvo y a otros muchos. Pero
la opinión de Lope vale por la de todos los italianizantes juntos. En el prólogo al *Isidro,* escribe:

"Ya dije al principio que amor da con el atrevimiento
disculpa y de ser en este género, que ya los españoles
llaman humilde, no doy ninguna, porque no pienso que
el verso italiano haga ventaja al nuestro, que si en España lo dicen es porque no sabiendo hacer el suyo se pasan al extranjero como más largo y licencioso, y yo sé
que algunos italianos invidian la gracia, dificultad y sonido de nuestras redondillas, y aun han querido imita-
llas, como lo hizo Serafino Aquilano, quando dijo:

"Dala dolce mia nimica
nasce un duol che ser mon suole,
e per piu tormento vole
che si senta e non si dica."

"Llamando nuestras coplas benzeletas o frotolas, que
mejor las pudiera llamar sentencias y conceptos des-
nudos, de todo cansado e inútil artificio. ¿Qué cosa
iguala a una redondilla de Garci Sánchez o don Diego
de Mendoza? Perdone el divino Garcilaso que tanta ocasion dió para que se lamentase Castillejo, festivo e in-

genioso poeta castellano, a quien parecía mucho Luis Galvez de Montalvo."

Y en el *Laurel de Apolo*:

Las coplas castellanas,
si bien después de ser puras y llanas
son de naturaleza tan suave,
que exceden en dulzura al verso grave,
en quien con descansado entendimiento
se goza el pensamiento
y llegan al oido
juntos los consonantes y el sentido
haciendo en su elección claros efetos,
sin que se dificulten los concetos:
así Montemayor las escribía,
así Gálvez Montalvo dulcemente,
así Liñán.

Y en *La Philomena* (2.ª pte):

"Con los versos extranjeros *perdimos la agudeza, gracia y gala,* tan propia de españoles."

Tomás Tamayo de Vargas, en las *Notas a las Obras de Garcilaso*:

"La sencillez de la compostura de las coplas castellanas parece incapaz de conceptos heroicos y no lo es. El poeta filósofo de nuestra ciudad don Jorge Manrique, ¿pudo escoger versos más acomodados a materia más grave? El ingenioso caballero don Diego de Mendoza ¿qué quiso decir, que no pudiese, en sus coplas castellanas? ¿Qué don Fernando de Acuña, contemporáneo de Garcilaso, con mayor lisura, aun atado a conceptos en su *Caballero determinado?* ¿Qué Luis Gálvez de Montalvo con mayor urbanidad?"

Juan de la Cueva en su *Arte poética española,* dijo de las coplas castellanas:

> En ninguna se halla la dulzura
> que en la nuestra, la gracia y la ternura,
> la elegancia, el donaire y hermosura.

Luis Gálvez de Montalvo ensalzó las coplas castellanas en *El Pastor de Fílida* (4.ª parte) antes de las
coplas al *Deseo,* justamente alabadas, como allí se
dice, por *Tirsi* (Cervantes) y *Arciolo* (Ercilla), y
en la parte 6.ª (pág. 312, ed. Mayans). Pero merece
recordarse el juicio que Cristóbal de Castillejo puso
en labios de los principales poetas castellanos sus
predecesores, cuando vieron la innovación de Boscán, porque toca atinadamente las cualidades de
nuestras coplas, en que aventajan a la versificación
italiana la claridad, la brevedad, la riqueza de consonancias, la gracia; tachando en cambio la nueva
versificación de oscura, prolija, melancólica, enfa-
dosa de leer, tarda y de pies de plomo, pesada y
poco placentera:

> Juan de Mena como oyó
> la nueva troba pulida,
> contentamiento mostró,
> caso que se sonrió
> como de cosa sabida.
> Y dijo: Según la prueba,
> once sílabas por pie,
> no hallo causa porqué
> se tenga por cosa nueva,
> pues yo también las usé.
> Don Jorge dijo: No veo
> necesidad ni razón
> de vestir nuevo deseo
> de coplas, que por rodeo
> van diciendo su intención.
> Nuestra lengua es muy devota
> de la clara brevedad,
> y esta troba a la verdad

por el contrario denota
obscura prolijidad.
  Garci Sánchez se mostró
estar con alguna saña,
y dijo: No cumple, no,
al que en España nació
valerse de tierra estraña.
Porque en solas mis lecciones,
miradas bien sus estancias,
veréis tales consonancias,
que Petrarca y sus canciones
queda atrás en elegancias.
  Cartagena dijo luego
como plático en amores:
Con la fuerza de este fuego
no nos ganarán el juego
estos nuevos trobadores.
Muy malencónicas son
estas trobas, a mi ver,
enfadosas de leer,
tardías de relación
y enemigas de placer.
  Torres dijo: Si yo viera
que la lengua castellana
sonetos de mí sufriera,
fácilmente los hiciera,
pues los hice en la romana.
Pero ningún gusto tomo
en coplas tan altaneras,
escriptas siempre de veras,
que corren con pies de plomo,
muy pesadas de caderas.
  Al cabo la conclusión
fué, que por buena crianza
y por honrar la invención
de parte de la nación,
eran dignos de alabanza.
Y para que a todos fuese
manifiesto este favor,

se dió cargo a un trobador
que aquí debajo escribiese
un soneto en su loor.

(*Las obras de Cristóbal de Castillejo*, Amberes, 1598.)

Gregorio Silvestre, en *La visita de Amor*, dice de los endecasílabos italianos:

Unas coplas muy cansadas,
con muchos pies arrastrando,
a lo toscano imitadas,
entró un amador cantando
enojosas y pesadas.

Léanse ahora las poesías líricas populares y se verá que en gracia, donosura, concisión y ligereza no tienen que envidiar a forma alguna métrica extraña. ¡Ah! Del contenido poético, del sentimiento del alma, de eso no hay que hablar.

Léase cualquier composición y compárese con cualquiera de las de Garcilaso, por ejemplo, con la primera que comenta Herrera. Es el soneto primero:

Cuando me páro a contemplar mi estado;
i a vêr los passos por do m'àtraido;
hállo, segun por do anduve perdido;
qu'a mayor mal pudiera aver llegado.
Mas cuando del camino estò olvidado,
a tanto mal no sè por do è venido.
Sò que m'acábo; i mas è yo sentido
vêr acabar comigo mi cuidado.
Yo acabaré, que m'entreguè sin arte
a quien sabra perderme i acabarme,
si ella quisiere; i aun sabra querello.
Que pues mi voluntad puede matarme,
la suya, que no es tanto de mi parte,
pudiendo, que hara, si no hazello?"

Todo esto es desleído, pesado, muelle, sin brío, sin alma, como cosa imitada. Es demasiada flema para españoles.

"Garci Lasso —dice Herrera— es dulce y grave (la cual mezcla estima Tulio por mui difícil) i con la puridad de las vozes resplandece en esta parte la blandura de sus sentimientos; porque es mui afetuoso i suave. pero no iguala a sus canciones i elegias; que en ellas se ecede de suerte, que con grandissima ventaja queda superior de sí mesmo. porque es todo elegante i puro i terso i generoso y dulcíssimo i admirable en mover los efetos; i lo que más se deve admirar en todos sus versos, cuantos an escrito en materia de amor le son cõ gran desigualdad inferiores en la onestidad i templãça de los desseos. porque no descubre un pequeño sentimiento de los deleites moderados, antes se embevece todo en los gozos, o en las tristezas del animo."

No quito una tilde a este elogio. Creo que es juicio puntual y justo de la poesia de Garcilaso. Pero léanse algunas composiciones de la *Floresta* y cotéjense con el soneto copiado y se hallará que le ganan en todo, en gracia métrica, en fuerza expresiva, en casticidad y propiedad de voces y construcción, y lo que más hace a la poesía lírica, en sinceridad, brío y concisión al expresar los sentimientos. Garcilaso y los demás italianizantes serán blandos, muelles en el decir; pero gastan demasiada flema, se mueven con pies de plomo y al cabo de tan largo rodeo, de los cuatro primeros versos, por ejemplo, del citado soneto, nos hallamos con la vulgarísima idea de que "pudiera haber llegado a mayor mal". Qué poesía honda y de sentimiento haya en este soneto no se me alcanza. El pueblo hubiera dicho eso en dos palabras; o mejor, no lo hubiera dicho, porque no había para qué decir tal frialdad. La pasión verdadera no suele gastar esa flema; revienta en un suspiro, en un quejido, en un chasquido, en un pésete, en algo ardiente, veloz y fulgurante como un chispazo.

Y al cabo del soneto nos viene a decir que su amada acabará de matar al poeta. Y eso, a fe, que nuestros villancicos lo expresan de cien maneras más nuevas, más concisas, más gallardas y donairosas. Por ejemplo:

> Justicia pido, que muero,
> de vos que muerto me habéis:
> que del todo me matéis
> o me queráis como os quiero.

Otrosi:

> Justicia pido, que muero,
> pues podéis,
> que me queráis como os quiero
> y sinó que me matéis.

Y esto se había ya cantado en castellano cuando Garcilaso lo vino a desleír tan aguadamente. Como lo estaba de aquella otra manera:

> Deste mal moriré, madre,
> deste mal moriré yo.

Y de trescientas más que el lector habrá visto en la *Floresta*. Lo que en ella no habrá visto es la flema de esos señores italianizantes. Y es que sus cantares no eran gritos del alma sino centones tomados de libros y no se cantaban sino que se escribían pazguatamente en el escritorio. La dicha flema agradábales a ellos sobremanera, porque no sólo Garcilaso tomó la primera parte de este primer soneto del soneto de Petrarca:

> Quand'io mi volgo in dietro a mirar gl'anni,
> c'hanno fuggendo...;

sino que Mal-Lara lo tomó de Garcilaso, cuando escribió:

> Volviendo por las oras que he perdido,
> hallo cuán poco er todas he ganado...

Con toda flema y cachaza revolvían libros ajenos y de ellos, no de su propio corazón, sacaban esas falsas quejas y lamentaciones postizas. Pero no se acordaban ni querían acordarse de los villancicos populares, que cierto les hubieran enseñado algo más: sinceridad, calor y brío. Y perdone Garcilaso aseste a él mis tiros, que para eso se puso en primera fila como "príncipe de los poetas castellanos", y perdone Mal-Lara, que quiso aqui acompañarle tan de cerca.

Virgilio había cantado en el libro IV de la *Eneida*:

> Dulces exuviae dum fata Deusque sinebant.

Repitiólo Garcilaso, casi mejorándole, en el soneto X:

> ¡O dulces prendas por mi mal halladas,
> dulces y alegres cuando Dios quería:
> juntas estáis en la memoria mía
> y con ella en mi muerte conjuradas!
> ¡Quién me dijera, cuando en las pasadas
> horas en tanto bien por vos me vía,
> que me habíades de ser en algún día.
> con tan grave dolor representadas...!

Y Petrarca lo habia imitado también en la canción IV de la parte primera. Y Diego Hurtado de Mendoza volvió a la carga, porque así pasaba la pelota de mano en mano, como cosa ajena con que jugueteaban tan frescamente. Si hubieran sentido de veras, no hubieran necesitado irse a mendigar de otros lo que el que sabe sentir, si es poeta, se sabe decir más propia y personalmente. Escribió, pues, Hurtado de Mendoza, repitiendo el segundo cuarteto de Garcilaso y el trozo de Petrarca:

> Dias cansados, duras horas tristes,
> crudos momentos en mí mal gastados,
> al punto que pensé veros mudados,
> en años de pesar os me volvistes.

Y no se acordaron nuestros dos poetas de que el pueblo cantaba ya en el siglo xv harto más concisa, galana y sentidamente y cantaba por boca de mujer, que es más propio de ellas tal endecha:

> Estas noches atan largas
> para mí
> no solían ser ansí.

¿Cuánto más propio no es poner este suspiro en mujer olvidada, que no en varón, que es el que suele olvidar? ¿Y cuánto más poner las horas de la noche, que no *horas*, en general, como Garcilaso, u *horas, días* y *momentos,* como Hurtado de Mendoza, añadiendo albarda sobre albarda? Compréndese que así haya peso y gravedad en demasía. No huelga una palabra en el villancico y cada una de ellas es un cuadro:

> Estas noches atan largas
> para mí.

Lo que es más largo que esas noches es decir con dos largos versos lo que con uno corto pudo decirse harto mejor. Garcilaso:

> que me habíades de ser en algún día
> con tan grave dolor representadas.

Hurtado de Mendoza:

> al punto que pensé veros mudadas,
> en años de pesar os me volvistes.

El pueblo castellano:

> no solían ser ansí.

Y ansí deslíen los otros en inútiles palabras el sentimiento concentrado que el cantar popular expresa negativamente, con harto más vigor que toda esa palabrería.

En la lírica culta, como obra de hombres en su bufete, no cantan las mujeres. Hasta cuando son mujeres las que escriben revístense de autores para no diferenciarse de los hombres. ¿Qué sinceridad cabe con este artificioso disfraz? En la lírica popular cantan las mujeres tanto como los hombres y cantan en otro tono más sentimental, más femenino. No hay disfraz alguno ni artificio ni embuste; son ellas y nada más que ellas. Esta lirica femenina es inimitable y cosa aparte, ajena de todo punto a la lírica erudita, en la cual, si por excepción se introduce cantando a la mujer, a tiro de ballesta se ve que canta por pluma de varón, el cual le presta sus conceptos y sentimientos de hombre, que en boca de ella suenan pedantescamente. Ahora bien, ¿puede con verdad llamarse humana una lírica que parte en dos a la humanidad, cantando solos ellos y sirviendo ellas no más que de objeto y materia del canto de los hombres? ¿Qué saben ellos lo que las mujeres sienten? Lo más original de la lírica popular son las poesías de las mujeres, delicadísimas y de un tono desconocido enteramente en la lírica culta.

Claro está que los españoles no podían cantar suponiendo sensibilidad en la naturaleza, y así en vano buscaréis en la lírica popular tal idea; pero Garcilaso, que canta ideas muertas siglos ha, dice con tanta flema como elegancia en el soneto XV:

Si quejas y lamentos pueden tanto
que el curso refrenaron de los ríos
y en los diversos montes y sombríos
los árboles movieron con su canto,
    si convirtieron a escuchar su llanto
las fieras tigres y peñascos fríos,
si en fin con menos casos que los míos
bajaron a los reinos del espanto.

Etcétera. Pase eso entre los griegos, que tales creencias tenían; para nosotros eso es muerto y muy muerto. Y no se diga que nuestro pueblo no siente la naturaleza ni ve en ella reflejados sus sentires, porque bien claro se ve lo contrario en los cantares.

La pareja de enamorados trae el recuerdo de los lugares:

Mimbrera, amigo,
so la mimbrereta.
    Y los dos amigos
idos se son, idos
so los verdes pinos,
so la mimbrereta,
mimbrera, amigo.
    Y los dos amados
idos se son ambos
so los verdes prados,
so la mimbrereta.

O trae el recuerdo del lugar donde vió al amado:

Aquellas sierras, madre,
altas son de subir:
corrían los caños,
daban en el toronjil.
    Madre, aquellas sierras
llenas son de flores:
encima de ellas
tengo mis amores.

El antropomorfismo o personificación de la naturaleza caía bien entre los griegos por ser parte de su primitiva religión; pero entre nosotros es afectación pedantesca, falsa manera de ver las cosas, exageración metafórica de mal gusto, en fin, cosa que huele a copia y repetición manida de epítetos, frases y lugares comunes manoseados. Fray Luis de León fué acaso el que más admirablemente supo tomar a Horacio algunas de sus dotes poéticas, el que con espíritu cristiano supo mejor aprovecharse del lirismo pagano. Rarísimas veces tropezó en este escollo; pero todavía tropezó en él al personificar el Tajo con aquella exorbitante manera de decir:

> el río sacó fuera
> el pecho y le habló de esta manera.

Con estro grandilocuente cantó Herrera a don Juan de Austria:

> Cuando con resonante
> rayo y furor del brazo impetuoso
> a Encelado arrogante
> Júpiter poderoso
> despeñó airado en Etna cavernoso.

¿No es un duelo que todo eso no sea más que una ficción literaria? A tan gallarda entonación y período, tan suelta y bizarramente rodeado, ¡cuánto de fuerza y brío no hubiera añadido la verdad, algún otro hecho real y de nuestra historia, en vez de aludir a falsas mitologías!

Pero eso es la poesía clásica comúnmente, pura ficción literaria. No miraban aquellos poetas las cosas como ellas son o como ellos las veían, sino como las vieron los griegos y latinos, las miraban en los libros y no en la naturaleza. Y ¿cómo puede nadie expresar los sentimientos de su corazón mirando a los libros y a lo que otros dijeron y robándoles sus dichos y palabras? Eso será repetir en castellano lo que otros dijeron en su propia lengua; pero no será expresar los propios sentimientos ni descubrir la propia alma. Ahora bien, lírica no es más que expresar lo propio, no expresar lo ajeno. La lirica clásica es, por esta razón, objetiva; no es lírica propiamente dicha. Su terreno propio es la descripción de cosas o hechos; no la expresión del propio sentir. O a lo más lo es del sentir ajeno.

La mayor parte de las poesías de Garcilaso, como de los otros renacentistas, tratan de amores y asuntos griegos; todo es alusiones mitológicas, nombres pastoriles leídos en Teócrito y Virgilio, copia o remedo de frases halladas en los libros, afectos expresados cual en ellos se expresan. ¿Habla así el corazón cuando de veras siente?

En la *Egloga III* dirígese Garcilaso a doña María de la Cueva, esposa del Conde de Osuna y le dice:

> De cuatro ninfas que del Tajo amado
> salieron juntas, a cantar me ofrezco.

Vaya por ninfas y aguardemos a ver qué toledanas son las damas que va a cantar. Helas aquí:

> Filodoce, Dinámene y Crimene,
> Nise, que en hermosura par no tiene.

Nombres hórridos a oídos castellanos y damas del tiempo del rey Perico, que ni a doña María de la Cueva se le importarían un comino y ni comino y medio a nosotros.

Sacó una de ellas la cabeza, etc., etc., mostró la tela que tejía: y aqui vienen todas las historias

tejidas en ella, como las que repitieron los antiguos desde Homero. Y todo ello, riberas del Tajo.
Las cuatro hermanas muestran sus telas y luego
oyen las zampoñas de dos pastores que careaban
el ganado. Tirreno era el uno, Alcino el otro,

> entrambos estimados
> y sobre cuantos pacen la ribera
> del Tajo, con sus vacas, enseñados.

Y luego, como es de ene en Teócrito y Virgilio,

> Aquesto van diciendo
> cantando el uno, el otro respondiendo.

Esto es, los pastores, de nombres tan toledanos
como *Tirreno* y *Alcino*. Y lo que cantan es a las
no menos toledanas *Flérida* y *Filis*. Y así acaba la
Egloga III.

Puras imitaciones de escuela de retórica, donde
no sé qué sinceridad de sentimientos líricos quepa
ni qué expresión de corazón que de verdad sienta.

Y tales son las demás églogas; veamos las elegias.

La *Elegía primera* fué dirigida al Duque de
Alba, en la muerte de don Bernardino de Toledo,
su hermano, para darle algún consuelo, "si las musas pueden un corazón alzar del suelo".

Las musas griegas, abstracciones librescas para
Garcilaso y para nosotros, no sé qué consuelo pudieran traer a las penas del Duque, de quien dice
el poeta:

> que temo ver deshechas tus entrañas
> en lágrimas, como al lluvioso viento
> se derrite la nieve en las montañas.

Para consolarle le recuerda la fábula de Lampecie, que lloró a su hermano Faetón, porque tra-

tándose de un hermano que llora la muerte del otro,
Faetón y Lampecie eran los únicos que le venían
a la mente al poeta que soñaba con sus libros
clásicos.

Y sale a relucir el Tormes con sus ninfas, que:

> desmayadas,
> llorando en tierra están sin ornamento,
> con las cabezas de oro despeinadas.

Sin ornamento estaría el Duque, no menos, por
la pena.

También llama el poeta buscando "alivio en des-
consuelo tanto" a la Trinacria, esto es, a la isla
de Sicilia y a sus "sátiros, faunos, ninfas", que recogen "para consuelo de Fernando, hierbas de propiedad oculta y flores". Luego le recuerda al tro-
yano príncipe, a Venus dolorida con su Adonis y
a Hércules en Oeta y al cabo y a la postre el cielo
cristiano, donde estará su hermano difunto y la
fama que le espera:

> se cantará de ti por todo el mundo;
> que en cuanto se discurre, nunca visto
> de tus años jamás otro segundo
> será desde el Antártico a Calisto.

El último verso es del Ariosto (canto 3):

> Tra quanto è in mezzo Antartico e Callisto.

Y añade Herrera:

"Esta elegia es traduzida, aunque acrecentada mucho, i variada hermosamẽte de la de Geronimo Francas-
torio a Juã Batista de la Torre Verones en la muerte
de Marco Antonio de la Torre su ermano." [1]

---

[1] Véase, en cambio, la conocida elegía de *Jorge* Manrique y la de *Juan* del Enzina (Gallardo, t. II, 863).

Tal era la elegía italiana y tal la poesía italiana renacentista: centones de literatura clásica libresca. Y tal es la poesía que trajeron Boscán y Garcilaso a España, donde nuestros eruditos creían no había poesía lírica nacional que valiese la pena. Tuviéronse con ella por bien pagados y hubo ya en España un *Parnaso,* esto es, poesía de falsa inspiración extraña, bebida en los libros, sin jamás abrir sus ojos los autores a la hermosura del campo, del mar, del cielo, porque no veían más que a Hera, Anfitrite y Uranos; sin meter jamás la mano en su propio corazón, que la hubieran sacado chorreando sangre, a no ser que el corazón del erudito sólo sean secos libros y letra muerta.

Esta tal lírica fué puesta en los cuernos de la luna por nuestros clásicos y por nuestros posteriores historiadores de la Literatura, hasta Menéndez y Pelayo, y no seré yo quien amengüe el valor de su artificio, de la extensa erudición que supone, del fino gusto clásico de sus autores.

Pero eso no es lírica verdadera, ni menos lírica española, puesto que canta con la pluma sentimientos extraños, no propios, y sentimientos de hombres que cantaron en lejanas tierras y lejanos siglos. Tienen razón los modernistas al afirmar que en nuestra lírica no hay sensibilidad real y del alma, cuando tienen por nuestra esa lírica extraña y de libros viejos. Pocas veces nuestros cultos poetas cantaron de corazón y a la castellana; pero entonces fueron líricos de verdad. Es que entonces se inspiraron en su propio corazón, en sus sentimientos y creencias y en la lírica popular anónima. Va tanto a ésta de la erudita clásica, como de los eruditos poemas a lo Torcuato Tasso a la epopeya popular castellana medieval, al romancero.

Dije de nuestro tesoro poético es el madrigal de Cetina:

> Ojos claros, serenos,
> si de un dulce mirar sois alabados,
> ¿por qué, si me miráis, miráis airados?
> Si cuando más piadosos
> más bellos parecéis a aquel que os mira,
> no me miréis con ira,
> porque no parezcáis menos hermosos.
> ¡Ay tormentos rabiosos!
> Ojos claros serenos,
> ya que así me miráis, miradme al menos.

El último verso es admirable: aun airados contra él, le agradan sus ojos. Pero eso lo había dicho ya el cantar popular mucho mejor:

> Aunque con semblante airado
> me miréis, ojos serenos,
> no me negaréis al menos
> que me habéis mirado.

Añadió Cetina el *claros*, que nada añade al *serenos*. La idea de los dos primeros versos, de que, a pesar de que son alabados por su dulce mirar, le miran a él airados, es idea harto vulgar. Repítela con otras palabras en los tres versos siguientes; y con el séptimo deshace la idea principal, que es la del último, pues dice que con ira son menos hermosos. El verso octavo enturbia la serenidad del madrigal; y no da en toda la composición razón alguna de la principal idea, que es la del último verso. El cantar popular en cambio:

> Por más que queráis mostraros
> airados para ofenderme,
> ¿qué ofensa podéis hacerme
> que iguale al bien de miraros?
> Que aunque de mortal cuidado

dejéis mis sentidos llenos,
no me negaréis, al menos,
ojos, que me habéis mirado.

A esta razón, de que no le ofende el airado mirar, añade otra, de que antes le dobla el favor:

> Pensando hacerme despecho
> me miraste con desdén,
> y en vez de quitarme el bien
> doblado bien me habéis hecho:
> que, aunque los hayáis mostrado
> de toda clemencia ajenos,
> *no me negaréis, al menos,*
> *ojos, que me habéis mirado.*

Que Cetina se inspiró en este villancico popular es manifiesto. El rimar *ojos claros serenos* con *al menos,* como en el villancico, y precisamente a manera de estribillo final en madrigal clásico que no pide estribillo; y la idea principal del último verso que es la del villancico, aunque no la desenvuelva como en él se desenvuelve, lo prueba claramente. Todo es flojo menos los dos últimos versos: los inspirados en el villancico y con el villancico comparado es una sombra el famoso madrigal. Lo más delicado de Lope, Tirso, Valdivielso y Góngora está inspirado en poesías populares, como se ha visto por la *Floresta.*

Pero hay mucho más. La lírica clásica tendía a ser eminentemente intelectual, de puros conceptos, como toda la literatura clásica. De ahí su serenidad y lo escultural de su forma. Fraguábase sobre todo en la cabeza y creían los griegos que el arrebato de la pasión mancillaba la obra de arte. Eurípides, el primero que movió directamente los afectos y pasiones, fué considerado como corruptor del sereno arte antiguo, el cual pretendía ser un trasunto de la serenidad de los dioses inmortales. La literatura francesa del siglo XVII exageró esta tendencia intelectualista. La literatura debia alimentarse de *ideas universales*. El cristianismc trastornó de arriba abajo el arte con su espiritualidad y concepto de la vida como lucha en la conciencia entre el bien y el mal. La literatura cristiana brota del corazón. El romanticismo, revolución contra el espiritu clásico francés y contra el clasicismo en general, volvió al arte cristiano, al arte propio, no extraño, al arte nacional, al arte individual. De aquí que la lírica moderna difiera de la lírica clásica, como difiere lo que brota del corazón de lo que brota de la cabeza, como difiere el sentir del pensar. Hoy se divide la poesía en tres géneros: épico u objetivo o narrativo, dramático o representado y lírico o subjetivo. El poeta lírico expresa sus propios sentimientos, valiéndose de los conceptos tan sólo como de medio indispensable, como se vale de las palabras, expresión de los conceptos. En cambio la lírica clásica miraba directamente a los conceptos. La lírica clásica del Renacimiento, por más ingrediente sentimental que introdujera con el espiritualismo cristiano, quedaba siempre como una lírica objetiva, era una mezcla objetivo-subjetiva. Vese claramente en el mismo Petrarca y en sus imitadores, cuya poesía, como hija de la cabeza y consistente en conceptos, degeneró pronto en el conceptismo del siglo XV y del siglo XVII. Tal es Herrera en sus elegías amorosas. En sus canciones es clásico enteramente, tan objetivo generalmente como Píndaro y Horacio. Todos tres tienen puesta la mira en algo que está fuera de ellos: en héroes, victorias, acontecimientos; expresan conceptos elevados con más o menos de movimiento pasional, pero cuidando que la pasión no se desborde, que el concepto elevado y floridamente vestido sobrepuje al sentimiento. Lírica que nace en la cabeza, más bien que no en el corazón; en la que el poeta abre los ojos para mirar lo objetivo y que está fuera de él, más bien que no los cierra para concentrarse en sí mismo y expresar sus propias penas y amores.

Pues bien, esta lírica, moderna, puramente subjetiva, no difiere de la lírica popular castellana antigua, porque el pueblo siempre expresó sus propios sentimientos. Si en algo difiere nuestra antigua lírica popular de la moderna culta es en ser más sentimental, puramente sentimental, prescindiendo de atavíos que la engalanen a costa de la pura expresión del sentimiento: es lírica desnuda, virginal, sin el menor artificio. Fray Luis de León canta la noche serena, los elevados afectos de la música de Salinas, el gozo de la vida del campo, la asunción del Señor, la profecía del Tajo: todos son asuntos objetivos, cantados con mayor o menor pasión, pero siempre se sobrepone la elevación de los conceptos y la forma galana del decir. Es una épica expresada líricamente, no es lírica pura que mire tan sólo a los sentimientos propios. Trata el poeta de cantar algo que está fuera de él, no su propio corazón. Nuestros cantares populares antiguos y modernos no cantan hechos ni ensalzan a los héroes; son suspiros del alma y nada más, pura expresión lírica.

Nuestros tratadistas de poética, por tener puesta la mira sólo en Aristóteles, no supieron hacer lo que Aristóteles había hecho: sacar de las obras de arte conocidas las leyes y principios artísticos. Si hubieran estudiado nuestro teatro y nuestra lírica popular, hubieran levantado una nueva poética, diferente de la de Aristóteles, más universal, más humana: la poética de la poesía moderna, que aun hoy rige, en vez de repetir la de Aristóteles, acomodada solamente al arte griego por haberla sacado del arte griego Aristóteles.

La ceguera que el clasicismo les puso es increíble. No llegaron a ver que la tragedia y la comedia pertenecen a un solo género, al hoy llamado género *dramático,* que consiste en que *se representan* las personas y la acción, por consiguiente. Cascales separa *a cal y canto* la tragedia y la comedia y el mezclarlas lo llama cosa monstruosa, hermafrodita, contra la naturaleza y el arte. Y con todo y por sus propios ojos, veía la comedia española creada por Lope de Vega, en la que se mezclaba lo trágico con lo cómico, como se hallan mezclados en la vida real. Si en la vida real, en la naturaleza, se mezclan, no es contra la naturaleza ni contra el arte, que la debe imitar el mezclarlos en la representación.

Cuanto al género lírico, todos anduvieron a oscuras, palpando tinieblas, por no atender a la lírica popular que diariamente oían cantar en todas partes. Andan a vueltas Cascales y Alonso López, Pinciano con la dichosa *Ditirámbica* aristotélica que el Pinciano confunde con la lírica, teniéndolas como una misma cosa. No las confunde Cascales pero no tiene idea de lo que es la lírica. "No o digo nada, dice, de los Lyricos, Dithyrambicos y Nómicos, que pues no se usa el modo de canta suyo, poco importa pasarlos en silencio." Y cuando Pierio le pregunta qué es la poesía lírica, responde: "Imitación de cualquier cosa que se proponga; pero principalmente de alabanzas de Dios y los Santos, y de banquetes y placeres, reducidas a *un*

concepto Lyrico florido." Y añade: "en cualquiera
de los tres modos exagemático, dramático y mixto."
Dice que se diferencia la lírica de la épica y la
dramática en los *conceptos,* "de donde nace el estilo". "Conceptos son las imágenes de las cosas,
que se forman en nuestra alma directamente, según es diversa la imaginación de los hombres. Las
palabras son imágines de las imágines: quiero decir, aquellas que por medio del oído representan al
alma los conceptos sacados de las cosas." Los conceptos son a la lírica lo que la fábula, esto es,
el argumento, es a la épica y a la dramática.

Aquí tenemos que la lírica clásica expresa realmente, no sentimientos, como la lírica moderna,
sino conceptos, que nacen en la cabeza y no en el
corazón. Entrevió Cascales lo subjetivo de la lírica, sin verlo del todo. Vió que la lírica clásica
expresa conceptos, que es algo subjetivo ciertamente. ¿Cómo no vió que la lírica expresa algo
más subjetivo aún, los sentimientos? Porque tenía
puesta la mira en la lírica clásica y no supo mirar
la lírica popular que oía cantar en torno suyo: es-
tudiaba en Aristóteles y en la lírica clásica de los
cultos y no quiso mirar la lírica viva del pueblo
español, cosa que hubiera hecho Aristóteles, sin embargo, como lo hizo mirando al arte griego que
le rodeaba. Y es que la *imitación,* que tanto repite
el mismo Cascales como principio del arte y de la
poesía, diríase que era para nuestros clásicos la
imitación de los antiguos y de Aristóteles y no *la
imitación de la naturaleza,* de lo que nos rodea, de
lo que vive en torno de nosotros, que es lo que
por imitación Aristóteles entendía.

No menos entrevió Cascales que los afectos, los
sentimientos eran el alma de la lírica, pues hablan-

do de ellos dice después: "La Poesía sin algo de esto va muy floja y desalmada."

El Pinciano se quedó más a oscuras en lo de la lírica. Dice en su *Filosofía antigua poética*, ed. 1894, pág. 161:

"Otros (poemas) hay irregulares y extravagantes, los cuales agora están debajo del enarrativo (épico) a do todo lo habla el poeta, y algunos debajo del común, y aun yo los he visto alguna vez debajo del activo (del dramático), en las representaciones adonde canta y tañe y otro responde. Ejemplo del enarrativo no son menester, que está lleno Horacio y Píndaro. Del común (mezclado de épico y dramático) Horacio en la Oda tercera del III; cuarta del IV; quinta del Epodo, que antes referimos."

Para él la lírica es ya épica, ya dramática, ya las dos cosas a la vez. Por otra parte, la confunde con la ditirámbica y aun cree que del nombre del *ditirambo* salió por corrupción el de la *zarabanda*. Nada más sabe de la lírica popular; antes desprecia la zarabanda como cosa fea y antiartística y de gentes plebeyas. Si hubiera estudiado la zarabanda y tantos otros cantares populares, hubiera, sin embargo, aprendido de ellos lo que los clásicos no le pudieron enseñar, esto es, la naturaleza de la poesía lírica.

X

Lo que el romancero y la prosificación de los romances del siglo XIII en la *Crónica general*, respecto de la épica, son las poesías líricas de la *Floresta* respecto de la lírica. Es la verdadera lírica castellana y que realmente se cantó, como se cantaron los romances. Es, como ellos, anónima y de todo el pueblo español.

Y ¡qué tono el popular! ¡Qué sencillez de expresión, cuán elegante! ¡Qué hondura en el pensar, qué terneza en el sentir, qué plasticidad en las figuras, qué vaguedad ideal expresada con el realismo más pictórico, qué concisión, qué gracia y donaire!

¿Cuánto no se ha repetido lo del morir de amor? Véase cómo lo expresa este cantar anónimo:

> *Dentro en el vergel*
> *moriré,*
> *dentro en el rosal*
> *matarme han.*
> Yo me iba, mi madre,
> las rosas coger;
> hallé mis amores
> dentro en el vergel.

> *Dentro del rosal*
> *matarme han.*

Así cantaba el pueblo en el siglo xv, mientras los llamados poetas y trovadores cortesanos repetían conceptos abstractos petrarquescos, jugueteaban con requestas, alegorizaban seudodantescamente, palabreaban sin ton y sin son y sobre todo sin alma. Véase esta delicadísima alborada dramática:

> *Desciende al valle, niña.*
> *—Non era de día.*
> *—Niña de rubios cabellos,*
> desciende a los corderos
> que andan por los centenos.
> *—Non era de día.*

Recuérdese aquella sentidísima despedida de amantes:

> Di, zagala, ¿qué harás
> cuando veas que soy partido?
> —Carillo, quererte más
> que en mi vida te he querido.

¿Dónde se habla así en toda la poesía clásica? ¿Cuándo se expresan más honda y brevemente los efectos del amor como en estos otros cuatro versos?

> ¿Dó tienes las mientes,
> pastor tan penado?
> Huyes de las gentes,
> dejas el ganado.

Y nada más. Otros cuatro de la doncella honesta, hermosa y requerida:

> Duélenme los ojos
> de mirar bajo;

si los alzo y miro,
dicen que mato.

¿Quejas del amante a la amada, pidiéndole amor?

Duélete de mí, señora,
duélete de mí,
que si yo penas padezco,
todas son por ti.
El día que no te veo,
mil años son para mí:
ni descanso ni reposo
ni tengo vida sin ti.
Los días no los vivo,
suspirando siempre por ti.
¿Dónde estás, que no te veo?
¿alma mía, que es de ti?
Duélete de mí, señora,
duélete de mí,
que si yo penas padezco,
todas son, señora, por ti.

¿Elegía o endecha al amado a quien mataron?
La amante sólo tiene sus ojos y corazón allí donde
fué muerto. Esto es todo y basta:

En Avila, mis ojos,
dentro en Avila.
En Avila del Río
mataron a mi amigo,
dentro en Avila,
¡ojos, mis ojos, tan garridos ojos!

El amante quiere expresar que siente el amor:

En fuego de amor me quemo;
vivo, muero, desespero,
y no sé lo que me quiero.
No siento de qué me queje,
siento bien que estoy con queja;

> no sé qué tome ni deje
> ni quién me toma ni deja;
> todo placer se me aleja,
> tengo un dolor lastimero
> *y no sé lo que me quiero.*

Felicidad de estar juntos los que bien se quieren:

> En la fuente del Rosel
> lava la niña y el doncel:
> él a ella y ella a él.

La viuda llora su soledad:

> Fonte frida, fonte frida,
> fonte frida y con amor,
> de todas las avecicas
> van tomar consolación,
> si no es la tortolica
> que está viuda y con dolor.
> ....

Penas de ausencia:

> La congoja que partió
> conmigo, cuando partí,
> de miraros, ¡triste yo!,
> nunca se partió de mí.

¡Qué donaire, con sólo saberse aprovechar de los recursos del castellano!:

> La que me robó mi fe,
> sin tocarme en el vestido,
> la morena morenica ha sido,
> la morena morenica fué.

Igualmente:

> Los ojos por quien suspiro
> que han de remediarme espero;
> aunque, si los miro, muero;
> y muero, si no los miro.

Llanto de amor, ¡cuán concisa y llanamente expresado!

> Llora la zagala
> al zagal ausente;
> ¡ay, cómo le llora
> tan amargamente!

Del flechado de amor:

> Malherida va la garza
> ribericas de aquel río,
> sola va y gritos daba
> donde la garza hace su nido.

Otra vez la felicidad de estar juntos los amantes:

> *Mano a mano los dos amores,*
> *mano a mano.*
> El galán y la galana
> ambos vuelven al agua clara,
> *mano a mano.*

Pena infinita y sin remedio:

> Miraba la malcasada,
> que miraba la mar
> cómo es ancha y larga.

No hay remedio para echar de sí el amor:

> *No puedo apartarme*
> *de los amores, madre,*
> *no puedo apartarme.*
> Amor tiene aquesto
> con su lindo gesto,
> que prende muy presto
> y suelta muy tarde:
> *No puedo apartarme.*

La pena honda:

> No soy yo quien veis vivir,

no, no, no:
sombra soy del que murió.

La pena incomunicable:

Para mí son las penas, madre,
para mí, que no para nadie.

El que quiera ver églogas verdaderamente españolas para compararlas con las de Garcilaso, vea
las de Juan del Enzina y más las anónimas de los
manuscritos y pliegos sueltos, publicadas en la *Flo-*
resta.

El lector perspicaz que compare nuestra lírica
popular con la italoclásica y con la petrarquesca o
italoprovenzal hallará que de estas tres maneras
líricas en que puede clasificarse el lirismo, la italoclásica tiende siempre a la narración de lo objetivo, es una lírica empapada de espíritu épico,
como que de la épica nació en Grecia. Píndaro en
sus epinicios u odas triunfales no canta sus propios sentires, sino la heroicidad de los vencedores
en los juegos olímpicos, nemeos, ístmicos. Tirteo
anima los espíritus guerreros de los soldados. Otros
poetas moralizan, enseñan, elevan los sentimientos
ajenos. El lirismo coral del teatro griego es una
exclamación de los afectos que despierta en el alma
popular el acontecimiento trágico que en la tragedia se representa, afectos subjetivos ciertamente,
pero comunes de todos a la vez y que miran a
héroes objetivos, épicotrágicos. Raras veces la lírica griega expresa los íntimos y propios sentires
sin mezclas épicas, como en Safo, Anacreonte, Ar-
quíloco. Nuestros líricos clásicos son líricoépicos.
Herrera canta grandes hechos objetivos, Fray Luis
de León la noche serena, la vida del campo, la
pérdida de España, la asunción del Señor. Garcila-

so y Boscán ya hemos visto cuán objetivos y cuán ajenos sentimientos recuerdan, aplicándolos todo lo más a sus propios estados de ánimo. La lirica petrarquesca conservó siempre el fermento de su origen provenzal. Nuestros líricos, cuando no clásicos, fueron petrarquescos. Ahora bien, si la lírica clásica tiende a la narración a lo épico y objetivo, de héroes y extraños acaecimientos, la lírica petrarquesca, aunque más subjetiva y encerrada dentro del alma propia, tiende más bien al concepto que al sentimiento puro, discurre acerca del amor, sutiliza metafísicamente sobre el amor y el estado de ánimo del amante, juega con conceptos. Camoens puede ponerse como dechado de la escuela y no menos Herrera y cuantos cultivaron el soneto, troquel propio del lirismo conceptuoso, en el cual todo se sacrifica al pensamiento, al concepto sutil y metafísico de sus últimos versos.

La lirica popular encierra elementos objetivos o épicos y conceptuosos; pero su propósito es expresar puros sentimientos. Diríase que en la lírica clásica señorea la imaginación y el recuerdo, en la petrarquesca el entendimiento y la cabeza, en la popular el sentimiento y el corazón. Así cuando en la popular se describen hechos o se representan escenas, son tan plásticas y tan para expresar el propio sentir, que se ve ser tan sólo un medio para llegar a expresar el propio sentimiento, mientras que en la lírica clásica más bien diríase expresarse el propio sentir para dejar acabado el cuadro objetivo de un hecho extraño, y en la petrarquesca todo camina y concurre a deducir un concepto abstracto y metafísico, que cierre con broche de oro el soneto.

Todo es lirismo, puesto que es expresión del propio sentir; empero el propósito de la lírica popular

es sólo expresar el propio sentir, abrir el pecho, des-
ahogar el alma, mientras que el propósito principal
de la lírica clásica es expresar sentidamente lo objetivo, como tiende a expresarlo indiferentemente,
fría y serenamente la poesía épica, y el propósito
de la lírica petrarquesca es sacar en limpio un concepto sutil amoroso, estudiando psicológicamente los
movimientos del alma.

Al hacer estas distinciones claro está que miramos
las tres maneras líricas como a vista de pájaro, en
sus tendencias generales, en su tonalidad genérica,
sin que de hecho puedan tirarse líneas divisorias
escuetas. Pero no habrá quien no distinga la manera
clásica y objetiva en las odas célebres heroicas de
Herrera y la petrarquesca en sus poesías amorosas.
Por más sentimiento que pusiera en unas y otras,
y lo hay sincero y recio, lo que en las más sobresale
es la pintura de un hecho, del triunfo de Lepanto,
por ejemplo, y en las otras un concepto, tanto que
las más de las veces son soliloquios para formar un
sutil concepto del estado amoroso de su alma respecto de la amada, que no toma parte más que como
un recuerdo o una idea y aspiración del poeta. De
las poesías populares, en las satíricas es donde se
halla más objetividad, porque tratándose de burlarse
de las costumbres viciosas hay que pintarlas, de
suerte que se introduce el diálogo de égloga y teatro, se pintan escenas, cuadros vivos en acción: es
lírica dramática. En otras poesías amorosas de estrados galanes y galanas exponen el estado de sus
almas, algo a la manera petrarquesca. En muchos
villancicos de Navidad hay no menos drama, comedia, baile. La lírica popular diríase que encierra todos los géneros dentro del lirismo. Pero siempre todo elemento objetivo es concreto y gráfico,

vivo y como real, sin las abstracciones a que tiende
el petrarquismo, conceptuoso y metafísico por su
naturaleza, y sin los objetivos recuerdos de mitolo-
gias, leyendas, personajes históricos o legendarios,
a que tiende el clasicismo. Y la mayor parte de las
poesías populares son pura expresión del sentir personal: el amante habla a su amada o habla de ella,
o la amada al amante o de él, diciendo lo que siente
y nada más.

Para el que tenga verdadero sentido poético, no
estragado por intereses ajenos al arte, ni le ocu-
rrirá siquiera parangonar los cantares anónimos de
la *Floresta* con los de los mejores poetas cultos.
Va tanto de los unos a los otros como de los romances artísticos más perfilados a los romances
viejos, donde todo es espíritu. Los mayores poetas
quedan por bajo de los anónimos autores que compusieron romances populares o populares villancicos.
Las mismas célebres *Coplas* de Jorge Manrique, lo
mejor acaso de nuestra lírica culta, a pesar de deber no corta parte de su valer estético al corte de
la lírica popular y a lo sublime de la idea de lo
efímero de las cosas, no creo yo que en la *Floresta*
se descuellen entre las demás composiciones de ella
como algo que las deje empequeñecidas ni mucho
menos. En fuerza de sentimiento le aventajan gran
golpe de ellas y aun las más en donaire y elegancia.
Lea el lector unas y otras y juzgue por sí. Y el
contraste no puede ser más significativo, dado que
las célebres *Coplas* por todos son estimadas como lo
más granado de nuestra lírica. Que si comparamos
poesias del mismo asunto, por ejemplo las amorosas, ¿dónde se hallarán en las cultas la expresión
viva, sencilla, original de nuestros villancicos?

Otra piedra de toque es el cotejar las poesías a

lo popular de los poetas más famosos con las anónimas. Con haber tomado la forma, metros, tono y espíritu de la lírica popular, no pueden resistir el cotejo con ningún villancico de los verdaderamente populares los mejores imitados por Juan del Enzina, Lucas Fernández, Gil Vicente, Castillejo, Horozco, Lope, Tirso, Quiñones de Benavente, y el crítico avezado distingue al punto lo que es popular y lo que es propio de ellas, y eso que son los poetas que mejor se apropiaron el espíritu de la lírica del pueblo. Los poetas cultos evitan lo que llaman irregularidades, tienden a la abstracción y escogen palabras vistosas, andan siempre tras lo exquisito y no sueltan la lima de la mano.

El pueblo, que no pone la poesia en palabritas, que ni siquiera sabe en qué la pone porque ni de la poesía tiene concepto pensado y reflejo de ninguna especie, no cayó jamás en tamaño disparate cual es el de formar un vocabulario aparte para sus cantares, y con todo eso y sin pretenderlo da con las voces y con las expresiones más propias y vivas en cada caso. El erudito ni dar puede a veces con ellas, porque son las más vivas y familiares las que de antemano desterró de su vocabulario poético. En su lugar y para buscar lo exquisito, amontonó en él los abstractos y todo linaje de voces latinas y hasta griegas y no menos recogió latinas construcciones, que en los poetas latinos le sonaban bien y creyó el cuitado que conservarían su buen son en el romance. Y como todas esas baratijas extrañas, eruditas y rebuscadas las metió en su vocabulario poético, como en su alforja el caminante, a él va a buscarlas cuando escribe y eso es lo que en sus poesías mete muy orondo y pagado de que escribe como nadie. El pueblo, que ni es-

cribe sino que canta y quiere cantar como todos,
que eso es lo popular, no se va a buscar baratijas
en las alforjas, sino que acude derecho a su corazón, donde hierven sus sentimientos y los echa afuera en el habla más viva que puede, que es la común
y familiar. Así resultan esas construcciones tan
sueltas, que los atados académicos juzgan solecis-
mos e irregularidades, cuando son lo más castizo y
castellano, pues no llevan en sí nada de latino ni
de libresco, sino que es todo del terruño, del alma
viva española. En los cantares populares, como sólo
se atiende a la verdad expresiva, según ocurre, tal
se echa, resultando ya elipsis, ya hiatos, ora un verso
más corto, ora otro más largo de lo que pedía el
metro escogido. No se sacrifica el verso y expresión, que así ocurrió y salió fresca y viva, a normas métricas que el pueblo desconoce y que sólo
sabe por instinto.

Pero esas mismas que parecen fallas y le pondrían
la lima en la mano al poeta culto, dan variedad a
lo que sería monótono y de hecho son galas ines-
peradas que varían la monotonía rítmica y arrojan
de sí cierto aroma de candor e ingenuidad que son
parte de la poesía verdadera y muestran la sinceridad y verdad del sentimiento, la naturalidad y
sencillez del poeta, cosas que con nada se pagan y
que la lima culta quita como si fueran mancillas que
afean la expresión. Los cultos, si pudieran crear
este mundo, haríanlo tan recortadito y simétrico,
tan sin mácula ni pero, que lo aborreceríamos a
los dos días y cerraríamos los ojos por no cansarnos
con cosa tan monótona, igual y fastidiosa.

Es en tanta manera verdad que brillan como galas
los tales defectos, que los mismos poetas cultos,
poco a poco cayeron en ello y los fueron imitando,

tanto que en el siglo XVII son ya como norma y manera, empleada por los más atildados cuando escribían cantares a lo popular. De aquí que los poetas cultos más antiguos parezcan más regulares que los más modernos. Juan del Enzina y Lucas Fernández, escribiendo a lo popular son más regulares y monótonos, cuanto al ritmo, que Quiñones de Benavente, Lope de Vega y Tirso. Lo que pareció defecto a los unos se les antojó gala a los otros y gala realmente es, puesto que despide la monotonía, que es el defecto de los defectos, y comunica variedad y lleva consigo un inimitable aroma de sinceridad y candor, elementos poéticos de primer orden.

¡Y tan de primer orden! No sé si es que el hombre nació para la verdad y que el embuste es lo que más le da en rostro: ello es que lo sincero es la nota más característica de lo popular, por ser siempre lo popular, instintivo y sin segunda intención, expresión natural del sentir, al paso que lo culto raras veces se libra de intenciones bastardas, ajenas al puro deseo y necesidad de expresar lo que se siente; sabe siempre a la pega del artificio y del afectar como realidad lo que no es más que fantasía de escritor; en suma, remedo no más o deseo de verdad, de hecho embuste, artilugio y puro disfraz de la realidad verdadera. Tal es la más honda raíz del arte popular y del arte culto, que no puede desmentirse en los frutos que dan y que presto los hace distinguir al crítico avezado.

Por eso es más artista el que, olvidado de todos sus saberes y erudiciones, se siente arrastrado, en el momento que llaman de la inspiración, por ese algo como divino estro; por un inexplicable instinto que le convierte por corto espacio en poeta popular, en uno de tantos, en uno de esos anónimos que ni supieron lo que valían ni aun lo que se hacian cuando crearon esas maravillas de la lírica popular que nos pasman y enhechizan.

No acaban algunos de comprender cómo pueda sobrepujar el arte popular al arte de los eruditos, ya que por el hecho mismo de ser popular deja de ser arte y sólo es instinto. Si en el concepto de arte entra el de reflexión de los medios empleades, de manera que digamos ser artista tan solamente aquel que conoce el mecanismo y artificio del artefacto, como conoce el gramático el artificio del idioma, sus partes y junturas, el pueblo no es artista. Pero sin esa reflexión hay arte, de suerte que el arte puede ser reflexivo e instintivo.

Efectivamente, dondequiera que haya una obra, el que la hizo artista fué. ¿No es el idioma la obra más acabada de las facultades humanas? ¿No es la obra humana más artística? Y con todo eso, no entra en su creación y evolución continua la reflexión de los eruditos ni los eruditos son capaces de hacer un idioma artificial, si no es a imitación de los idiomas naturales y quedando siempre por bajo de ellos. Los idiomas naturales son obra del pueblo, obra instintiva, y sin embargo son la obra artística por excelencia. Hay, pues, arte instintivo y tan arte que sirve de dechado al arte reflejo de los eruditos.

Lo que va de los idiomas naturales, producto instintivo de todos los hombres que los hablan, a los lenguajes artificiales, va de la literatura popular a la literatura erudita. La literatura, prescindiendo del vocablo que, por referirse a las letras y escritura, dice artificio, como la escritura y letras lo son en el hecho mismo, la prosa y la poesía, la épica y la lírica no son más que extensión del idioma, su práctica y uso. ¿Qué extraño sobrepuje en la práctica del lenguaje, o sea en la literatura, el pueblo a los eruditos, si suyo es el lenguaje, si es su obra propia, que por eso se llama idioma? ¿Quién ha de saber mejor manejar un artefacto que el que lo inventó y fabricó? Antes bien, así como los lenguajes artificiales no son propios lenguajes, sino imitaciones tan falsas como los árboles que el hombre pudiera fabricar, como los falsos diamantes que fabrica, así la literatura erudita, prescindiendo de que los eruditos pertenecen al pueblo que forma y maneja el lenguaje, sería un falso artificio y remedo. La literatura es el idioma en función y uso, y es tan natural, por consiguiente, y tan propia del pueblo como el idioma. La literatura popular e instintiva es, pues, la única verdadera literatura.

Se dirá que siendo los eruditos escritores tan del pueblo como los que no escriben, poseen ese arte instintivo como ellos y emplean el idioma tan bien como ellos, añadiendo la reflexión y estudio, que no es de creer empeore el uso del habla común, de suerte que el arte erudito habrá de sobrepujar al arte popular, pues tiene todo lo que éste tiene y algo más.

Hay que responder que la reflexión no es la fabricadora del arte, sino tan sólo de la ciencia. Son dos campos diferentes y tanto que en cuanto se mezclan, pierde el arte. El arte es hijo de la intuición instintiva, de la fantasía; la ciencia lo es del entendimiento discursivo o reflexivo. Esta facultad no crea, sólo sabe combinar y sistematizar lo que crea la fantasía. Los eruditos crean cuando instintivamente, como los demás hombres, *les sale algo,* esto es, cuando en ellos trabaja la fantasía creadora. La reflexión y discurso no sirve sino acaso para echar a perder la obra de arte. Todo artista lo sabe por experiencia y más el artista de la palabra. Acierta cuando se olvida de toda regla y de todo discurso: es el momento de la inspiración, que llaman. Los retoques posteriores pueden tan sólo dar cierto pulimento y lustre superficial a la obra; mas la creación de la obra es cosa instintiva. La literatura erudita acicala, pule, amplía y ensancha lo que la literatura popular le ofrece ya creado o lo que él mismo como hombre instintivamente puede crear, que siempre es harto menguado si se compara con las creaciones del pueblo, como es menguado un solo entendimiento, por poderoso que sea, comparado con el de tantos hombres por tantos siglos como han concurrido a la formación y pulimento del arte popular [1].

Ahora se entenderán bien aquellas palabras del prólogo del *Romancero general,* de 1604 (por Juan de la Cuesta), que probablemente son de Salas Barbadillo:

"Como este género de poesía (dice de la popular 'del romancero y lo mismo puede aplicarse a la lírica popular) no lleva el cuidado de las imitaciones y adorno de los antiguos, tiene en ella el artificio y vigor retórico poca parte, y mucha el movimiento del ingenio elevado, el cual no excluye a la arte, sino que la excede, pues lo que la naturaleza acierta sin ella es lo perfecto."

Naturaleza llama y se llamó siempre la facultad instintiva del hombre y del pueblo; arte, la reflexión, propia de los particulares, de los eruditos. *El movimiento del ingenio elevado* es la facultad natural creadora, que eso es *el ingenio.* La naturaleza excede al arte, no lo excluye, antes lo comprende;

---

[1] Véase Schopenhauer, *Le monde comme volonté,* París, 1909, t. III, pág. 219 (cap. 34).

pero *le excede, y lo que sin arte acierta, eso es lo perfecto.* Acertadísima doctrina, que fundamenta el valer del arte popular sobre el valer del arte erudito.

No faltaron, pues, ingenios que acreciesen durante el siglo XVI la literatura popular. Herrera, Medina, Girón, pusieron de moda en Sevilla el clasicismo, como fray Luis de León y otros en Castilla; pero en Sevilla mismo Argote de Molina antes y Juan de la Cueva después de ellos se atuvieron al criterio nacional. Todos o casi todos los poetas españoles rindieron parias al clasicismo; pero la literatura popular se fué imponiendo por días, porque el engrandecimiento de la nación desde los Reyes Católicos como que despertó todo lo propio y nacional e hizo caer en la cuenta del propio valer. A fines del siglo XV y comienzos del XVI el romancero o épica popular y los villancicos y coplas populares tuviéronse por primera vez en grande estima por los escritores y se fueron imprimiendo y lo que más es, imitando. Sobre todo, la lírica popular debe su encumbramiento a los dramaturgos de aquella época. Juan del Enzina, Gil Vicente, Sánchez de Badajoz, Lucas Fernández la llevaron a la literatura erudita e hicieron verdaderas églogas castizas, harto más castizas que las de Garcilaso, y villancicos y coplas, allegándose mucho al arte popular, como puede verse por las poesías del *Cancionero de Barbieri,* donde alternan con las anónimas, no menos que las de otros ingenios de la misma inspiración. Las obras musicales nos han conservado no pocas canciones del siglo XVI, que se cantaban en palacios y estrados, en calles y plazas, con acompañamiento, sobre todo, de vihuela. Lope y los dramaturgos del siglo XVII tomaron esa lírica popular, así como la épica de los

romances, y con estos elementos nacionalizaron el
teatro, que durante el reinado de Felipe II se habían
empeñado los eruditos en que fuese clásico. El fra-
caso de aquel clásico teatro no pudo ser mayor. El
criterio nacionalista era tan pujante que, creado el
teatro nacional, ya nadie se atrevió a hacer tragedias hasta que vino en el siglo XVIII el seudoclasi-
cismo francés. Los entremeses de los siglos XVI y
XVII son enteramente populares y se nutrieron de
letrillas, villancicos, canciones y bailes del arte popular.

Nada había que añadir acerca de los villancicos,
que siguieron cantándose hasta el siglo XIX y todavía
se cantan en nuestras iglesias, si ellos fueran más
conocidos por los literatos. Pero es harto de maravi-
llar que los desconozcan hasta el punto de creer que
la lírica feneció enteramente de hartazga gongorina y que tan sólo vino a resucitar con las églogas
de la escuela salmantina del siglo XVIII y las odas
de la sevillana. Según esta manera de ver no hubo
en España, desde mediado el siglo XVII hasta mediado el siglo XVIII, más que hórrida poesía gongorina y culta. Aquí, como siempre, del desconocí-
miento de lo popular. De todo el siglo XVII y de
todo el siglo XVIII consérvanse, sin embargo, montones de villancicos anónimos, impresos y manuscritos, que se componían y se cantaban con música
en las iglesias, no sólo en Madrid, Sevilla, Toledo,
Zaragoza, Córdoba y demás capitales, sino hasta en
poblaciones de segundo orden. Que esos villancicos
valiesen infinitamente más que las rimbombantes
poesías que imprimían los poetas cultos y famosos
en libros aparte y las que escribían para cartelas
de catafalcos, para bodas de príncipes y señores,
para cualesquier festejos públicos, única poesía de

que nos hablan los libros impresos y los historiadores y críticos, lo echará de ver el lector que en la *Floresta* lea los villancicos religiosos del siglo XVII. ¿Y a quién no maravillará el hallar tan hermosas flores en aquel cementerio de la lírica culta, que tal puede llamarse el espacio que corre de mediados del siglo XVII a mediados del siglo XVIII?

Estos villancicos del siglo XVII no eran más que continuación de los que en el siglo XV originaron el teatro en manos de Juan del Enzina. Son lírica dramática las más de las veces. Hay villancicos que desenvuelven escenas de todas clases, religiosas y profanas llevadas a lo divino; églogas pastoriles, diálogos aldeaniegos, cantares de molino, de segadores, de herreros, de torneros, jácaras de valentones, juegos y adivinanzas infantiles, entretenimientos familiares de tertulia, escenas de bailes y comedias, de toros, de gitanos, de estudiantes, de pordioseros, de sacristanes, de albañiles. Hay en ellos lírica pura y en germen épica y dramática: toda la literatura popular acogióse al villancico y al baile del entremés durante los siglos XVII y XVIII. Su influencia en la poesía culta es patente hasta en Calderón, cuyos cantos líricos remedan los metros, paralelismo, libertades del villancico popular, aunque de manera formularia y abstracta, seca y sin jugo.

La imitación de la lírica culta gongorina se mezcla con la popular del villancico en todos los poetas. Sor Juana Inés de la Cruz nos ofrece, allá en Méjico, los ecos que de entrambas tonalidades líricas llegaban de la península. Escribió, por ejemplo, un "Sueño imitando a Góngora". Véase el comienzo:

Piramidal, funesta, de la tierra
nacida sombra, al cielo encaminaba
de vanos obeliscos punta altiva,

escalar pretendiendo las estrellas;
si bien, sus luces bellas
eseutas siempre, siempre rutilantes
la tenebrosa guerra,
que con negros vapores le intimaba
la vaporosa sombra fugitiva,
burlaba, tan distantes,
que su atezado ceño,
al superior convexo aun no llegaba
de el orbe de 'la diosa,
que tres veces hermosa
con tres hermosos rostros ser ostenta:
quedando solo dueño
del aire, que empañaba
con el aliento denso que exhalaba:
v en la quietud contenta
de imperio silencioso,
sumisas sólo voces consentía
de las nocturnas aves,
tan oscuras, tan graves,
que aun el silencio no se interrumpía.

Todo esto, "oscuro y grave", acaso no lo haya entendido el lector; pero sí habrá sacado en limpio que son cavilaciones gongorinas, entonadas a trompa y talega. Véase ahora cómo remeda el villancico popular, con su paralelismo y metros:

Catarina siempre hermosa
es alejandrina rosa.
Catarina siempre bella
es alejandrina estrella.
¿Cómo estrella puede ser
vestida de rosicler?
¿Cómo a ser rosa se humilla
quien con tantas luces brilla?

Otro estribillo:

Aguija, aguija, caminante, aprisa,

que es col o   tempo y aiga a carreia,
    Aguija, corre, corre, aguija la carga,
que el sol se pone y la carrera es larga.

Otro:

> ¡Ay cómo gime!
> mas ¡ay cómo suena
> el cisne que en dulcísimas endechas
> suenan epitalamios
> y son endechas !

Otro tanto hallaríamos en Calderón a cada paso
Imita el paralelismo, las repeticiones, contraposi
ciones, libertad métrica de versos y estrofas del vi
llancico popular, tanto como las pomposidades y pi
ramidales metáforas de Góngora.

Es, pues, un error decir que el clasicismo y 1
lírica italiana venció en toda la línea. Leyóse much
Garcilaso y se le imitó, pero las voces que más s
dejan oír durante el siglo xvi y que proclaman e
clasicismo, mayormente los tratadistas de arte poé
tica, Herrera, Rengifo, el Pinciano, Cascales, n
prueban que sólo gustase lo clásico. Fueron ello
los que escribieron y esas voces escritas son las qu
nosotros oímos. Las voces no escritas llevóselas e
viento; pero que las hubo y sonaron todavía más
que lo popular fué más apreciado que lo puramemt
italiano y clásico, se ve por las obras y por los efectos. En el teatro del siglo xvi todo es popular, ex
ceptuando la traza de algunas comedias de Lope d
Rueda, etc., que son del gusto italiano. Si las poé
ticas son clásicas, los tratados de música lo son d
lírica popular. Los *Cancioneros* y *Romanceros*, d
épica popular son. La mayor parte de los poeta
eruditos de todo aquel siglo glosaron letrillas e hicie
ron canciones imitadas de las populares, como hicie

ron, al fin de él, romances. Muchos poetas cultivaron casi exclusivamente la lírica y los metros cortos
nacionales. Después el teatro del siglo xvii, como
hemos dicho, se fundó sobre el romancero y la lírica del pueblo y sus metros son los nacionales, em-
pleándose solamente por excepción los metros italianos. Estos efectos y hechos son voces silenciosas,
pero más claras y fuertes que las de los autores de
poéticas y otros eruditos que abogan por lo clásico.
Hay otra prueba del criterio popular y nacional y
es que hasta los clásicos más cerrados e intransigen-
tes fueron en España libérrimos, abiertos y de man-
ga ancha, si se comparan con los franceses. Lo cual
se debe al arte popular que aquí señoreaba y del
cual ni los clásicos podían desentenderse.

¡Qué diferencia de Argensola, todo horaciano y
latino como preceptista, y de Herrera, mucho más
italiano que latino en sus *Comentarios* a Garcilaso!

> Nuestra patria no quiere, ni yo quiero,
> abortar un poema colecticio
> de lenguaje y espíritu extranjero.

Así escribe Bartolomé Leonardo, que no parece
sino que con ello echa abajo los principios de Garcilaso, aquella su demasiada blandura italiana, aquel
copiar de los italianos, aquel andar siempre metido
en mitologías. Obra *colecticia* y de *espíritu extranjero* fué la de Garcilaso, contra la cual grita aquí
Argensola. En pocos años ¡cuánto habia ganado de
terreno el criterio nacional aun entre los más ce-
rradamente clásicos!

El mismo Cervantes, que en el *Quijote* y en *Pedro
de Urdemalas* sostuvo la teoría clásica del teatro,
según a mí se me entiende por acatar la autoridad
de los preceptistas y de los antiguos, como hombre

lego que la concede a los maestros, y por su cri
terio ético y aun algo por su enemiga contra Lope
no solamente en la práctica iba contra ella haciend
obras de teatro nada clásicas y sí muy nacionales
sino que a poco, cayendo del todo en la cuenta
desdíjose manifiestamente en *El Rufián Dichos*
(jorn. 2), diciendo la Comedia personificada:

> Los tiempos mudan las cosas
> y perfeccionan las artes
> y añadir a lo inventado
> no es dificultad notable.
> Buena fui pasados tiempos,
> y en estos, si los mirares,
> no soy mala, aunque desdigo
> de aquellos preceptos graves
> que me dieron y dexaron
> en sus obras admirables
> Séneca, Terencio y Plauto
> y los griegos que tu sabes.
> He dejado parte dellos
> y he tambien guardado parte, ,
> porque lo quiere asi el uso,
> que no se sujeta al arte.

El uso, pues, que no se sujetaba al arte de lo
eruditos y que antes había proclamado el clasicis
mo, había dejado ya de ser clásico; era nacional
inspirado en lo popular.

Así lo quiso *el vulgo* (*Quijote,* y Lope en el *Art
nuevo*), lo cual es reconocer lo que pretendemos, qu
el espíritu popular y nacional venció al clásico, e
lugar de quedar vencido por él, como se ha dich
en todos los tonos.

¿Qué había de quedar vencido? Triunfa enteramente en el teatro de Lope, en sus dos manifesta
ciones, épica y lírica, que cabalmente le sirven d
fundamento.

El mayor poeta de fines del siglo XVI fué Góngora. Pues bien, Góngora fué discípulo de la lírica popular y el que mejor supo comprenderla e imitarla. Y si el criterio teórico se comprueba y aquilata por las obras que produce, fácilmente se echará de ver cuánto más vale el criterio popular que el clásico en el mismo poeta Góngora, cuando mudado el criterio, por vanidosa comezón de ser primero entre los clásicos eruditos, como ya lo era entre los populares, comenzó a querer sobresalir entre aquéllos, echándose en brazos del clasicismo. Pero el clasicismo en España había llegado ya a tanta mengua y chochez, que en sus manos convirtióse en culteranismo o gongorismo, que es el clasicismo caduco, que exagera las notas artificiales propias, lo libresco y erudito, la mitología y lo extranjero en palabras y expresiones.

Tan de capa caída andaba ya el clasicismo, tan caduco y chocheando a principios del siglo XVII. Así coincidieron la gravedad y lozanía del arte dramático, hijo de la inspiración popular en Lope, y la bajeza y caducidad del arte culterano, hijo de la inspiración clásica en Góngora. No podía ya el clasicismo dar otro fruto, después de los primeros y lozanos de Garcilaso. Era pura imitación extraña, alimentada de mitología y cosas itálicolatinas, alejada de la naturaleza y ajena a la inspiración natural de los españoles. Lo popular, lo natural venció, como era de esperar, y al pretender Góngora infundir sangre nueva, con sus bríos de gran poeta, al ya casi cadavérico clasicismo, acabó con él, porque no hay cosa más anticlásica que el gongorismo, aunque de la inspiración clásica nacido. Demasiado parece hemos dicho; pero voy a ser más claro y terminante.

El clasicismo en España no fué más que un clasicismo de pega. El espíritu clásico hay que buscarlo en Grecia. ¿Cuándo fué clásico en Grecia inspirarse en los libros, en vez de inspirarse en la naturaleza?

Homero pinta lo que ve o fantasea, y otro tanto hicieron Píndaro y Safo, Simónides y Teócrito. No hay nada libresco en ellos, no hay variaciones de temas ya leídos. En cambio Garcilaso no pinta el paisaje de España, sino el que ve en los libros italianos, en Virgilio y Teócrito; no siente por sí, sino por lo que ellos dejaron en sus obras; no pinta personajes españoles de su tiempo, sino pastores virgilianos, que eran los pintados por Teócrito y estos pastores de Arcadia fantaseados por él; no pinta escenas vividas, sino escenas muertas siglo había, escenas mitológicas. La mitología era para los griegos la naturaleza poéticamente personificada, las fuerzas naturales, los naturales fenómenos endiosados; la mitología era la misma naturaleza. Para Garcilaso y para nosotros · no es más que un montón de nombres y de historias marchitadas por los siglos. La naturaleza y el hombre viviente fué lo que los griegos veían, sentían y pintaban, y fué lo que Garcilaso jamás vió, sintió ni pintó, atento a repetir lo que los griegos habían ya expresado y todavía más lo que los italianos habían repetido de los latinos y éstos de los griegos.

Eso y no más fué el clasicismo en Italia y España y en todas partes. El verdadero espíritu clásico no está, como se ha repetido, en echar el vino añejo en odres nuevos. Los griegos no tomaron vino añejo, asuntos manidos en viejos libros; tomaron el vino nuevo que les ofrecía la naturaleza. Los renacentistas fueron los que no quisieron plan-tar viñas, sino que tomaron de los antiguos los asuntos y hasta la manera de tratarlos, no poniendo de nuevo más que los modernos idiomas, cuando no escribieron en latín, para que todo fuera viejo y ajeno. El principio de imitación, proclamado por Aristóteles y tan traído y llevado por los renacentistas, no es el de la imitación de otros (a no ser en el primer aprendizaje), sino el de la imitación de la naturaleza, cosa de la que estuvieron siempre ajenos los renacentistas. Todavia queda un paso más que dar.

El verdadero espíritu clásico no lo tuvieron nuestros clásicos, sino los que preferían el espíritu nacional. Juan del Enzina compuso verdaderas églogas españolas y fué más clásico en espíritu que no Garcilaso, que sólo hizo églogas latinas en castellano. La verdadera elegía española es la de Jorge Manrique, no las de Garcilaso, que son elegías italianas en castellano. Nuestros romances son los verdaderos poemas épicos clásicos españoles, no *La Araucana* ni *El Bernardo* ni *Os Lusiadas,* que son poemas latinohelénicoitalianos y más italianos que otra cosa.

Así venimos a parar a que los realmente clásicos y de espíritu griego fueron los escritores nacionalistas, que se inspiraron en el arte popular castellano; y que los llamados clásicos no fueron más que seudoclásicos, italianizantes, sin espíritu helénico de ninguna especie. Lope, Cervantes y los más acataban la autoridad de los italianos y por no parecer mal ante ellos sostenían teóricamente lo que en la práctica desdeñaban. Era el miedo a la férula del dómine, el temor al qué dirán los eruditos o acaso el prurito de querer pasar por eruditos, a lo menos por entendidos. Y sin embargo, en sus obras se alzaban muy por encima de ellos por seguir

la inspiración popular contraria. Bien claro se ve
en el *Arte nuevo de hacer comedias,* de Lope:

> Mas ninguno de todos llamar puedo
> más *bárbaro* que yo, pues contra *el Arte*
> me atrevo a dar preceptos y me dexo
> llevar de la vulgar corriente adonde
> me llamen *ignorante* Italia y Francia.

Sin esos miedos pueriles, Lope debiera haberse
reído de italianos y franceses, que no hacían cosa,
cuanto a dramática, que valiese la pena ni hicieron
nada sus antecesores españoles de la época de Felipe II, empeñados en resucitar la tragedia clásica.
Miedos de fantasmones, puesto que ni nos acorda-
mos ya siquiera de semejantes dómines italianos y
franceses que tales miedos ponían a ingenios como
Lope y Cervantes. Verdad es que todavía los más
de los críticos se llevaran las manos a la cabeza y
me anatematizaran también a mí, porque digo de
Garcilaso lo que digo y debo decir, ya que él fué
el primero, el adalid y el *príncipe de los poetas castellanos,* como se le llamó, en vez de decir *de los
poetas italianizantes;* pero ¿voy a repetir otra vez
el sainete de Lope y Cervantes, mostrando miedos
a fantasmones de puro aire? El valer poético de
Garcilaso queda en su lugar; el falso clasicismo del
cual fué adalid ya quedó enterrado desde la época
romántica: que no son novedades del otro jueves
las mías.

Había que volver por los derechos de la lírica
popular, tan menospreciada por algunos eruditos
renacentistas, pasados y modernos, y poco o nada
conocida del común de los literatos. Las poesías
populares de las que aquí hemos tratado y que he
publicado en la *Floresta* no son, efectivamente, co-

nocidas del público corriente. Enterradas seguían en libros y manuscritos viejos y ni siquiera las mentó ni habló de este género lírico popular el mismo Menéndez y Pelayo en su *Antología de poetas líricos castellanos,* con dilatarse en todo linaje de conocimientos literarios, hasta de la épica y otros asuntos que poco tenían que ver con la lírica. ¿Y qué pesa todo aquel rimero de hojarasca lírica erudita de la Edad Media en la balanza estética?

La lírica popular fué siempre tan menospreciada como la epopeya del pueblo castellano. De fines del siglo xv poseemos la que está recogida en el *Cancionero* de Palacio, publicado por Barbieri y en los tratadistas de música del siglo xvi. No es de creer que tan honda, tan galana, tan sentida poesía naciera de repente a fines del siglo xv; siglos llevaba de vida y harto se traduce en su mismo tono y en las alusiones de los escritores. Nadie se acordó, sin embargo, de recogerla, ni los historiadores de la literatura se dignaron tratar de ella. Los tratados de música apenas han sido hojeados más que por aficionados a este arte; pocos literatos los han consultado. La prueba está en que ofrecen curiosas variantes desconocidas.

Gracias al espíritu magnánimo de la gran época de la literatura germánica de fines del siglo xviii y comienzos del xix, de la época de Herder, Humboldt, Goethe, Schiller, de aquel humanismo integral, no ya ceñido a Grecia y Roma, sino ensanchado hasta abarcar el mundo entero y la historia toda universal de la cultura humana, sobre todo en sus raíces folklóricas y literaturas populares, brotó como de la nada a la literatura universal y se hizo famoso en todas las naciones y enriqueció nuestra literatura castellana el llamado romancero, la epopeya castellana medieval y aun de los siglos posteriores hasta nuestros días. A Jacobo Grimm (1815), a Ch. B. Depping (1817), a Fernando J. Wolf y C. Hofmann (1856), a A. V. Hüber (1844) y cien más, se debe el descubrimiento, el estudio científico, la publicación y la celebridad del romancero castellano. Sin ellos no se comprende la publicación del *Romancero general,* de Agustín Durán (1851), ni los trabajos posteriores acerca de la epopeya castellana. También fué alemán el que tuvo los primeros barruntos de una lírica popular y nacional: Böhl de Faber habla de ella en sus cartas y recogió algunos cantares en su *Floresta de Rimas antiguas castellanas* (1821-25). Agustin Durán tenía propósitos de haber recogido los cantares como recogió los romances y Bartolomé José Gallardo perdió el famoso día de San Antonio las colecciones que parece tenía hechas. Ello es que todo se quedó en flores hasta hoy.

"Un Romancero y un *Cancionero,* con sendas disertaciones sobre este género de composiciones en España (dice Gallardo que perdió el 13 de junio de 1823); a las cuales servían de comprobantes diez o doce Cancioneros y sobre treinta Romanceros impresos, con más de cuatro mil romances manuscritos, entre medianos, malos, peores y buenos."

Y Durán (Advertencia al t. II de su *Rom. gral.*):

"Intimamente penetrado de estas ideas, empecé por los Romanceros la larga y penosa tarea, que probablemente no acabaré, pues la vida me va faltando, de dar al público una serie de poesías populares o popularizadas después, con las observaciones críticas, históricas y políticas que su confeccion me' iba inspirando."

Cuanto a Böhl de Faber, la siguiente carta que

a Durán dirigió en 1829 y que inserta Pedro Sáinz
en el *Boletín de la Biblioteca de M. Pelayo* (1921,
pág. 41) nos muestra bien a las claras los cantares
populares de que tenía noticia:

"Me alegro le halla (*sic*) servido a Vmd. de algo la
Floresta: los críticos alemanes (que ya sabe Vmd.
abrazan mucho) a ocasion de las traducciones de Maury han
vuelto a ponderar la Floresta como la mas completa y
mejor escogida colección desta clase, llamando la aten-
cion al tesoro de poesias *festivas,* peculiar distintivo
della. Como soy tan inclinado a la poesia popular hubiera querido descubrir mas cosas por el estilo de los
núms. 122, 134, 135, 145, 149, 187, 195, 209, 215, 223,
231, 249, 271, 357, 358, que las tengo por oriundas del
pueblo, pero escasean mucho las hojas volantes de aquel
tiempo adonde solo se estamparian. Si poseyese Vmd.
algo por el estilo mucho apreciaria tener copia, pues
tengo ya algunas cosas reunidas para formar un su-
plemento a la Floresta. Salinas en su libro de la Musica cita los primeros versos de muchas canciones populares de que no he podido descubrir ninguna. Hay
tambien muchas devotas, al tono de otras mundanas,
que tampoco se encuentran. El Cancionero por Juan de
Linares, Barcelona 1687 (que debe ser reimpresion de
otro mucho mas antiguo) tiene algunas cosas por este
estilo. Nunca he podido ver la Silva de canciones de
Timoneda, Sevilla, 1511, ni su Cabañero Cancionero,
Valencia, 1570 que se me figura llenarían mis ideas mas
que ningunas."

Por estas palabras se ve que Böhl de Faber, a
pesar de sus buenos deseos, no tuvo a mano las
necesarias fuentes de nuestra lírica popular. Algunas más parece conocieron Gallardo y Durán,
aunque no seguramente todas las que hoy señalo
y de las cuales he sacado la *Floresta*.

Si, como espero haber aquí probado, hubo en
castellano una lírica popular de la cual se derivó

la arábigoespañola, la provenzal, francesa y galaicoportuguesa cuanto a la métrica, y si como creo haber probado en mi obra *El Cantor de Mio Cid y la epopeya castellana*, Nueva York-París, 1920, hubo una epopeya popular en castellano durante la Edad Media, estos dos hechos renuevan y modifican la visión de nuestra historia literaria medieval y dan nueva luz para comprender más de raíz nuestra literatura culta y erudita, en la cual aquella popular obró, desde los libros del mester de clerecia, comenzando por el *Mío Cid*, hasta la poesía cortesana del siglo xv, desde los comienzos del teatro fundado por Juan del Enzina hasta el teatro llamado nacional, fundado por Lope de Vega. En toda la épica, la lírica, la dramática de los escritores cultos desde la Edad Media se ve el gran influjo de la epopeya y de la lírica del pueblo. No es menester añadir ni una palabra más para comprender que nuestra historia literaria, aun después de la Edad Media, conviértese a esta nueva luz en muy otra de lo que fué hasta aquí y que casi queda trastornada de arriba abajo. Para no apuntar más que un solo caso de la influencia del arte popular en nuestra literatura, creo que todavia no se ha estudiado bien nuestro teatro desde Juan del Enzina a Calderón a la luz de la epopeya popular y de la popular lírica, por no haberse conocido enteramente el espíritu de entrambas. ¿Qué debe nuestro teatro al romancero? ¿Qué a la lírica popular? Pues todo su espíritu, ni más ni menos. Si fué grande y nacional nuestro teatro, fuélo por haber sido populares esos sus dos fundamentos, el épico y el lírico. No es la lírica clásica la que en él alienta, sino la popular. No sólo Lope, Tirso y Valdivielso, sobre todo, ingieren cantares populares en sus comedias, sino que el lirismo popular trasciende por todas partes, las empapa, no sólo con las formas métricas populares y sólo excepcionalmente clásicas, sino por la manera de expresarse líricamente los afectos y pasiones. Nuestro teatro es muy lírico; pero desconociendo la lírica popular ¿cómo aquilatar su espíritu lírico? Nada digamos del elemento épico, puesto que no solamente nuestro romancero dió asunto a las mejores comedias españolas, sino que el espíritu épico que en todas ellas bulle no es el de Torcuato Tasso, ni el caballeresco europeo, ni el homérico, sino el del romancero. Las ideas, los caracteres de nuestro teatro de él se derivan, siquiera se modificaran algún tanto con las ideas de la época, desvirtuándose algo la entereza, el pundonor, la fe religiosa, el respeto y amor a los reyes, el instinto de independencia nacional y privada, la robustez en el sentir y el alto sentido de justicia; pero sustancialmente todo esto vive en nuestro teatro como en nuestra epopeya. Sin el espíritu de estos dos géneros literarios populares no se comprende el espíritu de nuestro teatro ni hubiera nacido siquiera. A esta luz y viso no se ha estudiado todavía el teatro español y sin embargo de tal estudio pende el penetrar en su espíritu más íntimo. Cuando en él se penetre, se verá que el teatro de Lope lleva al de los demás dramaturgos españoles gran ventaja, porque ninguno como él se había empapado en el espíritu del romancero y de los cantares populares.

"El principal obstáculo que hasta entonces (los Reyes Católicos) se opuso al desarrollo del teatro (dice Schak) fué el insondable abismo que separaba a la poesía popular de la erudita. Una vez allanado, los poe-

tas mas instruídos no creyeron degradarse acudiendo a
lo: elementos populares y agradando al mismo tiempo
al pueblo y a las clases más ilustradas: y así, pues, re-
corrieron la única senda que podía llevar el drama a
su perfección, libre del exclusivismo que le embargara
hasta entonces."

No se ha estudiado aún el espíritu trágico de
nuestro teatro, que es el que dió vida y aliento a
la epopeya, como no se ha estudiado su lirismo
propio, que es el de la lírica del pueblo. Conocemos
comedias y comediógrafos; pero el alma de nuestro
teatro está todavía por descubrir y estudiar.

Bonilla, en su erudito estudio *Las Bacantes o del
origen del teatro* (1921), ha tocado este asunto de lo
trágico. Haciendo hincapié en lo trágico de la *Celestina,* escribe:

"pero no es semejante erudición lo que le da lugar
preeminente en la literatura, es su sentimiento *trágico*
de la vida, su enérgica penetración del conflicto hu-
mano. Si Rojas hubiese sido un humanista como la ge-
neralidad de los de su tiempo: como Policiano, Sado-
leto o Bembo en Italia, como Budeo en Francia, habría
imitado a los clásicos, preocupándose más de parecér-
seles formalmente, que de afirmar su visión libérrima
de las cosas. Si a su humanismo se hubiese juntado
una inclinación satírica, habríase mostrado un amable
escéptico, como Erasmo, o un violento censor, como
Ulrico de Hutten, o un monstruoso e intemperante Si-
leno, como Rabelais. Pero el humanismo de Rojas era
algo más duradero y universal que todo eso: comienza
por un hecho, y acaba, no con sentencias dogmáticas,
como los dramas de Eurípides, sino con un *lamento* y
una *interrogación,* como las tragedias del viejo Esquilo. No se trata ya de un *sermoneador,* como los que
tanto abundaron en la Edad Media, sino de un hombre
que ha sufrido, y que, por consiguiente, ha podido aden-
trarse más que otros en la esencia de las cosas."

Y poco después:

"Es un hecho singular que casi todas las grandes obras de la literatura dramática universal: el *Prometeo encadenado* de Esquilo, el *Hamlet* de Shakespeare, el *Don Carlos* de Schiller, por ejemplo, responden al sentido *trágico* a que antes aludíamos. Si el Teatro español del siglo xvi hubiese conservado tal inspiración, sin duda hubiera producido alguna obra genial. No sucedió así, por circunstancias que después examinaremos, y, para que pudiera venir una regeneración de nuestra escena, ahogada por el bucolismo de Enzina y sus imitadores y por las adaptaciones del teatro italiano, fué preciso que hacia la segunda mitad de dicho siglo, los poetas volvieran instintivamente los ojos hacia el *estilo trágico*."

Convendría hacer un estudio completo de lo trágico en todo el teatro español y otro del influjo del romancero (sobre todo en su sustancia trágica) y de la lírica popular en él, y esto lo mismo en el teatro del siglo xvi como en el del xvii. Básteme a mí haber apuntado las ideas principales sobre el particular, así como otras varias que sugiere el estudio de la lírica popular y el sentido trágico de la epopeya castellana, sentido oscurecido desde el siglo xvi hasta ahora.

Lo que con esta *Floresta* me había propuesto lo habré acabado con mayor o menor maña; pero sustancialmente quedo satisfecho de haberlo logrado. He desenterrado todo un género literario castellano, tan sólo barruntado por contados eruditos y negado por los más hasta estos últimos tiempos. He publicado un tesoro de poesía patria, popular y de tanto valer estético como no lo pueden presentar las demás naciones románicas ni siquiera Grecia ni Roma. He probado que hubo una antiquísima lírica popular castellana, de la cual nacieron la provenzal, la francesa, la galaicoportuguesa. He llegado muchísimo más allá de cuanto ambicionaron en esta parte Böhl de Faber, Fernando Wolf, Durán. He desmentido la corriente opinión de que los españoles carecían de la sensibilidad que pide la lírica, de que no eran líricos y de que la lírica en la Península era exclusiva de Portugal y Galicia. He descubierto un nuevo mundo para la literatura castellana y un clarísimo retrato del alma española, en el cual se hallan de manifiesto facultades y cualidades antes desconocidas, su más hondo sentir, lo más traspuesto de la psicología nacional y finalmente he proporcionado a los amantes de la poesía inagotable venero de solaz y esparcimiento. De mí confieso que estos cantares populares son continuo alimento de mi alma, que no acabo de releerlos una y cien veces, cada vez con mayor gusto y sabor, y que me sirven de piedra de toque para apreciar el valor de las demás poesias que llegan a mis manos. Perdóneme el lector este desahogo íntimo de mis sentimientos líricos en obra que trata de la más sincera de las líricas, cual es la lírica popular castellana [1].

---

[1] La *Bibliografía de la lírica popular castellana,* que debiera ponerse aquí, la hemos publicado ya en el tomo XIV de la *Historia de la lengua y literatura castellana,* pág. 354.

ÍNDICE

Lightning Source UK Ltd.
Milton Keynes UK
UKHW020749211118
332720UK00012B/1113/P